Dans la même collection

Les hommes forts du Québec, de Jos. Montferrand à Louis Cyr
Ben Weider et E. Z. Massicotte

Le Retour
Anne Boyer, Michel d'Astous et Roger Des Roches

Le Retour
La rédemption de Rose
Anne Boyer, Michel d'Astous et Roger Des Roches

Jean-Louis Millette, portrait d'un comédien
Daniel Pinard

Bouscotte
Le goût du beau risque
Victor-Lévy Beaulieu

Bouscotte
Les conditions gagnantes
Victor-Lévy Beaulieu

Bouscotte
L'amnésie globale transitoire
Victor-Lévy Beaulieu

Bénédict Fiset
Forgeron, enchanteur et sorcier merveilleux
Jean Ferguson

À cœur de jour
Claude Jasmin

Le temps d'une guerre
Bertrand B. Leblanc

Y sont fous le grand monde!
Bertrand B. Leblanc

De la grande noirceur au plein feu
Les personnages de ma vie
Yvon Leroux

De la grande noirceur au plein feu
Les plus beaux jeux du monde
Yvon Leroux

Le Bouc décorné
Sylvain Rivière

ÉCRIVAIN CHASSANT AUSSI LE BÉBÉ ÉCUREUIL

Du même auteur

La corde au cou, roman, C.L.F., 1960.
Délivrez-nous du mal, roman, Stanké, coll. 10/10, 1961.
Blues pour un homme averti, théâtre, Parti pris, 1964.
Éthel et le terroriste, roman, Stanké, coll. 10/10, 1964.
Et puis tout est silence, roman, Quinze, 1965.
Pleure pas Germaine, roman, Typo, 1965.
Les artisans créateurs, essai, Lidec, 1967.
Les cœurs empaillés, nouvelles, Guérin littérature, 1967.
Rimbaud, mon beau salaud, roman, Éditions du Jour, 1969.
Jasmin par Jasmin, dossier, Langevin, 1970.
Tuez le veau gras, théâtre, Langevin, 1970.
L'Outaragasipi, roman, L'Actuelle, 1971.
C'est toujours la même histoire, roman, Leméac. 1971.
La Petite Patrie, récit, La Presse, 1974.
Pointe-Calumet, boogie-woogie, récit, La Presse, 1973.
Sainte-Adèle-la-vaisselle, récit, La Presse, 1974.
Revoir Éthel, roman, Stanké, 1976.
Le loup de Brusnwick City, roman, Leméac, 1976.
Feu à volonté, recueil d'articles, Leméac, 1976.
Feu sur la télévision, recueil d'articles, Leméac, 1977.
La Sablière, roman, Leméac, 1979.
Le Veau d'or, théâtre, Leméac, 1979.
Les contes du sommet bleu, Éditions Québécor, 1980.
L'armoire de Pantagruel, roman, Leméac, 1982.
Pour ne rien vous cacher, journal, Leméac, 1989.
Maman-Paris, Maman-la-France, roman, Leméac, 1982.
Le crucifié du Sommet-Bleu, roman, Leméac, 1984.
L'État-maquereau, l'État-mafia, pamphlet, Leméac, 1984.
Des cons qui s'adorent, roman, Leméac, 1985.
Une duchesse à Ogunquit, roman, Leméac, 1985.

Suite à la fin du volume.

Claude Jasmin

Écrivain chassant aussi le bébé écureuil

JOURNAL

AVRIL À AOÛT 2002

ÉDITIONS TROIS-PISTOLES

Éditions Trois-Pistoles
31, route Nationale Est
Paroisse Notre-Dame-des-Neiges
G0L 4K0
Téléphone : 418-851-8888
Télécopieur : 418-851-8888
C. élect. : ecrivain@quebectel.com

Saisie: Martine R. Aubut
Conception graphique, montage et couverture: Roger Des Roches
Révision: Monique Thouin et Victor-Lévy Beaulieu
Illustration de la couverture: Aquarelle de Claude Jasmin

Les Éditions Trois-Pistoles bénéficient des programmes d'aide à la publication du Conseil des Arts du Canada, du ministère du Patrimoine (PADIÉ), de la Société de développement des entreprises culturelles du Québec (SODEC) et du programme de crédit d'impôt pour l'édition de livres du gouvernement du Québec (gestion Sodec).

En Europe (comptoir de ventes)
Librairie du Québec
30, rue Gay Lussac
75005 Paris, France
Téléphone : 43 54 49 02
Télécopieur : 43 54 39 15

ISBN 2-89583-062-2
Dépôt légal : Bibliothèque nationale du Québec, 2003
Dépôt légal : Bibliothèque nationale du Canada, 2003

Avril 2002

[Mardi 2 avril 2002]

Lise Payette

Remontée vers les Laurentides sous un ciel plus clair qu'en ville, au-dessus du vaste cimetière sur le mont Royal. Aile et moi sommes allés offrir nos condoléances à l'animatrice Lise Payette, qui vient de perdre son compagnon de vie, l'imprimeur Bourguignon. Visage défait, voix plus fragile que jamais. Autour du cercueil, sur deux babillards de liège, plein de joyeuses photos en couleurs du temps que son chum, Laurent, était bel et bien vivant. Aile fut sa réalisatrice du temps de son talk-show *Lise lib*. De plus, elle réalisa quelques épisodes de ses feuilletons d'antan avant de se consacrer (hum!) aux proses velbesquiennes (oh!).

Jadis, j'ai passé assez souvent sous ses fourches et piques malicieuses… une fois pour accompagner en ondes mes père et mère. Vers 1975, quand mon feuilleton emblématique sévissait tout glorieux le dimanche soir à la SRC. Dans un corridor souterrain, mon pauvre vieux papa avait énergiquement dansé une sorte de gigue, de reel d'habitant, face à une Lise amusée. Lise venant de Saint-Henri et ayant eu une maman femme de ménage connaissait bien son populo: «Ouen! m'sieur Jasmin, vous restez en forme, c'est beau ça, c'est très bien.» Et mon Édouard de se calmer aussitôt, fier d'avoir démontré sa bonne forme à 70 ans, cabot à cette époque où il prenait confiance en lui comme jamais sachant que ses céramiques primitives s'envolaient à Toronto, à la galerie Prime, rue Queen.

L'affreux bonhomme Nicot! Nerveuse, tendue, Rayon revient d'une promenade dans les alentours. La grosse affaire? L'énervante affaire? Fini la cigarette depuis lundi matin! Elle en bave. Davantage que moi. C'est dur mais... je parviens à rester calme. Pour ma compagne, c'est la punition des punitions. Elle souffre. Fait vraiment pitié. Je la plains. Je l'entoure, la ménage, la caresse mieux.

Elle se sert de la béquille dite des patches. Je souhaite que, cette fois, ce soit la bonne, la définitive. Mon grand amour est toujours à court de souffle. Une toubib lui aurait dit: «L'emphysème vous guette!» Il fallait agir. Il était temps! Quelle folie: simplement pour nous être décidés à lâcher la cigarette, nos vies en sont bouleversées! Pauvres petits bourgeois énervés de devoir abandonner une sale manie bien niaise: la maudite cigarette!

Hier soir, un autre gala! Celui des comédiens de France... de Paris surtout, bien entendu. Si joli théâtre comme décor des prix Molière, une de ces bonbonnières parisiennes, celui dit de Mogador.

L'acteur Philippe Noiret, hôte d'honneur, raconte une anecdote: «On demandait à un acteur âgé ce qu'il faisait pour aider les plus jeunes et il répondit: « Mais… je vieillis, monsieur, je vieillis. » Un humoriste s'amena pour imiter, non sans cruauté, le « mondain sympa » Jean-Claude Brialy. Effets garantis sur sa salle. Certaines allusions à la politique de l'heure provoquèrent de vifs éclats de rire. Élections présidentielles bientôt obligeaient.

Défilé de remercieurs comme partout, mais j'aime ce gala, comme celui pour le cinéma de France. Il se déroule à Paris — ma chère Mecque culturelle à moi — en français, ma très précieuse langue maternelle. Cela me fait toujours chaud au cœur et, chaque année, je me surprends à m'émerveiller pour un simple mot d'esprit, un coin de décor bonnement imaginé, une phrase bien tournée et une apostrophe bien frappée.

Un des numéros a montré deux candidats politiques à une table des médias en vue d'un débat. C'était bien fait, mené avec énergie, ponctué d'effets sonores extravagants, de mimiques de robots caricaturales, le tout d'un comique renversant. Si loin des chiards dansés routiniers à Hollywood.

Samedi dernier, nous avons loué le très divertissant *Le vol* avec l'acteur Gene Hackman, toujours épatant. Il y a longtemps que nous admirons ce gros bonhomme carré. Hackman joue si vrai, il offre à chacun de ses films un caractère d'un rare naturel dont on ne se lasse jamais, qui est pourtant basé sur une série de petits gestes, regards, expressions faciales… toujours les mêmes! On ne retient rien de l'histoire, comme toujours avec ces films de bandits. Début: préparation d'un gros vol et sa réussite. Une importante bijouterie de Boston. Le riche commanditaire mafieux de Hackman, joué par le nabot De Vito, veut tout de suite la réussite d'un deuxième vol. Un coup délicat dans un avion suisse à l'aéroport bostonnais. Déboule donc une série de cascades. Du cinéma juste pour passer le temps…

Rayon me parle déjà avec enthousiasme du *Iguane* de Denis Thériault. Elle a hâte de poursuivre, au lit, la lecture de ce nouveau roman québécois tant vanté par Martel. Hâte, moi, qu'elle achève sa lecture.

J'ai terminé hier un livre de Joseph Kessel. Je retiens à jamais ses excellents articles sur :

1) le commerce des esclaves en Afrique, chez les marchands éthiopiens en faveur des Arabes de l'autre côté de la mer Rouge. Ces écrits accablants, terrifiants font voir que l'esclavagisme, si dégradant, se continuait encore dans les années 30, malgré les lois l'interdisant depuis longtemps non seulement en Amérique mais partout dans le monde civilisé.

2) les Allemands au bord de sombrer dans le fascisme naziste. Kessel dresse un portrait saisissant des bouges et des bordels, des caves bizarres du Berlin ruiné par le cruel traité de Versailles en 1918, aussi du Berlin tragique quand communistes et nazis tentent de rallier, de séduire (c'est si facile en démagogie) les démunis, les ruinés, les misérables Berlinois de cette époque. Un reportage parfait.

La crise

J'ai aussi aimé énormément ce même Kessel s'installant à New York pour raconter à ses lecteurs les terribles effets de la grande crise économique de 1929. Les vivantes observations de Kessel font qu'on y est, qu'on voit les vitrines vides partout, Central Park couvert de vagabonds en loques, les mendiants rôdant hagards, la nuit, dans la 5th Avenue comme sur Broadway, les soupes populaires où, humiliés mais restant dignes, bien vêtus encore, d'ex-spéculateurs, millionnaires ruinés, vont manger.

Les Grecs et moi

Dimanche soir, bonne bouffe populaire au *Chalet grec*, rue Principale à Saint-Sauveur. Retrouvailles heureuses de mes enfants et des enfants de mes enfants (Lynn et Daniel), réunion conjointe avec la tribu de ma bru, des La Pan. Grand resto au classique décor fait d'étalages d'objets nordiques anciens — oh les licous de beus chers à l'ex-ministre ès Culture, Vaugeois ! — métissés de grecqueries pop. Mes calmars étaient parfaits. Il fallait apporter son vin, ce qui réduit toujours les factures, Dieu merci pour le budget des jeunes couples. Paul a traduit et adapté un peu mon roman fantastique *Le Loup de Brunswick City* et il se cherche un éditeur anglo. Il a du mal. Chez les éditeurs torontois, Jasmin doit être *persona non grata, an ugly separatist*!

Nous avons terminé la soirée au chalet du frère de ma jolie bru, Murray — un autre prof — pas loin du lac Millette. Dessert de sa Paula pas piqué des vers : fraises chocolatées ! Yam ! Bon café.

Gros yeux d'Aile quand il lui semble que je vais trop loin en caricatures familiales ! On rit. Jaune ? Bleu ? Nous rentrons légers, heureux de cette rencontre comme de toutes ces autres que la Carole, prof elle aussi chez nos jeunes émigrants, ne cesse de susciter alors qu'elle a tant de chats à fouetter. Il faudra qu'un jour je lui accroche un gros ruban doré marqué « Merci Carole ».

[Vendredi 5 avril 2002]

Enfants de notoriétés: danger

Soleil enfin dans le ciel laurentien, mais ce froid qui dure…ouash! «Beau printemps quand reviendras-tu?», chantions-nous jeunes. Daniel me courriellise qu'il a beaucoup aimé le ton familier de mon petit *Écrire*. Je lui ai offert ce bouquin de confessions d'un raté à Pâques. Mon *Je vous dis merci*, il l'avait parcouru en diagonale, me dit-il. J'aime bien ce genre de fils qui n'est pas un fan aveuglé du paternel, qui ne scrute pas tout ce que le *pater* publie. C'est un signe de bonne santé, il me semble. Je plains toujours ces enfants de notoriétés qui semblent vivre plutôt éblouis (écrasés parfois) par une mère célèbre ou un père connu. Content de vérifier ainsi que mes enfants vivent de façon autonome, pas en satellites d'une certaine célébrité… si écrasante dans tant de cas, hélas.

Je pourrais donner des noms d'enfants de vedettes pris, englués, énervés, vindicatifs, geignards, enfermés dans un cercle vicieux. Il y a chez cette Iseult (fille de Riopelle), par exemple, une sorte d'acharnement — à tout vouloir compulser, archiviser, numéroter le moindre dessin de son pôpa — qui me semble frôler la névrose ! J'espère me tromper.

Je songe à une Janine Carreau, dévouée servite de son grand homme, le peintre Gauvreau, je songe à Yolande Simard, l'épouse du cinéaste et poète Pierre Perrault, en zélatrice forcenée, en publiciste infatigable. Qui encore ? Cette doctoresse en lettres qui couvait Gaston Miron, une protectrice rare. Moi ? Personne ! Jamais. J'aurais pu engendrer cette fascination. C'est assez facile. Une Lorraine (?) se fit enfirouaper si totalement par Yves Thériault que c'en était cocasse ! Je n'apprécierais pas trop ma chère Aile, en docile thuriféraire et cérémoniaire aveugle. J'aime mieux vivre libre et mal protégé.

Cyrano

Hier, dès potron-minet, appel d'une recherchiste comique, pleine d'entrain. « Ma patronne, madame Cazin, vous veut. » Elle rit. Elle ricane. Me taquine. Me défie. Je me laisse amadouer. Au petit déjeuner, Aile, aussi nerveuse que moi sans la crisse de cigarette : « Vas-y, va-t'en, je peux plus t'endurer, ni m'endurer du reste ».

Je pars, comme elle, impatient. Maudit tabac du yable ! À *Dans la mire*, discussion du jour : Ce juge (Baraquett) qui se méfie des assistés sociaux comme valables et stimulants éducateurs. Qui le dit en pleine cour, de son haut banc. Qui a osé le dire. L'innocent ? Vaste sujet. Y aller de nuances ? Un peu si possible. Ça va vite, la télé. Faut résumer. Faire image. « Je touche et je compte », aurait dit Cyrano. Fi des oiseuses spéculations. J'aime pas trop. J'aime polémiquer cependant.

L'encan sur Internet des souvenirs du grand Maurice Richard, vous êtes pour ou contre ? J'y vais d'instinct. Ce glorieux joueur, un p'tit gars de Bordeaux, nous vengeait, nous accordait de la bonne et chaude lumière, ses victoires incessantes nous faisaient tant de bien, nous rendant enfin un peu plus fiers collectivement. Donc : « L'État devrait conserver tous les souvenirs de cette fabuleuse étoile du hockey. » C'est parti. Enregistrement à 15 heures au dixième étage. À midi et demi, l'animatrice, sorte de Claire Lamarche mais plus politisée, Jocelyne Cazin, semble contente de son invité : « Vous avez beaucoup d'humour, j'aime, ça me va toujours ! » Où luncher après ? À *La Scala* ? *La Diva* ? Non, faire simple puisque je n'ai plus (martyre !) mes chères cigarettes. Allons à la cantine de la SRC, *Chez Miville*, comme si souvent de 1971 à 1985. Grévistes partout devant les entrées. Ça me rappelle des souvenirs d'anxiété — j'avais deux jeunes enfants sur les bras —, d'angoisse folle après 60 jours de grève en 1959, de désarroi grave quand la CiBiCi d'Ottawa disait aux ploucs du réseau français : « On congédie tout le monde... *We scrapt to the bottom.* » Le gréviste réticent René Lévesque ouvrait les yeux face au mépris total envers ces « *lousy Frenchies from Kouaybec* » et, à jamais, devenait nationaliste fervent !

Hier midi, un vieux gardien de la SRC : « Passez, je vous reconnais. » Steak chétif pas cher *Chez Miville*. Une bière. Un morceau de gâteau. Quoi ? Faut compenser pour l'absence cruelle de cigounes, non ?

Retour à TVA pour le 17h : micro aux basques, oreillette au fond d'un tympan, une caméra-robot me fixe de son trou noir dans une sorte de placard, cagibi étroit, et c'est parti. En duplex électronique, Franco Nuovo qui ricane: «Non et non, faut rien payer pour les cossins de Maurice Richard».

Je le traite de mécréant, d'ingrat, de... de mondain déraciné. Il proteste: «Je suis de Villeray, moi itou, Jasmin!» L'animateur Bruneau se range de son bord! «Quoi, dit-il, faudra-t-il un musée à Mme Jeannette Bertrand aussi?» Quatre minutes vite brûlées! Vainement? Bof! Le public voit, écoute, se divise. Deux clans: les «vieux», qui ont tant aimé ce héros national respecté jusqu'aux USA, ce joueur si fougueux, si unique, et les jeunes, qui ne l'ont pas vu, si combatif, si fascinant, si vivant!

Un loup

Ai terminé hier *Un loup nommé Yves Thériault*, par son éditeur, à la fin de sa carrière, longtemps — Victor-Lévy Beaulieu. Eh bin oui. Pas gros de crédibilité? Non. Bof, c'est couru.

Victor-Lévy fait bien savoir que Thériault n'avait pas d'amis, qu'il avait un sale caractère, qu'il était sauvage (un loup?), qu'il mentait, qu'il promettait vainement des manuscrits, qu'il trichait ses éditeurs, etc. Un sacré bonhomme, ce Thériault! Je l'ai un peu connu. Sans cesse, Lévy Beaulieu vient se mêler à cette gigue qu'il a câllée. La vie de Thériault est constamment comparée à la sienne. Une méthode dangereuse. Cela donne pourtant de forts moments et des bons passages savoureux. Quand le biographe — mais il s'agit davantage d'un portrait impressionniste que d'une véritable bio — veut décortiquer l'intrigue de l'un des romans de Thériault, il s'enfonce parfois dans des explications — symboliques, psychanalytiques — tarabiscotées et lassantes.

Le plus souvent, le récit est stimulant. Et Beaulieu a mille fois raison de parler de l'un des «premiers écrivains professionnels» d'ici malgré toutes les horreurs rencontrées en cours de carrière dans ce petit pays frileux des années 40 et 50.

Il ne se fait pas du tout le soigneux et méticuleux François Ricard (pour Gabrielle Roy) de l'auteur d'*Ashini* et d'*Agaguk*, loin s'en faut. On n'apprendra pas, en détail et avec une bonne chronologie, tous les tours et détours de l'existence du gaillard de Notre-Dame-de-Grâce. Oh non! On aura plutôt droit à une dynamique murale, à une mosaïque, et on y glanera mille et un secrets sur Thériault, son vif désir, son besoin compulsif de «gagner sa vie en écrivant», ce qui lui a fait rédiger des proses parfois peu méritantes!

Deux nations

Ai lu la deuxième partie de *Deux Sollicitudes*, allusion aux *Deux solitudes*, de McLennan, ce dernier terme m'enrageant puisqu'il n'y a pas au Canada deux solitudes, pas du tout, mais deux nations. Et si l'une ignore totalement l'autre, c'est normal. L'une est une pénible succursale des Américains: même langue, même culture populaire, avec quelques intellos rouspéteurs pathétiques dans les universités et les médias qui se font accroire posséder «*a real, authentic, Canadian culture*». Farce! Pourquoi vouloir tant unir deux nations aux antipodes l'une de l'autre, dissoudre ces prétendues solitudes et faire de deux mondes (franco *versus* anglo), le *one nation* insistant des anti-patrie québécoise ? Ce «plus meilleur» grand pays uni coûte les yeux de la tête en deniers publics. La niaiserie fédéraste est détrousseuse du trésor commun et des *Canadians* lucides commencent à grogner.

Sans doute fort estimé par la CiBiCi-Rédio-Canada-Rimouski que ce projet de rencontre (à relent unionioniste) Atwood-Beaulieu. Ces entretiens n'en offrent pas moins des passages souvent fascinants, vu le calibre des deux jaseurs. Au départ, il s'agit donc d'émissions de radio (Doris Dumais à la réalisation). La mère Atwood — une auteure aux antipodes de Beaulieu —, m'a vite lassé. J'y voyais tant de pieux mensonges, d'aveuglement volontaire, d'ignorance (calculée ?) de l'autre — son questionneur Beaulieu. J'enrageais.

J'ai donc sauté à la partie numéro 2, quand c'est la bonne femme Atwood qui, en visite aux Trois-Pistoles, interroge *l'habitant*. Ce dernier, ici et là, joue le jeu et fait mine d'être un peu préoccupé par le sort du Canada anglais. Oh le raminagrobis ! Oh le gros malin ! Victor sait de quel beurre est constitué ce genre d'entreprise fédérate. Pas fou, il installe des parallèles dont il se fout probablement carrément. Bien joué. On a tous besoin de beurre sur les épinards.

L'un vient de la très grande pauvreté, du déracinement de sa campagne bien-aimée à 11 ou 12 ans, a vécu dans un Montréal-Mort paupériste, avec un papa gardien d'asile mal payé et guettant les pensions de ses aînés. L'autre, la Margaret, au bon père savant, très instruit, expert en «bébites» à pinces et à poil, a vécu dans la bonne banlieue de Toronto. Margaret fréquentera les bonnes écoles et, chez elle, avait accès à la solide bibliothèque du docteur Atwood. Victor, lui, n'avait que l'*Almanach du peuple* pour lecture fondamentale.

Le dialogue entre ces deux-là donne un livre curieux. Avec précaution et belles manières, le duo contre nature contourne un tas d'écueils. Jamais la dame Atwood n'affrontera honnêtement son vis-à-vis sur la question de l'indépendance du Québec. On tourne diplomatiquement autour du pot ! Elle fait des farces légères et quelques blagues lourdes, elle joue la comique, elle flirte avec « la cause sacrée » et tente sans cesse de glisser vers plus de frivolité.

En somme, c'est : « Il y a des micros, on va pas se crêper le chignon, on sait vivre, n'est-ce pas, jeune camarade ? »

Mon Lévy patauge, rit avec elle, sous cape et parfois sans cape — bourre sa pipe, sort le chien et, on l'imagine, tente de lui démontrer que l'on n'est pas une tribu de constipés…

En fin de compte, tout ce livre-radio va sombrer dans du méméring assez falot avec beurrage culturel. Je te sors mes auteurs favoris, mes lectures fondatrices, tu me sors les tiens. Bref, un entretien de radio juste assez mondain et pleutre pour ne pas déranger les subventionneurs de l'entreprise, les patrons sous haute surveillance de la CiBiCi.

J'aurais fait pareil, il faut pas cracher dans la soupe. Personne n'est dupe, surtout pas ces deux bons auteurs. Cette soupe froide, on la sert si rarement aux écrivains. La riche cantine est habituellement réservée aux artistes de variétés, les pas dangereux.

[Mardi 9 avril 2002]

Brume partout!

Depuis quelques jours, problèmes avec l'ordi. Plus moyen d'activer la fonction *courrier*. Appel à une experte, ma voisine d'en haut de la polyvalente, Carole La Pan. Pif, paf! ça n'a pas traîné. À la poubelle l'icône «*courrier*». «Corrompue!» me dit-elle. Hein, quoi? Nouveau sigle et hop, c'est reparti.

Ce midi donc, réponse aux courriels reçus. Jacques Keable, ex-camarade à *La Presse* et à *Québec-Presse*, me veut en signataire d'une pétition à la chère Diane Lemieux, boss ès culture à Québec. Des VIP souhaitent déménager une sculpture-fontaine de Riopelle, *La Joute*. Baptisé d'abord par Riopelle *Le jeu de drapeau*, c'était mieux. Du quartier Hochelaga — près du Stade olympique —, certains voudraient la réinstaller en milieu chic et prestigieux, au Palais des Congrès! Hochelaga, c'est trop minable pour un Riopelle? Les salauds! Je proteste volontiers! Quel snobisme!

Climat du diable ce matin en pays laurentien et qui persiste et qui s'envenime… Brume partout ! Triste, ça fait pas avril du tout. C'est moche de ne voir que des silhouettes d'arbres floues ! Le ciel emmêlé au sol, un seul ton, gris-blanc, lumière-fumée décourageante.

Aile patchée !

Ai expédié les jours de décembre de ce journal chez la femme forte de Beaulieu, à Trois-Pistoles, Katleen. Pour préproduction quoi. Gros boulot pour l'amateur en ordi que je reste. Je n'aime guère ce travail de bureaucrate, mais faut ce qu'il faut.

Aile-Rayon me fait mâcher de la gomme anticigarettes. Du vrai mastic. Du goudron. Elle a ses patches ! Je n'en veux pas. Ma méfiance viscérale envers tout ce qui semble… médical. Et dire que, dans une heure, j'ai rendez-vous dans une clinique de Saint-Sauveur où Aile m'a déniché — malgré moi ! — un toubib libre. Le but ? Un bilan de santé ! Je grogne mais consens. Tout pour son bonheur. Elle y tient tellement : « Savoir si jamais… En cas… » Elle va répétant : « Prévention ! »

Rêves fréquents. Dans celui d'hier, canicule montréalaise. Je cours à gauche, à droite, vers un but confus. Tramway rue Saint-Denis, soleil archi-lumineux coin Mont-Royal, petite foule déambulante, de vieux restos, un vétéran du journalisme juché sur un haut balcon et qui gueule après moi, ricane, boit sa bière, bave, me fait des grimaces. Embarquement avec Aile : un bus de la CTCUM, gare coin Iberville, on sort, le bus s'en va. J'ai perdu mon bagage, dois aller à un guichet, microphone, appel au chauffeur du bus, description de mon sac noir, inquiétude. Aile rit de moi, je me moque de ses moqueries. Ambiance surréaliste, style *Une nuit, un train*, le film. Prise encore d'un nouveau tram, archichargé, foule hilare, c'est joyeux et c'est aussi inquiétant, je sens un peu de panique chez Aile. Des gens se ruent dans des magasins sombres. On y vend quoi ? Mystère. Des gardes se cachent derrières des autos, dans les recoins… la ville se prépare à je ne sais trop quelle émeute, on va et vient, on s'égare. Aile et moi, on joue de correspondances, ces vieux papiers de jadis avec trous des poinçonneurs, on tourne en rond, sortant de tram, de bus, je ne sais pas où l'on doit arriver, labyrinthe fou…

Je me réveille.

Ma compagne me dit beaucoup rêver elle aussi. Manque de nicotine dans le corps !

Glanant dans la partie Atwood du livre d'entretiens entre elle et Victor mon éditeur nouveau, je ne suis pas surpris d'y trouver une Atwood complètement ignorante de la question du Québec. Courtoisie oblige, mon Vic en visite chez madame ne l'assomme pas trop. Trop poli quand elle lui dira : « Oui, la séparation du Québec, mais si… mais si le Québec veut reprendre le Labrador, hein, hein ? Si jamais le Québec lève une armée ? » Niaiseries romantiques, sauce à la Scott le philo, tout énervé en octobre 70, carabine à la main sur sa galerie des Cantons-de-l'est. Ferron a raconté sa paranoïa.

Questions connes des anglos ignorants, décevantes quand venant d'une écrivaine surdouée en littérature. Ah ! si je l'avais eue devant moi… Mais moi, on ne m'invite jamais à de tels échanges entre anglos-francos. Pas fous les organisateurs de bon ententisme bidon.

Rêve autre: Un très vieil artiste, anglophone d'ici, ses tableaux étalés. Je vante ses ouvrages. Mince aréopage d'aficionados, lui en fauteuil roulant. On me fait jouer le rôle d'expert de son œuvre. Un jeune critique présent à ce prévernissage veut me contredire. Je le plaque méchamment On rit de lui. Je triomphe. Facile en songe!

Je vois très bien tous ces tableaux en rêve. Je m'écoute sortir mes savantes ratiocinations. Je m'étonne de mon verbiage. Une imposture? Je ris de moi en secret. Étrange distanciation en rêve? Les autres sont épatés par mon discours de critique si lucide. Une farce? Je classe les tableaux dans un ordre folichon selon les couleurs. Le vieux m'aime bien, je le défends si fermement. Il aurait été négligé jadis, mal louangé en son temps.

Je me réveille.

Cadavre pendu: Jésus

Je lis sur un film dans lequel on a déguisé Jeanne Moreau en Marguerite Duras. On a adapté le livre de son assistant et compagnon, jeune homosexuel déclaré, un certain Yann Steiner. Le film ne dira rien de cela! *Cet amour-là*, le livre, raconte les derniers temps de la célèbre Duras.

Photo dans une gazette. On est chez les vagabonds, à la soupe de l'Accueil Bonneau. Au-dessus des tables, un grand cadavre pend. Jésus en croix. À couper l'appétit des gueux, non? La religion et la soupe de charité. Pouah! une morgue pour parrainer les mangeurs. Franchement. Pourquoi pas l'image d'un Jésus revenu de chez les morts et qui monte au ciel? N'est-ce pas le seul vrai grand et difficile message du christianisme? On a préféré trimbaler dans le monde entier ce cadavre sanguinolent — oh art espagnol de nos enfances ! — pendu à son gibet, des clous grossiers aux mains et aux pieds, les épines dans le front, le flanc grand ouvert. C'est infiniment regrettable.

[Mercredi 10 avril 2002]

Maudite cigarette!

Quel changement ce matin: un soleil parfait, un ciel bleu d'un horizon à l'autre. Sortant du lit, je suis alors porté à ouvrir les stores des fenêtres des deux côtés de notre chambre, côté lac et côté rue. La chanson: «Laissez, laissez entrer le soleil…» du fameux musical *Hair* est à l'ordre du jour. David, l'aîné de mes petits-fils, au téléphone tantôt: «Papi? On en a fini avec la poésie du vieux temps — Nelligan à Paul Morin —, peux-tu m'indiquer quel jeune poète vivant je pourrais contacter?» Je lui parle du bon graphiste de mon *Écrire*, poète avant tout et qui vient de gagner un grand prix à Trois-Rivières, Roger Des Roches. David me dit qu'il va aller voir à sa biblio de quartier… Ferait mieux d'aller fureter à la biblio de son université, je crois.

Ai fumé, après le petit déjeuner, une cigarette gardée en réserve en cas de folie furieuse. N'ai pas apprécié du tout, donc, je guéris lentement. Aile, elle reste fermement résolue… patches à l'appui. Hier, à Saint-Sauveur, bilan de santé, fiole d'urine — plus tard pour le sang —, cœur examiné, puis les poumons — radio, torse nu sur plaque froide —, la gorge, les oreilles, alouette ! Même la prostate. Retirant son gant d'examen, Singer me fait : « Hum, évidemment, cela s'affaisse pas mal, mais c'est l'âge… » Merci ! Affaissement de tout, parfois même de la mémoire. Chercher longtemps un nom. Misère humaine ! Je devrai aller passer une colonstopémie, euh… non, une colonstétiatite…, un examen du colon quoi. Longue liste d'attente.

Faulkner

Hier soir, canal ARTV, regardé un vieux film de Martin Ritt et Katkoff joué par le célèbre Orson Welles. L'histoire est de Faulkner. Chef-d'œuvre ? Oh non ! Un mélo mal ficelé. Un navet rare. Malgré les bonnes vieilles grimaces du gros Orson qui joue un tyrannique papa, comme le *pater familias* dans *La Chatte sur un toit brûlant*, père avide qui écrase tout son monde dans sa vaste plantation du Mississippi. Pauvre Faulkner ! A-t-on dénaturé son récit ? Fort possible. Se méfier des films-cultes ! Ce sont souvent des niaiseries visuelles dépassées !

La Petite Poule d'eau

Pour l'entrevue avec Scully, je devais relire *La Petite Poule d'eau*, le deuxième roman de Gabrielle Roy. J'avais pleuré en le lisant jadis. Cette fois, non. On s'assèche en vieillissant ? Je devais identifier sa maman pondeuse et si pauvre à la mienne. Cette Luzina ! Luzina… comme dans *usine*. Mère usine à poupons ? Il reste un livre mal fait, un roman comme coupé en deux, une partie dans cette famille pauvre de l'île de la petite poule d'eau et l'autre partie, si différente de ton, avec un franciscain étonnant de Winnipeg, qui, à la fin, monte visiter maman Luzina. Lien tardif, construit plutôt maladroitement.

Jeune, je ne voyais rien de cela. L'auteure, lucide, devait avoir un regard sévère pour ce beau péché de jeunesse. Bon récit en fin ce compte car il reste un document poignant, une histoire traversée de quelques drôleries quand des nôtres étaient odieusement encouragés par le haut clergé à s'exiler pour le creux rêve clérical d'aller catholisicer et franciser tout le Canada d'une mer à l'autre.

Ce furent l'écrasement, l'assimilation, les lois anti-français (Alberta, Manitoba et Ontario), l'intolérance et le mépris des anglophones, la dilution, le coulage de ce vain projet clérical, bref, comme encore aujourd'hui, les mensonges d'Ottawa.

Comme c'est curieux que jamais Gabrielle Roy n'ait voulu parler en faveur d'une vraie patrie pour les nôtres. Elle savait. En y repensant, il y avait, justement, ce fait : ce Canada raciste de l'Ouest était sa petite patrie, son enfance, ses souvenirs chers ; elle refusait d'abandonner, de trop médire sur le pays de ses origines.

Je peux comprendre cela.

[JEUDI 11 AVRIL 2002]

À quoi bon écrire?

HIER, bain de soleil sur la galerie arrière. Lectures variées sous l'astre, moi avec le *Courrier inter* et Aile avec *L'actualité*. La belle vie. Enfin de la chaleur. Mes vieux os criaient famine!

L'amie Marie-Josée m'achalait de son trottoir de piqueteuse lock-outée: «Claude, quand vas-tu fesser, hein, le polémiste? Notre grève t'intéresse pas, c'est ça?» Hier avant le souper, bang! je me décide, je grimpe à ma salle des machines et je crache une lettre ouverte pour la grosse *Presse*. Je veux que ce soit lu et *Le Journal de Montréal* ne publie pas ces polémiques, lâches qu'ils sont. Ils s'en contrecrissent, les qui se disent «si proches du vrai monde». *Business only*, les tites annonces: 888-8888-88888-8888888, et ne pas froisser nos chers clients avec des opinons raides. Mépris!

Je reçois des courriels chauds, lumineux parfois — je me fais alors des copies pour archives. Que ces correspondants sachent qu'ils sont un moteur. Ils me font continuer. Car il m'arrive — comme pour tous les écrivants du monde — de me dire : « À quoi bon ? Cesser tout cela. Ne plus rien faire que lire en paix. » Ces témoignages si gentils font que je sursaute et je fonce de nouveau dans ma manie scripturaire.

La Katleen trois-pistolienne — « ourse aux pattes de velours », lui ai-je courriellisé et elle n'a pas protesté — me commande un communiqué (hen quoi ?) pour mon journal à paraître en septembre. Déjà ? C'est que les essentiels distributeurs de livres préparent très d'avance leurs commandes pour les camions de livraison, les libraires…

Bon, quoi mettre ? Rédiger du fou, genre : « Claude Jasmin, sans pudeur, s'exposant de façon innocente, livre ses secrets intimes, maux d'estomac et d'âme… etc. » Vous voyez ? Aile lisant cela ? Ou mensonges : « Avec la retenue subtile qu'on lui connaît, une pudeur qui l'a toujours caractérisé, il tente délicatement de livrer son cœur… » Ouen ! Diable, pourquoi l'éditeur ne fait-il pas ce boulot ? Moi, je risque de minimiser l'importance de mon journal ou alors d'en exagérer le contenu. Menteurs comme on est, les écrivains, vains. Je ris de moi.

Vandalisme

Hier soir, le frère Untel, devenu réactionnaire avec l'âge, racontait au canal Historia les folies furieuses lors de l'installation en régime grand V des écoles désormais gratuites sur tout le territoire du Québec. Propos fascinants. Improvisations et corrections qui pleuvaient à cette époque gérinlajoieienne, avec une sauce lamontagnienne. Jean-Paul Desbiens, contestataire populaire enrégimenté derrière le Rapport Parent, a fait ce qu'il a pu. Avec bon sens sans doute.

Il y avait, il l'a dit avec une formidable franchise, toutes sortes de freins : politiques, économiques, sociologiques, catholiques, d'affaires, etc. Il y eut le favoritisme ordinaire : avec de si grosses bâtisses à couler dans le béton, on imagine architectes, ingénieurs et entrepreneurs (du bord du parti élu) autour du fromage gigantesque ! Une honte ? La loi en société humaine, hélas. Toujours franc, le vieux et vert Desbiens a admis des tas d'erreurs : ces polyvalentes de 3 000 élèves, par exemple.

Une émission savoureuse. Cette liberté niaise, ce laxisme imbécile des années 60 où, dit-il, « plus personne n'évaluait personne, chaque prof faisait à sa tête ». En 1968, des grèves sauvages, de la casse, du vandalisme. Je me souviens bien du milieu des arts en ébullition. La marmite sautait ! Desbiens dit qu'il a vu tout cela de très près. De près ou enfermé dans le bunker bureaucratique ? Le brave frère mariste qu'il est resté tente de partager les blâmes. Pas facile, il faut l'admettre…

L'inverse du *free for all* viendra. Aujourd'hui mes beaufs, des profs, me le disent, qu'il pleut des formulaires à gogo, des réformes contradictoires, de Québec, la bureaucratie, pieuvre connue, indispensable lierre, je le sais bien, je n'ai plus 20 ans, s'est installée et avec vigueur. Contrôles partout. Trop ?

J'ai envoyé ma lettre ouverte sur le Radio-Canada d'antan à *La Presse* dans laquelle je fustige le mode contractuel, le pigisme imposé à ces jeunes diplômés, ballottés sans cesse, incertains de l'avenir. Pourquoi ce temps nouveau ? Pour mieux contrôler, intimider ces non-syndiqués ? Sans doute ! Si la SRC ne répond pas à mes questions, je le ferai, moi, et ça va cogner en vérités inavouables. Je vais guetter la réaction des patrons. S'il y en a une de réaction. On connaît l'astuce du silence. C'est un classique ! Et puis, à *La Presse*, voudra-t-on défendre cette cause des permanents ? La mode des « à contrat » fleurit là aussi, non ? Lisez sous les articles : « collaboration spéciale ».

Ma honte, hier à l'École hôtelière, ai pris des beignets. Et un sac de chocolats frais ! Ma grande honte ! Aile souriait, la méchante, l'air de me dire : « Vilain garnement va ! » Si pleine de bon sens, cette femme m'est indispensable, on le voit bien.

La grève menace au *Journal de Montréal*, rue Frontenac. Une autre grève ? Des souvenirs me reviennent quand je vois les lignes de piquetage boulevard René-Lévesque. Petite guerre en 1959. La peur. Crainte de voir s'éterniser un conflit. La frousse que le chef syndical ne soit pas assez lucide, pas assez courageux, ou, au contraire, aveugle, ou bien menteur, ratoureux, démagogue. Des dos se tournent. Perte d'amis devenus des scabs. Sales jaunes ! La solitude. Réunions où l'on tente de nous stimuler. Enfantillages souvent. Pep talk bien con ! Soupe populaire où j'étais l'aide-chef d'un régisseur habile. Marches dans le matin froid. Pancartes injurieuses. Janvier passe. Février passe. Rumeurs folles. Déformations. Communiqués patronaux pour intimider les grévistes. Réponses crâneuses. Des cris de rage. Des chevaux de la police. Un peu des coups. Vandalisme de nuit. La faim. Le loyer pas payé rue Saint-Denis. Mon père, pas riche, très mécontent. Oui, la grève c'est la guerre.

J'ai entendu : « Le soufisme est une religion de mendiants. » Comme je sais peu sur les autres religions ! Mon fils s'est mis à l'étude du bouddhisme. M'apprendra-t-il des choses ? J'ai hâte. Religieux mendiants ? Les Franciscains ? Oui. Les Capucins ? Non. Les Dominicains ? Pas du tout. Et nos Jésuites ? Longue histoire que toutes ces communes d'hommes et de femmes. Les Sulpiciens de Paris se font offrir toute l'île de Montréal ! Pas trop mendiants dans le genre. Lire sur tout cela. Ces querelles, les Récollets tassés, méprisés et chassés d'un Québec bigot. Avant, les Jésuites bannis par Rome, puis repris, remis en honneur. C'est quoi, toutes ces tractations parareligieuses ? Je n'en sais que des bribes. Ainsi, à partir d'un terme entendu à la télé — « ordres mendiants » —, ai envie de me jeter dans des lectures qui pourraient m'éclairer. On dit toujours ça, tous, et on reste des ignorants.

Coups de fil : « Bonjour, monsieur Jasmin. On cherche qui viendrait jaser sur nos ondes à propos de Charles Dutoit qui claque la porte en réponse à la gronde anti-chef à l'OSM. » Je recommande à cette recherchiste de TVA de dénicher un musicien qui a vécu les coulisses de la Place des Arts. Dutoit est-il un tyran, un despote ? Même un critique comme Claude Gingras n'en sait rien. À part les racontars de corridors de la part… de musiciens… paresseux, fainéants ou, au contraire, écœurés d'être traités comme valets, comme des moins que rien, comment savoir ?

Thierry Ardisson l'autre soir avance qu'on aurait dit très publiquement dans une station de province au Moyen-Orient : « Il y a eu un cortège de 150 voitures quand Ben Laden a dû quitter la frontière afghano-pakistanaise. »

Ardisson: «Comment ça se fait que cette nouvelle a été abandonnée? J'ai contacté toutes les rédactions et on n'a pas su quoi me répondre. Ben Laden serait-il protégé par ses anciens supporters et amis, les USA?» Silence en studio, puis le rédacteur en chef de *L'Observateur*, la mine faussement contrite, rétorque: «Je vais voir ça, c'est promis!» Un bon moment.

L'envie me prend de lire Charles Péguy en écoutant le philosophe invité Finkielkraut affirmer qu'on a défiguré ce poète le plus important de son époque, qu'on l'a effrontément amalgamé, après sa mort, avec la droite catho (Maurras et cie). Les pétainistes, hélas, s'en firent un héros. Enfin, il recommande de lire Péguy en faisant abstraction de ces diffamateurs conscients. Je trouverai ses œuvres où? En bibliothèque à Sainte-Adèle? Gros doutes, mais sait-on jamais. Souvent, je regrette de vivre ici à cause de cela, la minceur de la bibliothèque!

Iguane

N'ai vraiment pas aimé le milieu et la fin du roman du jeune Thériault et ça me chicote. Cette mère violée. Ce curé moralisateur. Ce père ivrogne, batteur. Que de clichés rebattus sous un amas verbeux. Des mots rares, très rares! Ça fait cuistre. Gide ou Simenon, tous disaient: méfiance, on doit fuir ce tic nuisible en littérature. Vanité de jeune flo? Sa photo en quatrième de couverture nous montre un plus très jeune auteur pourtant!

D'où vient ce mode d'écrire des contes plus ou moins plausibles? Influence d'un cinéma pour ados, à cauchemars vite fabriqués et vite résolus? J'en ai bien peur! L'autre Thériault (Yves) — et Beaulieu dans *Un loup nommé*... a raison là-dessus — savait trousser cette manière de conte. Souvent, ces brefs romans sont comme des légendes. Yves fut souvent un trait d'union puissant, étonnant, avec tous nos vieux conteurs d'ici, ceux surtout du XIXe siècle. Héritage très respectable. J'ai tant aimé *Ashini* et ses autres livres à ses débuts. Plus tard, je le négligeai, trop pris par toutes mes propres pontes. Égocentrisme.

Ange de goudron

Film d'ici loué en vidéo et louangé à Berlin et à Toronto. Cet *Ange de goudron*, film d'ici. Déception. Pourtant une histoire forte. Ces émigrants algériens émouvants, ce vieil anarcho-gogauchiste (Raymond Cloutier esquisse un rôle hélas esquissé), ce jeune d'Alger déjà révolté, écolo, ou quoi au juste? C'est flou. Randonnée touristique en motoneige. La nuit. La cachette vague. Le propos incohérent encore. Paquet de passeports à faire brûler? Aéroport du Grand Nord d'où l'on va rapatrier des sans-papiers du Maghreb. Police féroce et douaniers, piège. Tuerie sauvage et peu crédible du jeune révolté. Un récit incohérent, hélas. Un peu mieux... un peu plus... et c'était une réussite.

[Lundi 15 avril 2002]

Vieilles églises

TROIS JOURS SANS MON JOURNAL. J'aurais tant voulu noter la beauté de l'ensoleillement, hier midi, à une joyeuse terrasse de la rue Notre-Dame, angle Des Forges, aux Trois-Rivières. Des piétons, par couples souvent, s'embrassaient. Qu'y avait-il dans l'air? Le printemps. Je n'avais pas hâte de rentrer au Centre industriel, rue Du Carmel, en haut de la vieille ville, pour me réinstaller au stand de mon éditeur. Plus tôt, sortant de l'hôtel de la rue Hart, j'avais voulu entrer dans la belle église épiscopale au coin de la rue. *Niet*! Portes closes.

J'aime bien examiner — m'y recueillir aussi — les vieilles églises québécoises. Pancarte: «Les messes sont dites au soubassement.» Je me contentai de faire le tour du gros monument sculpté sur les quatre côtés, en l'honneur de Laflèche, chef spirituel du comté. Plein de personnages étonnants en bronze usé — pauvres bougrines, ceinturons délabrés, vieilles bottines aux lacets défaits, gros boutons de vestes anciennes, écharpes — , comme souvent, des silhouettes de pauvres paroissiens frileux se pressant, entourant le digne prélat. On dirait un Vincent-de-Paul, mon saint préféré.

Ce Laflèche fut un type plus tyrannique que charitable, je pense. En ces temps-là (années 1850-1950), un peu partout, les membres du haut clergé jouaient aux princes, despotes ensoutanés !

En fin de compte, rentrant dimanche pour souper chez moi, je dus reconnaître que ces deux jours en kiosque m'avaient plu. En quoi ? Par ce jeu des rencontres inopinées alors que des visiteurs — sans nécessairement vouloir acheter mon récent bouquin — sont contents, parfois même enthousiastes, d'échanger avec moi quelques appréciations ou critiques rigolotes à propos de mes affirmations impétueuses à la radio et à la télé.

À ce Salon du livre, on a cru utile d'inviter la troupe d'une émission populaire de Télé-Québec, *Ramdam*. Longue file de badauds venus pour rencontrer les bouffons. Aucun écrivain populaire ne peut rivaliser avec ce genre d'attractions. Plein d'auteurs, méconnus ou mal connus, mal publicisés, regardaient cette foule — veaux négligés malgré eux — qui ne les regardait pas.

Les loustics guettent surtout les héros télévisés. Pourquoi inviter les jeunes stars de cet autre médium ? On se dit : « La télé va amener du public à notre Salon et on en profitera. » Je ne suis pas certain que ce soit une bonne idée, moi ! Ce qu'il faudrait — à heures fixes, dans les recoins à micro, les multiplier —, c'est présenter abondamment tous les auteurs pas encore connus du public, les avantager, donner des références sur eux et sur les publications récentes. Agir comme si un tel Salon, modeste, partout en province québécoise, était un petit poste de radio-télé consacré aux auteurs, pas autrement. En circuit fermé si on veut. On le fait, timidement et sans vraie animation trop souvent. Pas d'autre solution.

Victor en bourre une

Samedi soir, table ronde improvisée au café de l'hôtel. L'autre fois, c'était la Gatineau qui ronflait au loin. Ottawa, de l'autre bord, gargouillait dans son canal. Rideau ! Bel égout. Hull se plaindra. Ici, le Salon, fermé, rêve de l'île Saint-Quentin. Duplessis frotte son bronze. Longs couloirs citoyens portageant les veilleurs à Hull. Ici, l'aréna du livre siffle : on ferme ! L'hôtel se réveille. Écran géant dans un angle. Fuite.

Le bar tintinnabulant ne tintinnabule plus. Un ballon de rouge et j'étends les jambes. Le poète et graphiste Des Roches y est aussi. Et Julie, l'aspirante éditrice. Vigneault fils commande. Victor-Lévy se bourre une pipe. Odeur de tabac noir. Mon père. Jasettes ad lib. Piques et horions. Taquineries folichonnes. Craques et caricatures.

Guillaume Vigneault se souvient d'une moqueuse lettre ouverte du bonhomme Jasmin sur son premier roman. Je montrais le gouffre séparant deux générations. La mienne, ouvriériste, socialiste, gauchiste, séparatiste… engagée et le reste ; la sienne, pas trop engagée, libertaire, édénique, anarchiste subventionnée, paradisiaque pauvre, coureuse de bourses et de voyages à Paris, à New York ou au Mexique. Ça brassait un peu fort à un moment donné entre nous.

Nous nous sommes expliqués. Vigneault a mieux vu la teneur, le fond de mes griefs, vieux jaloux face à leur temps d'enfants gâtés en rallonges consenties. J'ai mieux compris les risques, la dureté du combat actuel des jeunes pour percer, pour se tailler au moins le début d'une réputation. Et survivre en attendant. Il ne voulait plus n'être que «le fils du monsieur riche de la place» — à Saint-Placide —, me dit-il. Il a tout quitté, la piscine surtout, s'est loué un un et demi, s'est trouvé un petit boulot (serveur au *Continental*), aimant le roman s'y est essayé avec le risque inhérent au fait d'être le fils de...

Débats actuels inconnus de moi en 1960, luttes difficiles où entrent des soucis d'un tout autre ordre qu'à l'époque où il y avait 10 ou 12 écrivains ici, pas 50 ni 100 comme maintenant.

C'est la vie... Les générations si divergentes. Forcément avec, parfois, l'incompréhension. Bon. Au dodo! Demain, homme-sandwich, criant: «Livres à vendre, livres à vendre!»

Centres commerciaux, nuit

Vendredi soir, ma fille installée avec son Marco à l'ombre du château Frontenac, je suis allé checker, mine de rien, *La Maisonnée* à Ahuntsic. Resto pour tous. Bouffe de côtes levées à la *Rotisserie Saint-Hubert*, avec les grands garçons sans la môman. Plus tard, visite aux trois aquariums de Gabriel, puis je suis allé reconduire mon jeune trompettiste chez son copain, le Jasmin à Gaétan de Pierrefonds. Filant sur l'autoroute 40 Ouest dite métropolitaine, je redécouvre toutes ces installations quand je sors pour la Montée des Sources. La nuit débutante est traversée de lumières, réverbères nombreux sur les chemins. Là où on vagabondait en vélo — champs déserts dans les années 40 —, deux centres commerciaux. Vie champêtre bousculée, métamorphosée, changée. Rue France, remplie elle aussi de cottages modestes, c'est la banlieue quiète. Un luxe de vie si calme comparé avec le coin de rue Saint-Denis-Bélanger de ma jeunesse. La chance de ces jeunes d'avoir une existence à l'abri des turbulences d'antan, de la promiscuité incessante. Le fils de Gaétan — un autre Daniel Jasmin — guettait à la fenêtre de sa chambre. Gabriel sort vite de l'auto, ramasse se deux sacs à dos, et: «Bonsoir, papi. Bonne nuit.» Ces jeunes des banlieues vont constamment coucher chez les uns et les autres. Nous restions, nous, dans notre quartier. Nos amis étaient nos voisins. C'est carrément un autre monde.

Tsahal

Je lis tout ce que je peux sur Arafat, chef de guerre, ex-terroriste, face à ce Sharon, ex-terroriste, «tueur d'État» au Liban en 1982. J'hésite à embrasser aveuglément la cause des Palestiniens. Je calcule. Je cherche. Je tiens à ne pas m'aligner trop facilement du côté des démunis, des pauvres, des misérables. Les propos de gens que je respecte me font réfléchir.

Ainsi quand Bruckman, qui, comme moi, déteste ce Sharon agressif, parle tout de même du peu de plans, du manque d'avenir planifié chez le potentat peu démocratique Yasser Arafat, je reste jongleur. Nous avons souvent, jeunes et braves gauchistes, pris trop vite parti pour les malpris… Ces mal-partis ont-ils un chef capable de construire un avenir palestinien, un pays un petit peu démocratique ? Veut-il, ce chef, rester chef sans trop jongler à un minimum de consultation populaire ? Un Castro oriental ? Comme tous ces princes impérialistes des alentours arabes ?

Comme il y a des juifs qui condamnent leur Sharon, il y a des Palestiniens qui s'inquiètent de leur Arafat.

D'autre part, il y a cette solidarité suspecte des monarchistes tyranniques, que je crains, ou bien des militaires de carnaval devenus des dictateurs effrénés. Pauvres populations musulmanes ! Oui, tous ces sangs bleus pétroliers sont-ils ceux qui peuvent réellement aider les Palestiniens que l'on tasse, que l'on étouffe dans les rues pleines de chars blindés de la Tsahal ? Prétexte : démasquer les terroristes. Mascarade, évidemment. Les clandestins ne portent aucun écusson. Ce sont souvent des adolescents que l'on enrégimente. Kamikazes : promesse d'un paradis en robe verte selon la tradition coranique. Des enfants manipulés. Salaires de la peur pour les parents. Irak. Saddam signe des pensions pourries.

Démocrate, je crains aussi les abus des nombreux sunnites, chiites… La misère est trop souvent récupérée par les extrémistes religieux. C'est vrai que la démocratie bulldoze, rouleau compresse.

Ici, dans mon petit coin, si souvent, si longtemps — comme mes amis farouches à 20 ans — je suis un minoritaire : un isolé, moqué, bafoué, montré du doigt. Nous avions nos idées, gauchistes. Les bien installés nous chiaient dessus. Nous n'étions pas du tout de bons démocrates : les majorités pieuses se méfiaient de nos querelles, de nos griefs, de nos envies de batailler. À cette époque, la démocratie québécoise, le bon vouloir des majoritaires, c'étaient religiosité et dévotionnette, piéticaillerie fétichiste, favoritisme, pourriture politique partout.

Alors, prudence, je refuse de jouer les arroseurs de feux quand l'arbitre ultime se nomme Bush, quand l'ONU ou le Parlement européen sont sans force face au Pentagone et à la CIA, face à l'impérialisme *made in USA*. Les judéophobes primaires, grouillants vers de terre en France comme ailleurs, affichent un néo-antisémitisme subit à force de condamner les atrocités de cet Ariel Sharon qui crache le feu et n'invite pas ses colons abusés à quitter les villes et villages.

Que c'est difficile de raison garder.

Qu'il est inconfortable de résister à ma tendance profonde : prendre pour celui qui est à terre. Ne plus s'interroger si celui-là qui saigne, a faim, est disposé à se préparer un meilleur sort. Plus gravement : Ce souffre-douleur en Cisjordanie mitraillée est-il bien épaulé par le chef qu'il acclame, seul et unique candidat d'une libération équivoque ?

Je frissonne devant le beau visage d'une toute jeune fille qui s'est accroché de sinistres sacoches bourrées d'explosifs à la taille et a marché vers sa mort et celle de civils innocents.

Cela finira-t-il bientôt ?

Merde ! Terre sainte. Terre rouge. Avril de sang là-bas.

[Mercredi 17 avril 2002]

Records battus

On va s'en souvenir de ces jours caniculaires. «Records battus», disent les gazettes. Fumée blanche. Effet d'agrandissement. Les toits semblent plus vastes, plus flous aussi. En peinture scénique, on nous apprenait à jouer ainsi de fumée blanche avec bombe aérosol, pour justement faire paraître éloignés nos éléments de décor à la télé. Un sfumato italien spécial.

De ma couchette, store levé, j'admire le paysage, le lac blanc comme le ciel, la brume dans les collines. Tableau beau comme ces vieilles images de Chine qui traînaient partout chez moi dans les années 30.

Ma mère faisait sa fraîche et disait: «Mon mari est importateur.» C'était avant l'échec de papa comme vendeur de chinoiseries rue Saint-Hubert; une mode qui ne dura pas, ces bibelots asiatiques. La métamorphose de mon père en petit restaurateur de quartier a dû humilier la benjamine du bonhomme Zotique Lefebvre, ex-boucher à Pointe-Saint-Charles, converti après la guerre de 1914-1918 en agent immobilier, rue Hutchison.

Matin de mai, au bout de la rue Berri, on voit des quais. Un paquebot va lever l'ancre. «*All aboard? all aboard?*» Sirène mugissante, dernières malles au bout d'une grue, robe et habit de bal… Énervement, sourires excités. Elle est «*chic and swell*» la Germaine de la rue Hutchison! Et lui l'habitant — 20 ans — de Laval-des-Rapides porte un chapeau neuf, des gants de kid, des guêtres de feutrine grise… foulard au vent sur le bastingage du navire de croisière.

Mes futurs parents regardent la statue haut juchée sur le toit de l'église Notre-Dame-de-Bonsecours. Le bateau s'éloigne du rivage. Adieu Montréal! Un jeune couple parmi tant d'autres. Le traditionnel voyage de noces sur le grand fleuve jusqu'à Tadoussac. La remontée du Saguenay. Ma mère en épousée candide, rêvant d'une belle vie avec ce jeune importateur soutenu par sa riche maman veuve, Albina.

Avec son joli bibi, son manteau beige en poil de chameau, à col de velours noir, Germaine ne sait pas… dans cinq ans, avec quatre enfants déjà, les sueurs l'aveugleront et son mari s'installera pour longtemps dans le sous-sol creusé du logis. Fin des jolies gravures aux effets de brume. Il faudra vendre hot dogs et hamburgers aux zazous de la paroisse qui sortent des vues, rue Bélanger.

Pleure pas, Germaine!

Bon. Assez, pose une cloison. Roman ou journal? Chaque chose en ses temps et lieu. Ici, c'est le journal.

Quelle chaleur hier!

Quel beau coucher de soleil aussi. Nuages émiettés. Rayons diffractés. Images de mon petit manuel d'histoire sainte quand les cieux s'ouvrent pour désigner Dieu apparaissant à Moïse!

Plus tard, le souper avalé, symphonie en rose au-dessus du *Chantecler*. Moi, la bouche ouverte. Déjà, des merles crient et courent sur la pelouse ressuscitée. Quand on se prépare à regarder un film loué, fenêtre du salon grande ouverte, dans les sapins proches, un concert étonnant, vraiment étonnant, d'oiseaux fêtards.

En studio

Vendredi après le lunch, limousine sombre à la porte de l'appartement. Le chauffeur aimable, Serge P., est un bavard captivant. Représentant de commerce. Épuisement professionnel grave. Cœur opéré. Désormais, sa calme limo, un horaire plus humain. Balade donc vers le studio de Robert-Guy Scully, à Ville La Salle. Agréable d'avoir un chauffeur. Me voilà ministre pour quelques minutes!

Rendu là, recherchistes chaudes, café chaud, ambiance agréable, décor austère de bureau de chef de cabinet de ministre fédéral — espoir du Scully? Ma découverte d'un autre Scully, vieilli précocement, presque courbé, rapetissé il me semble. Trop d'embarras avec ses déboires récents, face aux vifs protestants de son rôle de propagandiste déguisé.

Je l'ai mieux connu dans les années 60 du temps du *Devoir* quand mon éditeur régnait en colonnes tassées.

Je caricaturais le Scully en «petit protégé», «en neveu de Ryan». Il en rit aujourd'hui, se souvient de mes facéties encombrantes parfois. Je me rappelle ses confidences de jeune Irlandais d'Hochelaga, justement dans le voisinage du Ryan adolescent. Bobards? Racontars familiaux? Son très étonnant Claude Ryan, en délinquant qui découchait dans les portiques des maisons, me revient en mémoire. Ex-voyou sauvé par l'Action catholique, qu'il finira par diriger un temps.

Vingt minutes, avec deux caméras, pour une agréable jasette libre sur ma chère Gabrielle Roy. Scully a produit jadis une série documentaire sur l'exilée de Saint-Boniface. Ma relecture de *La Petite Poule d'eau* alimente les souvenirs du reporter. Entente totale par conséquent. À la fin de l'entretien, je l'entends me dire: «On n'a pas eu assez de temps pour bien parler d'elle. Il faudra bientôt vous réinviter, Claude Jasmin.» Ça m'a fait un petit velours.

Un char neuf

Mon fils Daniel au téléphone: «Tu vas pas me croire, p'pa, j'ai mis une chaise sur le perron et je regarde ma bagnole toute neuve stationnée au bord du trottoir!» On rit. C'est fou, cette admiration des chars chez nous, non?

Un camarade belge m'avait donné, du temps de mon écurie-atelier, un exemplaire des *Grands Initiés* sur les prophètes universels (dont Jésus de Nazareth) et cela m'avait ouvert les yeux. Il y avait d'autres «fabuleux Jésus» à travers l'histoire et le monde! J'ai lu, jeune aussi, *Le Zéro et l'Infini* par Arthur Koestler, et son livre m'avait ouvert les yeux pour toujours sur le totalitarisme, sur les dangers des idéologues devenus fascistes. J'étais à jamais inoculé contre les utopies qui tournent mal, de Marx à Trotski, de Lénine à Staline. Les jeunes d'aujourd'hui trouvent-ils des lectures aussi essentielles ? Je le veux tant. Je le souhaite.

Richard Desjardins à la radio. Grève à la SRC obligeant, on fait tourner de fameuses chansons d'ici. Cet Abitibien fait très amateur. Sa voix de non-professionnel captive pourtant. Sa diction est molle. Ses articulations exagérées en font un ti-coune chanteur ! Bref, il fait habitant à souhait. Efféminé aussi, comme on l'entendait jadis du fou du village, pas bien viril, aux manières (on disait) « affectées ». Et puis, on dirait la voix d'un vieillard soudain ! Ah oui, c'est un personnage… sonore rare. Intéressant. Je fredonne avec lui : « … aux pattes de velours »… et « … la peau de ton tambour » … C'est simple, vrai. C'est souvent beau, Desjardins.

Un tricot serré

Au Salon, à Trois-Rivières, j'ai fait connaissance avec la sœur de Luc Lacoursière (un Trifluvien), que l'on peut voir souvent à Historia devisant avec Claude Charron. Cette Louise publie la biographie d'une femme hors du commun. Elle est dynamique et défend bien son bouquin sur cette scène d'un recoin du Salon. Après notre petit show, rencontre de trois autres sœurs de Lacoursière. Il semble tout fier, avec raison, de sa famille. Ses yeux brillent. J'ai vu des femmes éveillées, humoristes et très en forme.

Quel plaisir ces rencontres familiales ici et là. Ce cher Québec comme une vaste nation tricotée serré et farouche, contenant des êtres formidablement énergiques. J'en croise partout. Au Salon, quand j'ai dit: «Tout le monde est un roman», il s'est fait un grand silence soudain. «Chacun de vous, ici, a son roman. Il y a une histoire fabuleuse à raconter avec chacun d'entre vous.» Silence encore plus dense. «Vous n'êtes pas n'importe qui. Vous valez beaucoup. Vous devriez écrire votre vie, au moins pour vous d'abord. Ce récit de votre vie vous aiderait à faire le point.» Silence fracassant dans la petite salle du Salon.

Je le pense. Franchement.

Summum de la folie scénographique, un décor en forme de trou! Deux femmes en face à face avec les jambes dans ce trou! Allez-y voir, c'est à 21 h. 30 tous les lundis à TV-5.

Non mais... quel con ce designer! Quel con aussi le réalisateur qui a dit «Oui» à ce trou rond. Aile et moi, on n'en revenait pas. Une questionneuse, les jambes dans le trou, face à sa questionnée, les jambes dans le trou. Soudain, tenez-vous bien, *top shot*, vue en plongée et, au fond du trou, des photos!

À la télé, parfois, on fait des trouvailles d'une bêtise visuelle achevée.

Donc, dans ce trou de beigne, une certaine Ingrid Bétancourt. Une femme venue de la jet-set en Colombie, papa ambassadeur, ministre aussi et le reste. L'Ingrid, aujourd'hui enlevée et gardée dans un camp de terroristes colombiens, a connu une jeunesse dorée dans un beau quartier de Paris. Puis sa mère, une ex-reine de beauté, deviendra députée colombienne! Elle risquera la mort un mauvais jour d'attentat.

La maman, sous le choc, racontera les affres à sa fille gâtée et voilà poindre l'égérie du peuple, autoproclamée je crois, en campagne électorale. Pour symboliser la pourriture des gouvernants, Ingrid B. distribuait partout des… capotes. Sida et favoritisme : même combat ! Son papa, dit-elle, fut scandalisé. Hon ! Pauvre papa, pauvre tite fille à papa ! Ça sent drôle son aventure, ça sonne bizarre.

J'ai un peu lu *Le Courrier international* sur cette Bétancourt qui veut devenir présidente de la Colombie ensanglantée, dominée par des cartels à drogues infâmes. C'est un personnage. Elle dit être fière d'avoir abandonné sa famille… pour la lutte politique. Oh là là ! moi, ces valeureux batailleurs pour la justice universelle qui, irresponsables, se fichent de leurs enfants et de leurs proches… Suspects, je vous dis !

Lucien Rivard

Vu grand-maman Lescop à Trois-Rivières. Je l'aime. Cours toujours l'embrasser. Elle m'est un modèle. De quoi au juste ? De tout. Son acharnement à trouver le bonheur simple, à dénicher du bon sens partout. À ne pas craindre de vieillir. Vu aussi, samedi soir, le mitraillé encore vivant, Michel Auger. Chaque fois, je le touche. Il se bidonne. On nous faisait toucher le tombeau ou le cœur du frère André, le thaumaturge décédé de l'Oratoire. Un miraculé comme Michel doit aussi porter chance, non ?

Fétichisé par moi, Auger se laisse toucher volontiers, goguenard, avec six balles restées dans sa peau ! Il me revient dimanche, au stand des Éditions Trois-Pistoles, me dit: «J'ai des amis qui ont des projets, mon Claude. Ça t'intéresserait de lire la documentation sur le caïd Lemay? En vue d'un bouquin?» J'ai dit: «Oui.» Je dis toujours oui, moi, ma foi! Pas certain d'y aller à fond. On verra. On jasait sur l'évasion rocambolesque — jadis tout près de chez moi à Bordeaux — du capo mafieux, un certain Lucien Rivard, arroseur de patinoire de prison au printemps, organisateur des libéraux du temps. Sans doute protégé et sauvé par ses bons copains de l'Organisation libérale fédérale, je le jurerais.

La religion

«Toutes les religions sont obscurantistes.» Vous publiez cela. Dans *La Presse* le 13 avril. Vous signez: Pierre Foglia. Et vous vous croyez bin smart, gros malin, si lucide!

Une telle affirmation fait voir un puérilisme rare. Ce chroniqueur surdoué fait le faraud. J'aime ça. Juste pour faire le faraud? C'est facile, vite publié. Je le crains. Avec lui, c'est pourtant rarement manichéen! Ni tout noir ou tout blanc, Dieu merci! Un jour il se méfie justement du compartimentage; le lendemain, il y tombe délibérément. Misère! «Toutes les religions sont obscurantistes.» Quin, toé! Vieil ado. Comment oser dire une telle ineptie? Il n'est plus un anticlérical en culottes courtes, révolté. Il y a des religions utiles? Oui, lumineuses. Et comment. Qui a vécu les yeux ouverts le sait fort bien.

Certes, c'est aussi — en dehors des mystiques — un instrument de consolation universel et indispensable. Tous les malpris de cette Terre — de misère — le savent.

Consoler

Il faudrait être quoi? Snob, mondain — ce que n'est pas Foglia? Quand il oublie ses goûts pour les fromages exotiques rares et… les vins fins. Pour cracher sur ce rôle essentiel des églises — celui de consoler —, il faut avoir eu la chance d'avoir échappé, soi et les siens, à tous les grands malheurs. Un chanceux doit être très prudent.

Un jour, celui-là qui pisse sur tout ce qui est religieux, spirituel, se retrouve sur le cul; tombé bas, très bas, aux prises avec la terrible Camargue qui le nargue. Ça peut être vous, ou moi, ou lui, Foglia le superbe.

Alors, on voit l'ex-faraud à genoux, qui prie, qui cherche une Providence, un Être suprême… Dieu. J'ai vu cela. C'est terrible. Il a besoin d'une ultime dernière raison pour s'accrocher à son petit reste de vie. Et je ne ris pas, vous ne riez pas. Foglia non plus ne rira plus. Cette vieille… ce vieux… cette jeunesse surprise face à… l'Achéron. La terrible Faucheuse qui s'avance toujours trop subitement. Silence?

Je ne cracherai jamais sur les religions. Est-ce utile de rappeler à ce Foglia qui jouait samedi le Ti-coune mécréant que la religion du Galiléen, ce Jésus, fut une révolution? Qu'elle a sauvé de la mort sans but, de la mort animale, de la mort anonyme, humiliante — et aussi de la crève spirituelle totale — des centaines de milliers jadis aux temps de barbarie… et puis des millions d'êtres humains. C'était quand la vie ici-bas, pour les majorités, n'était qu'épreuves. De force. Et que la haine était le moteur de toutes les nations.

Toutes les religions sont obscurantistes? Propos de gnochon. Je ne suis plus pratiquant si je ne suis pas athée, mais je sais que la religion n'est pas venue par un tour de sorcier, ni d'une baguette de magicien. Il y a un besoin, une nécessité. Je fuis celui-là, candidement hautain, naïvement fier, puissant de son athéisme militant, qui bafoue, moque, se rit, ridiculise ce besoin quand le malheur frappe gravement.

Abri des abris pour des multitudes humaines — avec Yaveh, Allah, Bouddha, Dieu — sur cette planète tiraillée. Facile de cracher, de pisser, de chier sur le fait religieux. Prendre garde, bouffon Pierrot, un bon jour, un mauvais jour, le sort frappe et le crâneur tombé à genoux, perdu, on le verra lever les yeux vers le ciel. Une détresse qu'on ne souhaite à personne.

Quel ciel? Peu importe. Celui choisi par les siens, hérité de son enfance le plus souvent. Don Juan, effrayé, remue les lèvres et prie. Molière le savait. Qui a envie de rire? Personne. Les chanceux du sort — Foglia, vous, moi — avons devoir d'humilité, de compassion, de solidarité, devoir de savoir que le Brancardier sordide peut un matin, un soir, s'approcher… et alors le sentiment religieux pourrait être l'ultime refuge.

Dire: «Toutes les religions sont obscurantistes», c'est court, faux, facile, injuste. Je n'oublie pas gourous, abuseurs, profiteurs, leurs sectes de paresseux parasites, vautours des innocents. Je voulais parler des vieilles religions sur cette planète.

Il faut avoir la modestie de se taire parfois.

Foglia passait son tour samedi dernier. Il ne mérite pas de s'aveugler si bêtement. Il est si brillant, si humain la plupart du temps. Simple échappée niaise à cause d'un mini sabre — kirpa sikh — ou d'une calotte, d'une burqa — naïvement symbolique.

Il y a des religions éclairantes, lumineuses, éblouissantes pour les désespérés. Je vis sans… mais si, un jour, un certain noir destin frappe… j'y aurai recours sans doute.

[Jeudi 18 avril 2002]

Une chimère bronzée

Encore ce matin, effet sur le lac Rond de blanchiment (pas de fric) mais par la fumée subtile ! Brume partout. C'est la glace sur le lac en contact avec l'air chaud qui s'installe. La lumière va gagner. À l'heure du midi bientôt le lac sera tout noirci. Bleui. Il va caler comme on dit par ici. La piste piétonne aménagée tout autour forme un anneau gigantesque d'un bleu… Waterman ! Je vois le voisin Maurice, en chemise, au bout de son quai, j'ai vu ma dépanneuse, boyau d'arrosage à la main, laver son entrée d'asphalte. Faire de même. J'aime tant arroser ! Profiter du beau temps enfin de retour. Sortir. Plus de ce cul sur chaise ! Nettoyer le terrain, ramasser les branches cassées, déterrer et enterrer, planter encore un peu de tout, quoi encore ? Ah oui, envie, besoin vif de me grouiller.

Le camarade Jean O'Neil prépare un nouvel album illustré et me demande s'il peut m'emprunter des mots dans mon *Vivre à Outremont, aujourd'hui*. Oui, bien entendu.

Jacques Keable m'expédie le texte de sa pétition pour empêcher le déménagement de la sculpture de Riopelle. J'ai adhéré, même si cette sculpture m'a toujours paru confuse, mal bâtie, chargée, botchée même. Vieux, le père Riopelle inventait cette chimère bronzée et pas l'yable regardable.

Ça m'a toujours fait suer qu'avec le prestige venu on ne puisse plus critiquer, discuter un ouvrage mineur, minable même. Oui, oui, minable. Cette *Joute*, place du Stade olympique, je l'enverrais se cacher dans un champ vacant à l'abri des regards. Hon ! Pas honte d'oser juger un ouvrage d'un génie reconnu ? Pantoute.

Dimanche matin, avec Victor-Lévy, petit déjeuner au *Gouverneur* de Trois-Rivières. Le père de Bouscotte me raconte de savoureuses anecdotes de son patelin. Il me portraiture comiquement des olibrius rares qui le hantent encore. Le voilà emmêlant des silhouettes de son enfance avec celles encore bien vivantes dans les rues actuelles de son cher Trois-Pistoles retrouvé où il gîte dans une grande vieille maison à pignons.

Impression de le voir griffonner de visu ! De la graine à faire pousser. Du terreau à faire germer. De le voir préparer, défricher, débroussailler — essayer sur moi — ses personnages, ceux de sa vaste comédie humaine bas-fluvienne !

Stimulé, je l'écoute d'une oreille et — entre œuf, saucisses et patates — finis par faire défiler sur mon propre écran mental de ces hurluberlus du Villeray de l'après-guerre, me demandant si j'ai bien mis ce puits à sec ! On est donc ainsi ? Oh les écriveux ! Les patenteux de silhouettes impressionnantes. Les marqueurs ! Les candides pointeurs !

Miller répétait, dans *Paris est une fête*: « La mission de l'homme sur terre est de se souvenir. » Je souscris. Vic aussi.

Gnochonne Catherine

Je regarde volontiers les reprises, à la SRC, de *Catherine*. Comme j'aimais jadis *Cré Basile*, j'aime ces sketchs folichons qui marquent de farces chaque jeu de deux répliques. Divertissant. Reposant. Hier soir, cette désopilante et talentueuse Sylvie Moreau chez les *Francs tireurs*. Débat avec Martineau sur le rôle des critiques. Vaste sujet.

Ai-je la berlue ? Je croyais à une Catherine inventée, jeu d'une actrice, et je découvre une Sylvie Moreau, lamentablement, platement bafouilleuse, expliquant ses griefs pas clairs au sujet des rédacteurs d'analyses sur le monde du spectacle. D'abord, jouant la cuistre, elle nous sort Marcel Proust face à Sainte-Beuve ! Puis elle s'enlise dans des gargouillis voulant tenir lieu de raisonnement. Martineau la laisse s'enfoncer.

Quelle imprudence, quelle prétention. Quelle présomption surtout. Essayer de dire que la critique ne devrait pas critiquer. Ce vieux débat est d'une vacuité totale. Il y a des critiques brillants, cultivés, intelligents et indispensables pour nous alerter sur les fadaises publicisées. Et il y a des imbéciles. Aussi beaucoup de relationnistes prudents, complaisants, abusés et mal déguisés. Des courroies dociles. La pétillante et douée Moreau devrait s'obliger au silence sur ce vaste, vieux et vain débat. Qui grimpe sur des tétreaux doit apprendre à se faire juger, jauger. Point final.

[LUNDI 22 AVRIL 2002]

Ce tumulte chantant

C'EST PARTI: avec la nouvelle saison, chaque jour de beau soleil est une joie. Ce beau temps nous fait nous jeter dehors! Si bien qu'avant-hier j'ai envoyé un avertissement à mon éditeur: «N'attendez pas trop de copie du bonhomme, il est pris par ses travaux de jardinier!»

Hier, dimanche éclatant de lumière et belle visite de mon fils avec Lynn, sans les deux garçons. Simon bosse à son Métro d'Ahuntsic et le cadet, Thomas, avait trop de devoirs. Je me suis demandé: «Sa très chère planche à roulettes?»

Le char neuf est à l'affiche. On fait le tour de ce tracker aluminisé pas tout à fait jeep: solide engin, belle machine franche. Daniel, nerveux, guette la moindre saleté. Ça va durer un mois? Pour nous le faire étrenner, départ à quatre pour la fougueuse rivière Doncaster dans l'ouest de Mont-Roland, pas bien loin.

Il y avait longtemps que nous y étions venus. Marchement dans le joli sentier longeant la rivière aux enflures d'eau rares. Spectacle toujours saisissant de voir ses cascades. Ce tumulte chantant, comme revigorant, est fascinant pour les yeux et les oreilles. Tout heureux, nous descendons un coteau pour voir de plus près la furie. Au bord d'un rocher, bruine sur les lunettes d'Aile. Le soleil fait luire ces rapides rageurs aux crinières d'un blanc tacheté d'ocre, et qui déferlent, galops intrépides de chevaux fluides, vers la rivière du Nord plus à l'ouest.

Le beau Thomas Jasmin. « La maudite, papi, m'a confisqué ma planche parce que je suis Secondaire-2. Pas de danger, la froussarde, qu'elle oserait le faire pour un Secondaire-4 ou 5! »

Une maîtresse du Mont Saint-Louis, l'apercevant rouler dans un escalier du collège, lui a confisqué sa planche chérie pour le week-end. Le drame, me dit Daniel. La rage noire. À la maison, Thomas va à sa vieille planche, lui répare deux vis et finit par dire: « Ouais, pas grave, je m'aperçois que je l'aimais bien, ma vieille! » Ainsi, en 2002, la discipline, toujours exécrée par les enfants, est encore au menu?

De petits riens

Samedi soir gastronomique chez les D. Michèle toujours experte cuisinière. Miam! Elle va retraiter bientôt de son job de cadre au collège Marie-Victorin. Elle n'a pas peur. « Je veux faire tant de choses, dit-elle, mais on ne cesse pas de me prévenir: "Attention, Mimi! Tu vas t'ennuyer." » Ça lui semble impossible. Elle va rattraper ses beaux songes, dont l'aquarelle.

Marie-Josée, la scripte émérite, jacasse sur la grève à la SRC, sur son devoir de piqueteuse — 4 heures obligatoires par jour sinon pas de ce mince salaire de gréviste, 200 $ par semaine.

Rumeur samedi soir: «Radio-Canada à vendre!» Bientôt même plus diffuseur? La boîte de chiffons-J vendue à *La Presse*, qui doit rivaliser avec *Le Journal de Montréal* associé, lui, avec TVA. Je me suis rappelé les rumeurs folles en 1959 à l'occasion de la grève célèbre à Radio-Canada. Aussi le loyer pas payé, aussi avoir dû aller chercher le 15 $ de soutien au local syndical. Mon humiliation totale alors et, de là sans doute, ce désir de me trouver vite un autre créneau de travail créatif. Faire des romans! Naissance d'une vocation en réactions à la pauvreté! Il me semble.

Vendredi soir, un fort bon film des frères Cohen: *The Man Who Was Not There*, bien doublé en français. En noir et blanc, le conte étrange d'un barbier d'une petite ville du Middle-West américain qui, mutique, taciturne, est cocu. Sa femme, plus dynamique que le Àsinistre mari, comptable dans un magasin à rayons, a une liaison avec son patron. Le déroulement, au début, d'une existence — ce coiffeur est si ennuyant! — très plate mais qui va tourner au cauchemar.

Aile et moi mieux que satisfaits. On le recommande à Daniel et Lynn, buvant des bières au soleil sur la galerie, dimanche. Mon fils lâche: «Toi et tes fameux films! On a pas tellement aimé celui avec ce petit garçon de monoparentale qui s'attache au pensionnaire, un truand médiumnique joué par ton cher Anthony Hopkins. Plutôt plate! Et ton fameux *Kandahar*, tourné aux frontières afgho-pakistanaises, pas bien fort non plus!»

Un film plaira à X et laissera de glace Y. Il est délicat de trop vanter tel film. Chacun a ses préférences. Aussi, je finis par dire en rigolant: «En té cas, nous aut', cet *Homme qui n'était pas là*, on a aimé ça bin bin gros, OK?»

Réception de *Liaison*, dirigé par l'ex-camarade Lagüe, un modeste bulletin des retraités de la SRC. Lecture d'une invitation pour une croisière en Espagne. Pas trop cher. En juin. Je dis: «Si on s'y inscrivait?» Aile: «Non, oh non, on ne sait pas trop qui en sera. On pourrait se retrouver avec des collants, des achalants.» Une promiscuité inévitable pourrait engendrer une sorte de… malheur sur mer!

Samedi soir au digestif — mon bon vieux floater à cognac —, André D. nous annonce: «On a vendu et on est allés s'installer au bord du canal Lachine.» Cadre enchanteur, quartier régénéré avec ses lofts modernes taillés dans du rouge-brique vieillot… celui de manufactures et d'usines abandonnées. L'ex-Cynique me raconte que le chic Scully a accepté volontiers de figurer dans un épisode de son sit-com, *KLM*, à TVA, que le chroniqueur semblait tout content de participer à une intrigue de ce feuilleton folichon et vulgaire tenant le haut du pavé au palmarès des émissions les plus regardées. Sacré Scully, va! Vocation contrariée?

Les D. revenaient de vacances post-pascales dans une île des Antilles. André raconte sa fascination pour la plongée sous-marine: les coraux multicolores, les poissons tropicaux si beaux… Ravie, Aile l'écoute avec grande attention et semble avoir le goût de… goûter à ça: le masque, le snorkel et la bouteille d'air comprimé sur le dos, surtout voir ces bancs de nageurs ailés exotiques. Un de ces jours, cadeau-surprise!

La Diable et la Rouge en crues effrayantes à une petite heure de route d'ici. J'ai un peu fréquenté ces rivières du Nord avec Daniel il y a quelques années. Le canot, la passion de mon fils. J'ai aimé naviguer sur ces longs rubans d'eau calme… en été. Mais là, ravages ! Les eaux gonflés de ces crues sont en train de noyer les parages de Mont-Tremblant, Saint-Jovite… Panique chez plusieurs ! Ici ? La Nord reste dans ses coteaux. Ouf !

La haine des anglos ? C'est certain. Comment ne pas détester ce qu'ils nous ont fait ? Je fais partie de ceux qui se souviennent, moi. Je connais l'histoire, moi. Je n'oublie pas, moi :

le sordide génocide des Acadiens en 1755; qu'ils ont voulu nous atrophier, nous réduire à rien, dès la Défaite (ne dites plus jamais la Conquête). Interdiction de participer aux affaires, au commerce, Accaparement de tous les postes. Malheur aux vaincus, *vae victis*! Écoles anglaises *only*. Presque 100 ans sans instruction publique, malgré nos taxes, etc. Nos grands-parents signaient avec des *X*;

l'émigration anglophone encouragée de mille façons, dès 1763, pour organiser notre noyade. Noyer ces *Frenchies* encombrants ! (Le merveilleux Roosevelt conseillait à son chum McKenzie King : « La déportation ! »);

l'installation des *harkis*, des minables loyalistes. Prise des terres des nôtres (Cantons-de-l'Est) pour favoriser ces monarchistes contents de rester des pieux colons colonisés et taxés par le roi d'Angleterre. Protection de ces couards rongeurs de couronne britannique se sauvant de la neuve liberté des courageux jeunes Américains dès 1775;

l'écrasement impérialiste de nos premiers républicains, ceux rares de l'Ontario comme ceux plus nombreux du Québec ;

la nouvelle tentative de nous diluer, de nous diminuer en fondant le Bas et le Haut-Canada. Notre nom volé. En 1840, les dettes des anglos, bien supérieures aux nôtres, mises ensemble de force;

le devoir de dilution obsessionnel chez les anglos. En 1867, ça n'a pas fonctionné les deux Canada, alors division en provinces multiples. Nous dissoudre, toujours ce projet. Ils ne seront plus si importants, ces hélas fertiles catholiques de langue étrangère;

l'émigration anglophone massive: expédition de stocks d'Irlandais que l'on a contribué à affamer en Irlande, ramassage d'émigrants divers, d'Ukraine ou de Pologne, peu importe. Parlez anglais et venez de n'importe où.

Aujourd'hui? Millions de millions en argent public pour la diffusion des emblèmes d'Ottawa. Astuces variées pour réduire la force de ce Québec depuis 1960 et notre réveil. Quel est le résultat prévisible de notre infériorisation organisée et de nos retards sur tant de plans? Plein des nôtres, au lieu de se révolter, s'inclinent, se renient, nous bavent dessus, racistes invertis, collaborent, auto-racistes. Légions d'assimilés, fiers et contents de l'être.

Je sais notre histoire.
Je n'oublie pas.
Je me souviens.
Je n'aime pas les anglos.

Complainte?

Dimanche matin, je lis *La Presse* à l'envers et trouve Pierre Vennat citant un long passage me concernant quand le critique Clément Lockwell vantait mon urbanité, concluant que la ville était ma marque de fabrication. Des mots forts, des expressions louangeuses et me voilà tout content de ce déterrement de vieux papiers chez Vennat. Je tourne les pages. Oups ! Martel : « La complainte de Claude Jasmin ». Une critique de mon *Écrire* récent.

Papier plutôt aimable avec plein de bémols réginaldiens, comme à son habitude. Martel roule sur les breaks. Pas d'abandon. Il souffre de constipation. Affaire de tempérament. De nature. Je n'ai pas à me plaindre de lui car il fut, le plus souvent, fort constructif face à mes bouquins depuis 1967, à son entrée à *La Presse*.

Chez ce très fidèle observateur des proses québécoises, jamais trop de compliments, pas de dithyrambe. À moins d'exception. J'ai ainsi eu droit à son encensement total de mon *Rimbaud* en 1969. Il a vite lu mon manifeste édité aux Trois-Pistoles. J'explique souvent ce qu'il feint (son mot préféré à mon sujet) ne pas saisir. La nécessité de la visibilité minimum, par exemple. La lassitude de se faire cataloguer sur un seul thème, pas aussi souvent qu'il le dit utilisé.

Prudent, Martel refuse d'embarquer dans mon vaisseau de griefs. Il sait bien de quoi je parle quand je jase sur le racisme inverti très répandu dans les médias. Il sait de quoi je jase quand je jacasse contre les docteurs en lettres !

Son droit. Tant pis.

À la fin de sa recension somme toute gentille, Martel dit avoir apprécié mes envolées poétiques, « en italiques », et cela m'a fait plaisir. Il semble espérer une orientation nouvelle chez le vieil auteur !

Il souhaite que je cesse de parler de moi et de ma famille. Malheur à moi s'il lit ce journal ! En frontispice du cahier *Livres*, une photo de moi rigolard et frisé pas mal, qui sort de je ne sais où.

Chez des Jamaïcains, l'horreur totale. Couple infernal. Enfant battu à mort. On frissonne dans son salon. On refuse d'y croire. Œil pour œil, pas la cellule d'une prison, non, qu'ils soient martyrisés eux aussi, torturés, et lentement...

Puis l'écrivain, du fond de son être, se dresse lentement et dira encore: « Mais d'où sortent cette femme, cet homme ? De quel enfer émergent-ils, ces misérables ? » L'écrivain, toujours, veut comprendre, faire comprendre l'inadmissible, expliquer l'innommable. Et si... s'il n'y avait aucune raison, aucun motif? Si le mal existait à l'état pur, sans excuse aucune? Le Diable, papa? Le Démon, maman ? Silence là-dessus. Et « Soyons absolument modernes » (Rimbaud)!

Neige à Kaboul. Un tunnel creusé par les Soviétiques. Camions enlisés, vieux tacots, pauvreté, avalanches, détresse. Un monde entre eux et nous au soleil dans les Laurentides luisantes de la lumière de fin d'avril. Malaise. Lecture autre. À Calais et à Pas-de-Calais, misère. Chômeurs. Camps de réfugiés. Atrocités. Pègre profiteuse. Seigneur! Moi, arrosant tantôt arbustes, lilas, bouleaux, sapins anciens et nouveaux.

Couper les têtes

Craché 180 tomates avant-hier: déneigement de l'entrée pour l'hiver qui continue, trois coups de pelle mécanique et hop! Écrivain ? Niaiseux! Déneigeur, c'est plus payant! Je montre à M. Bertrand les hauts cèdres à couper. « Hum... En mai, pas avant. La sève... On pourrait amincir surtout, couper les têtes. Euh… on verra…» Bon, attendre en mai pour du soleil au petit déjeuner sur l'étroite terrasse de l'ouest. Je dis à Aile: «Si je grimpais là-dedans, avec mon égoïne, une corde…» «Oh non, non! Que je te voie pas, mon chou. Tu pourrais tomber et te tuer!» Elle m'aime, hen?

Coup de fil tantôt, l'animateur-reporter à *Enjeux*, en grève, collabore à un projet d'une compagnie privée. Il me parle de Richard Blass, tueur féroce recherché partout un temps. C'était un p'tit gars de Villeray. Sa tragique histoire — la police l'a assassiné à l'aube dans un chalet laurentien comme la police de Paris a assassiné son caïd Mesrine. Le chat de la rue de Castelnau m'avait inspiré ce noir roman, *L'armoire du Pantagruel*. Au bar *Gargantua*, rue Beaubien, Blass, évadé récent de taule, avait fourré tout le monde dans l'armoire réfrigéré et mis le feu au bar *joint beer*. Édifiant personnage, légendaire! L'homme d'*Enjeux* me veut pour une entrevue filmée. J'ai accepté car je souhaite parler des gangs terrifiants d'Irlandais de mon enfance.

Dimanche soir *Aux Délices de Provence*, restaurant pas trop cher. Ses bons potages dans un grand bol avec louche! Pâtes avec moules, tarte au sucre, recette d'une provençale mère. Claude, le chef (il fut *Aux Trois Tilleuls* avant d'ouvrir sa boutique rue Chantecler), tout heureux de rouvrir. En hiver, il ferme, le saligaud. Client voisin, un certain Bessette avec son épouse. Il est de Villeray, me parle du grand garage des Jarry, rue Saint-Hubert…

[JEUDI 24 AVRIL 2002]

Coucou!

HIER, mercredi, beau soleil tout le jour. Enfin, pouvoir bouger! Aile, râteau à la main, fouine le long de la maison en quête de détritus. Je fais des tas. Branches à ramasser un peu partout. Celles que je n'avais pu faire brûler l'automne dernier quand l'hiver pognait subitement. Et celles cassées par les vents froids de cette saison enfin, enfin terminée. Canot sorti des bosquets et mis à l'envers sur le quai. Oh, cet enduit caoutchouté noir ne tient guère! Plaques ici et là, le rouge d'antan surgit, fait coucou! Y voir. Chaises longues sorties de sous la galerie et descendues sur le rivage. Coussins mis au cabanon de la rive. Avirons et cannes à pêche prêts. Des haltes. Je m'étends, j'enlève du linge. Chaleur merveilleuse. Soleil en pleine face. Hop, debout! Petit bûcher sur le terrain. Pas faciles à allumer, ces branches encore trop humides! Bref, je suis content de remuer ma carcasse.

Aujourd'hui, ciel gris garni de nuages blancs. Pas de vent du tout. Mon grand fleurdelisé bien ratapla. Roulé comme l'*umbrella* d'un Londonien. C'est rare ici, aucune brise.

Hier, le micro-ondes de TVA. Sujet du mini débat ? Les petits gros, ces enfants captifs des jeux électroniques, la fin du : « Va jouer dehors ». Isabelle, voix mince au bord de la stridance, charge les profs. Je m'insurge. On veut qu'ils fassent tout : l'instruction et l'éducation, la santé. Et les parents ? Plus rien d'autre à faire qu'à courir après le fric pour le fisc vorace ? Ça fait les affaires de nos gérants du trésor national (nos élus), tellement qu'ils veulent bien installer des garderies !

Nous étions collectivement tassés — pas de chambre à soi, pas de sous-sols finis — et pas riches avec de ces jeux à 50 $ la cassette ! Donc, dehors, à cœur de jour, on jouait au moineau, au drapeau, à tag, à cachette, à *branch to a branch* ! Et à la *soft ball* dans la ruelle, au hockey sur le trottoir. En guise de pause, nous avions ces *comics-books* à 10 cents, 5 pour les usagés (que d'échangisme) tout plissés !

Doute sur l'efficacité, l'utilité de ces empoignes de trois minutes mais… bons cachets ! « Ah, le bel argin, hein, viande à chien ! » me moquerait encore Paul Arcand comme du temps où nous nous chicanions tous les jours à CJMS !

Médias, toujours

À la télé, avant-hier, Marc Labrèche, jumping-jack surgissant déguisé en coccinelle, menace en ricanant toute sa Rive-Sud…

Le grand blond s'abandonne à des facéties improvisées et nous faire rire aux éclats. Ce jeune comédien réussit à montrer — il faut être patient — des bouts de… surréalité qui étonnent en télé ordinaire. C'est un talent fort et à part. Hélas, ses pulsions créatrices ont du mal à s'installer dans un contexte de talk-show, surtout quand il est dans un carcan — genre *Spécial Céline Dion*. D'autre part, ce serait miracle si toute son heure était arrangée en spectacle moderne et inusité. Mais… rêvons ; un jour, son 60 minutes hebdomadaire, voire mensuel, sera du bonbon.

La France très énervée, disent les médias. Encore ce matin, des manchettes sur le monstre appréhendé, Le Pen. Et pas un seul mot sur ceux qui ont voté Front National, comme s'ils étaient des purs esprits.

Quelle farce chez les journalistes et commentateurs de droite ou socialistes ! D'où vient donc cette attitude anormale ? La peur. La honte. La surprise. Pourquoi cette surprise ? Ah ! La grande crainte du Bonhomme Sept Heures. À lire (journaux, revues), à voir (les télés), personne qui n'a voté pour ce Le Pen qui est tout seul face à Chirac maintenant. Plus un oiseau fasciné dans le sillage du gros chat nationalisto-xénophobe. Entendez-vous ? Toute la France est contre lui ! Non mais…

Le Monde, *Libération*: « Votons entre un escroc et un facho ! » De là — trop d'escrocs dans les partis normaux — tout le mystère du vote surprenant en France ? Chez nous aussi, sondage récent, le public, en très grande majorité, ne voit plus que des escrocs chez les politiques. Viendra-t-il un grand monsieur tout blanc, démago empressé? Oui. C'est certain.

Il s'en installe, dit-on, un peu partout en Allemagne, en Hollande, en Autriche, en Italie, en Espagne... À droite toute?

Aile: «Maudit, quoi faire?» Moi: «Faire monter l'homme au bloc opératoire et le changer.»

Mon fils: «On était enragés, Lynn surtout et moi aussi. La police surgit rue André-Grasset, et nous menace d'une lourde contravention. La raison? Avec ma moto, nous sommes allés au marché Métro. C'est à trois coins de rue! Lynn portait des sacs, moi aussi. La police montée sur ses grands chevaux, calepin sorti, pourquoi pas les menottes?»

Ils sont encore sous le choc. Aile sourit. J'écoute cette jeunesse et j'ai envie de rire. Ainsi, encore et toujours, cette rage anti flics, même quand on est dans son tort. Comme rassuré d'avoir échappé à la prison, Daniel poursuit: «Les flics étaient dans leur patrouilleuse et je tentais de calmer ma Lynn qui avait sorti bec et ongles. Je suis allé parlementer doucement. Le flic a lâché prise, mais m'a tonné: "Bon, je ferme les yeux pour cette fois, mais rentrez seul avec votre moto et que madame vous attende ici avec tous les sacs."» Sur notre galerie, Lynn fulmine, cherchant accord chez Aile et moi. Je me retenais de rire car de la boucane sortait des oreilles de ma belle bru.

Lisa Frulla?

Une sacrée menteuse! Je l'ai écoutée au *Grand Blond*. À la SRC, où je suis invité, elle est train de se faire arranger le portrait — comme moi — dans la salle de maquillage, en mars dernier. Je la félicite d'avoir été, sous Boubou le mou, une efficace ministre des artistes (le statut des artistes enfin organisé). Rendons à César… J'ajoute: «Alors, on va se présenter dans le Saint-Léonard du Gagliano parti, non?» Elle: «Ah non! Claude, non. Pas question, jamais. Je reste libérale, mais jamais je n'irais m'asseoir avec Jean Chrétien, ou derrière lui. Jamais! Jamais! Il y a des limites dans la souplesse.»

Je suis édifié. Fier du courage de celle qui perdra bientôt sa série à Radio-Canada. Mais… face à face avec Labrèche, la voilà déguisée en députée de Verdun, la face très sincère. Je l'écoute, sidéré. La Lisa est parée à aller s'installer chez… Chrétien et cie, et heureuse encore d'y aller, très enthousiaste! Hypocrisie rare! C'est pour vous dire, hein? Ne croyez plus jamais cette race de monde. Ils disent noir un midi et blanc le lendemain. Ah! la vire-capot!

Message de déception d'un fidèle lecteur de mon journal, ex-camarade de la SRC, J. B. Il me dit qu'il a eu «le cœur levé» (pas les côtes, le cœur) en découvrant ma foi patriotique agressive capable de se souvenir et de haïr (ce mot l'effraie) carrément les sinistres anglos francophobes qui contribuent à nous écraser, à nous diluer, à nous minoriser (tel ce Brent Tyler). Cela quand on est un très menaçant petit 2 % sur ce continent couvert de 300 000 000 de *goddamned blokes*.

Je rétorquai à J. B. assez raidement. Lui aussi. Aujourd'hui, il ouvre un drapeau blanc sur courriel. La paix. Je lui dis que j'aime aussi les gens sans passion. Il en faut. Si nous étions innombrables, les enragés comme moi, ce serait invivable.

J'ai perdu un de mes deux canards... de plastique. La glace qui fond. Ils servaient à baliser un tas de pierres et quatre barres de fer qui, il y a longtemps, soutenaient une sorte de radeau-quai-causoir au large avec moustiquaire. Bon, je retournerai à un Canadian Tire, deux ou trois piastres, je crois.

Hier, j'ai planté un peu partout, comme j'ai fait si souvent, des branches coupées en deux, en quatre. Technique apprise de mon défunt père. Ça fonctionne... une fois sur huit... Faut faire un trou avec un bâton d'abord et là glisser la branche coupée. Et puis lui couper, au sécateur et de biais, la tête encore. Souvent, ça retige ! J'aime. Aile se moque : « Tout pour éviter des achats chez Botanix, pas si loin, c'est ça, mon Séraphin ? » Vilaine Aile parfois ! Oui, je le sais, je suis séraphin. Puis je balance. Je passe d'un excès à l'autre. Je compense sans cesse... je suppose.

Un bébé, Gabrielle, va et vient chez Maurice, mon voisin. Les parents veillent sur cette marcheuse maladroite, comique petit personnage qui découvre la nature. Aile avec son râteau : « Bon, tu vas l'attirer, le fou des enfants ? » Ce que je fais. La fillette m'entend lui parler de branches, de feu, de venir l'attiser mais elle hésite, va à ses parents dans une large balançoire, ramasse deux morceaux de bois, revient, approche, recule. La jeune maman la soulève et me l'amène. La petite jette son bout de bois, les yeux vifs. S'en retournera fière, moins titubante il me semble, plus vaillante, plus solide sur ses petits pieds. Elle a mis du bois au feu, non ?

La vie commence pour elle. Le temps se déroule, tout lentement, il a tout son temps le sacré temps, l'hypocrite. Gabrielle sera vieille, ce sera pas si long, elle viendra revoir le rivage, le foyer du vieux bonhomme blanc... qui sera mort depuis longtemps et qui s'ennuiera moins de la Terre que des enfants qui l'habitent.

Je suis, moi, un vrai pédophile. Racines latines, grecques? Pédos et philos. Il faudrait nommer «pédomaniaque» ou «pédosexuel» le pervers malade. Pédophile, c'est pour moi, pour tant d'autres dont le cœur fond quand ils voient le commencement d'une existence...

Adieux

Chez la jolie noiraude Charrette, la bande au complet de *La vie, la vie*. Cérémonie d'adieux. Larmes d'Aile quand on revoit la splendide scène où un de la bande demande à sa blonde de laisser le job et d'aller faire une marche, tout simplement parce qu'il a peur de la perdre, de la négliger, de toujours trop penser à seulement bosser. Une séquence étonnante en effet, faite avec une sobriété rare. Ce jeune Sauvé, réalisateur, est surdoué, et les acteurs aussi. Aile songe à *L'héritage* ou à *Montréal P. Q.* —, en cas de succès, inutile de séparer, de chercher à partager les mérites. Il y a eu magie singulière, imprévisible osmose, entente totale entre l'auteur Bourguignon et ce Sauvé et ce gang de comédiens (filles et garçons) merveilleux.

Étonnant entretien à TVA, hier soir, entre Paul Arcand et l'ex-vedette, si mignonne jadis, la chanteuse de tounes pop Céline Lomez, une beauté que la chère Aile a bien connue, jeune elle aussi, quand les deux vaquaient en variétés, Aile réalisant les séries swignantes de Lautrec au centre Paul-Sauvé.

Diction bizarre, un peu à la française. Céline ne vit plus avec l'affairiste De Brabant, est amoureuse depuis quelques années d'un ex-policier (GRC, CIA, etc.) qui vient de publier un livre controversé. Elle semble réticente à parler librement. Elle se livre et puis recule. Prudence, le compagnon, qui a forcément trompé beaucoup de maffieux (ceux du Triangle de Chine, chez les Italiens, les motards, les Russes), doit se protéger constamment. Une fois de plus, on n'en dit pas assez et on en dit trop. On ne saura pas grand-chose en fin d'émission et cela est frustrant. Bizarre, le métier d'infiltreur!

À bas les hollandaiseries

Je lis, sur Clarence Gagnon, un récit de René Boissay. C'est une histoire curieuse. Il n'y en avait pas des milliers... de ces bohémiens-bourgeois qui défiaient les pères graves et sérieux, s'acharnant à devenir peintres.

Gagnon, vieux, deviendra réactionnaire. Il va mépriser avec rage le cubisme ou le surréalisme, des modes neuves qui l'effraient. Danger pour lui, pour son école. Son modus à lui sombrait lentement dans un monde passéiste, dépassé, que les jeunes vouaient aux gémonies.

Cela l'énervait énormément. Lui et tant d'autres. En son temps, il fut notre impressionniste merveilleux. C'est lui qui, délaissant Paris et ses bons contacts en milieu artistique, deviendra l'abonné passionné de Baie-Saint-Paul, de Charlevoix. Il adore la chasse, la pêche surtout, il adore les vieilles maisons, les granges typiques. Comme dit René Boissay dans son volume, des tas de peintres, hélas, marcheront dans ses traces et feront des pochades d'imitation. Une plaie bientôt.

Lui, Gagnon, au tournant du siècle, quand la mode à Montréal n'en finissait plus d'admirer les sous-Hollandais des années 1800, lui, avant et après 1900, inventera une imagerie nouvelle.

Avant les Pellan, Borduas et Riopelle, il y a eu des pionniers captivants. La série d'illustrations de Clarence Gagnon pour le roman de Louis Hémon, le célèbre *Maria Chapdelaine*, offre des images parfois renversantes. Gagnon est dans tous nos musées, comme un classique intouchable. N'empêche, il y a eu, chez nous, des êtres curieux, fous de peinture, d'art, de lumières rares, et j'aime le savoir. C'est faux de dire que nous n'étions tous que des porteurs d'eau et des coupeurs de bois. Faux! Sous mes yeux, j'examine les images de sites, le long du Saint-Laurent, où les lumières se battent et se débattent et cela est aussi fort que les Corot, Courbet, Braque, Modigliani, Matisse, Chagall, Monet, Renoir, nommez qui vous voulez. Ce n'est pas rien! Vive Clarence Gagnon!

Aile aimée m'a fait peur hier. Elle avoue avoir fait du ménage (« Un peu », dit-elle) dans la cave. Dans mon atelier de peinturlureux. Oh là là! Qu'a-t-elle mis aux poubelles? Je la connais. Elle rit, me dit de rester calme, ajoute qu'il faudra que je m'y mette pour un vrai ménage. « Je n'ai fait que déblayer un peu. » Mon Dieu! Trouver le temps d'aller vérifier son carnage d'iconoclaste anti-traîneries, son vandalisme car nous n'avons pas la même notion, elle et moi, de ce qu'il faut jeter et de ce qu'il faut conserver. La peur m'étreint.

Combien de fois j'ai pu constater… un manteau disparaissait, un chandail aimé, un pantalon de velours, une paire de bottines très, très appréciées… C'est un sort terrible que de devoir vivre avec une femme aimée mais qui a la manie de jeter du lest. « C'était fini, Cloclo, pourri, usé à la corde ! C'était plus mettable. T'avais l'air d'un fou avec cette tuque, ce chapeau fourré, avec ce foulard, avec cette crémone… » Litanie odieuse ! Je souffre. Et je guette. Elle a plus d'un tour dans son sac de… vidangeuse !

Mai 2002

[Mercredi 1er mai 2002]

Des cossins!

RETOUR DE PROMENADE TANTÔT. Découverte au bout de la rue Morin d'un site de neufs pavillons luxueux dans une colline. Architecture hirsute! Style vague et de parvenu. Voyant des marguerites jaunes sauvages, j'en arrache un plant pour le planter au pied d'un vinaigrier… pour voir. Aile craint un genre de pissenlit, mais ne proteste pas trop. J'aime tant… planter. Ce matin, aller porter des chèques chez Desjardins, car, aujourd'hui, les voraces du fisc vont gober leur dû. Pas loin, le brocanteur. Incapable de ne pas entrer. Autre manie irrépressible. J'y crache pour 60 piastres de cossins, dirait Aile. Un voiler de bois, une aiguillère et son bol, un pot à mélasse, et quoi encore? Rentrant: «Ah non! Pas encore des cochonneries! Où est-ce qu'on va pouvoir mettre ça?»

La réplique classique d'une rangeuse, ma belle Aile!

Téléphone de ma fille Éliane, qui me rappelle une excursion ensemble jadis à l'Hôtel-Dieu pour se faire ôter aux paupières des pustules. Elle me demande si je me souviens du toubib ! Je lui recommande une dermato de Notre-Dame que j'avais apprécié, il y a 10 ans. Ira-t-elle ? Elle a vu son frère hier. Ils ont promené Zoé, le chien de Daniel. Un joli parc jouxte la demeure de mon fils dans son domaine à Saint-Sulpice. Ça me fait chaud au cœur de savoir qu'ils ont marché ensemble au soleil, la grande sœur et son frère cadet. Comme je suis content chaque fois !

Draberies

On annonçait hier la mort précoce d'un chanteur-chansonnier qui ne me plaisait pas beaucoup, Sylvain Lelièvre. Le mièvre ? Je le trouvais un peu drab, fade. Du blues plutôt endormant. Mon opinion... mais il avait ses fans. Il nous a tout de même laissé deux ou trois bonnes tounes.

Hier aussi, un autre mini débat. Thème : « Le hockey en éliminatoires ». J'ai parlé d'un féminisme bébête, égalitarisme qui défait les différences nécessaires, ces filles qui singent les gars désormais, des trop nombreux gros clubs anonymes, d'argent désignant qui aura, pour gagner la *Stanley Cup*, des joueurs millionnaires paresseux (selon Guy Lafleur lui-même), de la fin d'un certain patriotisme, celui de ma jeunesse.

« Ceinture fléchée », me lancent mes deux vis-à-vis à TVA. Cette « injure » (?) me fait rire. Quand j'ai déclaré — à mes risques et défiant le chauvinisme ambiant —

avoir mieux estimé les patineurs russes aux Jeux olympiques, étais-je « ceinture fléchée » ? Ah !

L'Isabelle m'apparaîtra en chandail des « Habitants » ! Rouge comme sa chevelure ! On fait le topo, pour cette fois, en studio et aux côtés de Bruneau, et je me sens alors bien plus à mon aise. J'ai demandé d'être toujours en studio à l'avenir. Voudra-t-on à TVA ?

Ce matin, éloges encore pour les textes de Tardieu montés par Paul Buissonneau au *Go*. Aile saute sur le téléphone. Je n'ai jamais oublié le Tardieu renversant monté par Paul vers 1980 au *Quat'Sous*. *Théâtre de chambre*, jouée par des élèves en théâtre, fut une splendeur visuelle inoubliable, inégalable. Pause soupe puis à la télé ce 1er mai : Le Pen, à Paris, criant sur une estrade : « On a ramassé partout des gens contre moi, des francs-maçons, des communistes, il en reste et... des théâtreux, des intellos... » Aile choquée, comme insultée personnellement. Elle est belle quand elle se fâche.

En revenant de cette randonnée, rencontre fortuite d'une dame théâtrale un peu, disons à tendance gitane. Elle n'en revient pas de me voir : « Vous, en chair et en os. » Sympa, grouillante, hilare ou grave, très verbeuse, elle dira : « Ah, vous, c'est donc vous, et qui je vois avec vous ? C'est elle, non ? C'est cette Raymonde dont vous parlez si souvent. » Aile gênée.

La gitane hilare partie, je dis à une Aile un peu secouée : « Tu vois, tu es profondément, indissolublement, irrémédiablement ancrée dans la littérature québécoise. »

Motte, pas un seul mot. Je sais ce qui la décoiffe, c'est qu'elle n'y peut rien. Qu'elle ne peut interagir. Qu'elle se voit comme manipulée par son compagnon bavard et indiscret. Elle souffre ? Je ne crois pas. Elle s'en amuse, j'espère.

Après souper, Aile, livre sur le coin de la table, tout excitée : « Tu vois ? Regarde, Cloclo. Je l'ai trouvé. Ce petit oiseau couleur carotte, c'est un oiseau commun d'ici, le bruant hudsonnien. Tu vois, la crête carotte, regarde, une mandibule pâle, regarde l'image, l'autre plus foncée. Vois sous le bec, dans le cou, regarde bien la photo, la tache noire ? Tu la vois ? »

Grand bonheur de la voir si heureuse, mon amour qui fait, hélas, ce qui se nomme de la haute pression. Je mets cela sur le dos de toutes ces équipées stressantes de réalisation pour illustrer les textes de Victor-Lévy. Elle me montre ensuite nos mésanges à tête noire, dit : « C'est bien de savoir nommer les oiseaux, pas vrai ? » Elle me fait voir ceci et cela, le quiscal, ou étourneau, trop présent dans nos alentours à son goût, des petites corneilles, puis le geai bleu, enfin, nos chères jolies tourterelles tristes.

Aile me montre la tourterelle rieuse ! Ah oui, c'est cela le printemps québécois. Dans quelques semaines, je la verrai de nouveau entourée de boîtes, de corbeilles, les poches de bonne terre, ses outils, ses gants, les fleurs étalées à ses pieds. Elle sera si belle encore cette année. Si belle quand elle s'exclamera : « Je fais mes fleurs ! »

[Lundi 6 mai 2002]

Tasse-toi, l'écrivice

Trois jours hors journal. Le beau temps est revenu… quoi ? Il y aurait le temps laid ? Le mauvais temps durant des mois ? Le temps méchant ? Allons, il y a de beaux jours même au plus creux de l'hiver, quand Galarneau qui est au ciel fait scintiller la neige en mille milliards de mini diamants dans une allée de sapins.

Ce matin, pleins feux au firmament mais, à dix heures, terminé, ciel gris ! Sortie de la couchette de bonne heure ce lundi car Aile a retrouvé sa femme de ménage favorite — récemment revenue de Floride, l'époux en santé précaire — et lui a préparé le terrain des lavages et dépoussiérages du mois de mai. La guerre ménagère ! Les grandes manœuvres. Je me tasse.

Derrière ma porte de bureau — où pendent deux vieux crucifix venus de mon enfance et le chapelet de papa l'ultramontain, j'entends un brouhaha. Grouille pas, l'homme ! Enfant, ma mère à ses travaux printaniers avec la bonne gaspésienne, c'était aussi : « Va jouer dehors ! Ouste, l'encombrant ! » La vie ne change pas. Je devrais remonter de la cave-atelier le bénitier doré de ma chambre d'enfant, conservé par fétichisme catholique. Il est bien joli, un ange avec son petit bol à eau bénite sur le bedon.

Samedi, beau soleil, s'amènent nos invités, les Faucher. Françoise en grande forme n'appréhende pas le boulot qui fond sur elle. D'entrée : « Ah vous, mon grand chien fou, je vous ai vu à TVA, hier, défendant les crucifix à l'hôtel de ville. C'est un lieu laïc, Claude, allons ! » Me voilà lui servant mes arguments. Notre passé à faire accepter, à assumer, par tous, juifs ou immigrants, et par nous-mêmes devenus des non-pratiquants en majorité... Montréal d'abord nommée Ville-Marie, les débuts héroïques, Marguerite Bourgeois, première étonnante maîtresse d'école, Jeanne Mance, première valeureuse infirmière, Maisonneuve, tous grands catholiques intrépides, généreux visionnaires, des gens hors du commun, notre culture historique ou notre histoire culturelle, je fais des inversions pour tenter de la séduire.

Rien à faire. Je finis par : « Et si, Françoise, c'était des objets d'art, disons des crucifix sculptés par un Baillargé, hein, hein ? » Alors, là, elle hésite à répondre, me sourit et me dit : « Ouais, là, peut-être ! » On rit et on boit nos apéros.

Jean nous raconte travailler — un peu pour rire — à un vague projet d'écriture fort captivant où il va jouer des similitudes et de son imaginaire à partir des amis communs ! Polygraphe, je l'encourage. J'aime pas trop l'idée des écrits mi-fiction, mi-réalité, mais il s'agit ici d'une fantaisie. Le soleil de fin d'après-midi transforme l'eau du lac en lave volcanique.

Le couple se souvient d'un récent et long séjour dans le quartier parisien du Canal Saint-Martin, où ils se retrouvèrent… minoritaires ! Je dis qu'il aurait fallu, ici, en France, partout, deux choses : d'abord que l'on fasse en sorte que tous les immigrants puissent s'installer un peu partout et non les enfermer en ghettos dans des zones sinistrées. Qu'il faut pour l'harmonie, entre vieux et jeunes arrivés en un pays, qu'il puisse se former une intégration réelle. Avec efforts des deux côtés, car, trop souvent maintenant, les exilés se fichent de cette intégration, pourtant essentielle pour l'épanouissement de leurs enfants. Se méfier alors des chartes de droits où aucun devoir collectif n'est évoqué. Ces chartes sans devoirs qui atomisent les collectivités, individualisent à outrance, installent la sordide victimisation, l'irresponsabilité.

Ce problème de l'intégration est partout en pays industriels avancés. Jadis, c'était plus facile, il n'y avait pas les envahissements rapides.

Deuxième point, l'idéal aurait été que les riches, nous, les prospères, avancés technologiquement, on fasse — dès les années 50 — le maximum, par solidarité humaine, pour aider ces pays des Suds. En exportant nos technologies, nos savoirs et des régiments (pas de soldats) d'experts payés par l'État. Mais il fut plus avantageux de laisser croupir ces gens chez eux, de les exploiter via les prétentieuses colonies et, plus tard, de les laisser grimper très nombreux dans les Nords. On fermait les yeux au début : ils constituaient une vaste et commode source de main-d'œuvre à bon marché, pas vrai ? Esclavagisme soft, pour les tâches ingrates dont les installés ne veulent plus.

Pour cela, j'aurais consenti à payer très cher en taxes et impôts, très, très cher, pour que les habitants de ces pays de notre tiers monde — Amériques pauvres au sud, avec Haïti, etc. — puissent accéder, chez eux, et au plus tôt, aux mêmes progrès que nous. Le déracinement est une solution misérable. « Place aux débrouillards, aux rares bourgeois, et que les autres périssent ! »

Combien d'Occidentaux gras-durs auraient consenti à verser une grande part de leur salaire pour que ces populations n'aient pas que cette terrifiante solution : s'expatrier ? Le déracinement de quelqu'un est toujours une choix navrant, dommageable à l'être humain.

Dostoïevski *dixit*: «Être apatride, le pire des sorts humains. »

Unique choix de survivance ? Quitter sa patrie, quêter, se débattre — dans une autre sorte de misère — pour progresser un tout petit peu. Les problèmes éclatent vite. Le maudit ghetto, une progéniture sans avenir — le terrible manque d'emploi. La délinquance. La grogne. Surgit le fascisme des indigènes fragilisés, bousculés. Et un extrémisme, un Front National, qui fait du score.

Le bouquet offert à Aile, vendredi matin, s'embellit, on dirait. Je l'ai vue (Aile, pas le bouquet) l'admirant et le déplaçant sans cesse. Un oiseau-mouche de bois y est greffé, cadeau de chez *Mademoiselle Hudon, fleuriste*, boutique voisine.

Samedi soir, je sors mes récents essais graphiques sur des pages de petites annonces. Françoise a dit : « Fort amusant. On dirait des trucs faits en Inde ! » J'en déchirerai deux ou trois sur huit. Avec le goût d'y retourner au plus tôt. Essayer autre chose. Hier, en riant, j'ai dit à Jean : « Sur du papier-cul ? »

Ce matin, dans son mini parking de briques modernes, ma voisine femme de juge me parle en souriant alors que je vais visiter ma boîte postale. Je ne comprends pas. Ça m'arrive de plus en plus souvent. Je lui souris et me risque à acquiescer. Ma gêne désormais… celle de devoir trop souvent faire répéter les gens. Je fais mine d'avoir compris. La honte d'un handicap embêtant en maudit. Saudite vieillesse ! Quand je raconte cela à Aile, elle prend une mine sincèrement compatissante, dit même : « Mon pauvre chou ! » Elle l'aime, son vieil infirme vaniteux. Je la mordrais !

Je relis le courriel de l'ex-camarade radio-canadien, Blanchette. Il ose sortir cette scie maudite voulant que nous ayons été peu accueillants pour nos émigrés jadis et donc qu'on n'a qu'à s'en prendre à nous-mêmes si ces nouveaux venus (d'Italie, de Grèce, du Portugal, etc.) sont allés chercher cet accueil chaleureux chez nos Anglois ! J'enrage chaque fois qu'on nous sert cette menterie.

Un jour, le dramaturge Marco Micone — Italo-Québécois anglophone converti totalement au français, Dieu merci, car il est talentueux ! — sort cette niaiserie à une *Rencontre* des écrivains. Voulant sans doute nous culpabiliser et nous instruire sur le fameux manque d'accueil et donc le racisme de nos sordides parents. J'ai bondi et l'ai engueulé. Il a fini par dire la vérité. Sa première version nous chicanant : On l'avait refusé à l'école française à son arrivée d'Italie. Mes questions : « Comment cela ? » J'ai appris qu'il avait alors 11 ou 12 ans et ne parlait pas un traître mot ni de français ni d'anglais mais que, malgré cela, ses parents exigeaient qu'il puisse poursuivre normalement ses études commencées en Italie.

Marco Micone disait: « Refus net ». Leur raison, une évidence: Ne parlant pas un mot de français, Marco ne comprendra rien, ne pourra pas suivre les autres, sera injustement un dernier de classe. Quand ses parents se sont présentés à l'école protestante anglaise, ce fut: *«Come in and feel welcome!»* Tu parles!

Tout faire pour coter la majorité française qui les minorisait.

Micone explique que l'on avait installé une classe chez ces bons Anglais pour les émigrants dans son genre. Offre donc de cours spéciaux, intensifs, de rattrapage en anglais, quoi. Il put donc s'instruire sans perdre une seule année de scolarité. C'était clair et je lui ai dit: « D'abord, nos francophobes riches désiraient agrandir leurs rangs. Par tous les moyens. Ils étaient tout disposés à en payer le prix fort avec ces classes spéciales. Un émigrant ordinaire (moi ou n'importe qui à l'étranger) devait se débrouiller sans aide là-dessus. Deuxièmement, cette minorité riche forcément dominante avait les moyens de créer des classes d'intégration, pas nous. De plus, il n'y avait aucun besoin chez nous de faire grimper une population scolaire déjà énorme. Troisièmement, nous étions mieux que des majoritaires — même si pauvres collectivement et traités en minoritaires colonisés — et nous n'éprouvions aucune insécurité ethnique. De là notre zéro zèle pour assimiler au plus vite les enfants émigrants non francophones. À l'école où j'allais, il y avait nombre de jeunes Italiens, nés ici et intégrés très normalement, les Martucci, DiBlasio, Greco, Diodatti, Colliza… et aussi des

Libanais, des Syriens francophones, tel Edmond Khouri, mon petit voisin. »

Marco ne disait plus rien. J'ajouterai : Les émigrants — exilés ici souvent pour des raisons de pauvreté économique — jugeaient, et rapidement, notre déplorable statut social. Ils constataient, lucides, que le pouvoir (donc l'avenir de leurs enfants ?) était du côté bloke des choses en ce Québec d'avant les années 60 et 70.

Intégration

Pour enfoncer le clou ? Dans quel pays du monde y a-t-il des systèmes organisés d'accueil ? Non mais, qu'est-ce que c'est que cette foutaise ? Si, demain, vous décidez d'aller vous intégrer aux Scandinaves ou aux Italiens, aux Finlandais ou aux Espagnols, trouverez-vous une organisation d'accueil vous cajolant ? Mais non. Rien du tout ! Informez-vous. Vous devrez vous débrouiller comme n'importe quel émigrant. Et c'est normal, correct.

Je ne parle pas des bonzes qui débarquent avec des millions de dollars et offrent d'ouvrir une usine, hein ? Mon cul avec cette idée d'un accueil spécial. On doit être ouverts aux nouveaux venus — c'est terrible de devoir s'exiler — généreux, aimables, gentils, tout ce qu'on voudra. Sans plus. Par simple conduite normale, humaine.

Lectures

J'ai achevé avant-hier ce drôle de témoignage du boulanger interdit de Rouyn, Léandre Bergeron, exilé, lui, du Manitoba français tout comme son célèbre frère, Henri Bergeron.

J'hésite à juger sa philosophie. *Comme des invitées de marque*, en 165 pages, raconte l'élevage, passez-moi ce mot, de ses trois filles aux noms incroyables de Deidre, Phèdre et Cassandre. Très souvent, Bergeron le naturaliste parle vrai. Quand il juge écoles-prisons, discipline niaise, domination candide des adultes, programmes débiles et lents, experts aux avis contradictoires, etc. Mais... oh! que de *mais* en le lisant! Risques? Dangers? Socialiser à la sauvageonne, durant deux décennies, trois enfants, en refusant toute aide organisée, la société ambiante, l'ordre social, est-ce un bon moyen pour que ses enfants puissent assouvir leur normal instinct grégaire? C'est ce besoin d'être comme les autres qui peut rendre heureux des enfants normaux. Que cela soit plaisant ou déplaisant, nos enfants devront se débrouiller, grandir et s'épanouir si possible dans une société donnée. La réformer en gang, en bandes, en mouvements concertés, en partis, en groupes, en sociétés organisées, oui, mais tenter de vivre à l'écart... s'en détacher si complètement... j'aurais eu peur. Est-ce du courage chez l'auteur ou un refus égotiste?

A-t-il pensé à lui ou à ses enfants? Bergeron fut un populaire rebelle dès son installation à Montréal. Rebelle, il le fut à l'enseignement de notre histoire, non sans raison. Il publia un «petit manuel» effronté, iconoclaste, qui fit florès aux Éditions québécoises. Il le fut aussi, rebelle, face au rejet snob de nos patois. Un autre livre, sur nos jargons, nos parlures, eut grand succès.

Ses façons singulières arrachent parfois l'adhésion. L'aspect *Petite Maison dans la prairie* fait sourire. On y trouve, çà et là, de la sentimentalité naïve, aussi une volonté farouche de laisser la liberté totale sans aucune grande discipline. Or, on dit tellement que les caractères se forment face à l'opposition (des parents souvent).

Ce papa bon copain va à l'encontre de la psychologie la moins fourbe, qui recommande la figure d'autorité, nécessaire à la maturation de ceux qui grandissent. Comment trancher ? Léandre ne s'opposait en rien aux désirs de ses trois déesses ! Il en est tout entiché, c'est très évident. C'est un prof d'anarchisme mais d'une belle délicatesse. Il a les mêmes soucis (écologiques et autres) pour sa petite ferme, soignant amoureusement quelques bêtes que… parfois, il faudra saigner !

L'aînée tient aujourd'hui le magasin de pains et de brioches de son papa artisan et c'est déjà un fort bon contact quotidien avec une partie de la population. Une autre participe aux foires champêtres des alentours, l'été, à des concours équestres.

À la fin, une anecdote fait mal : quand l'une des sœurs veut passer une audition, à Montréal, pour étudier le théâtre, elle n'a aucun prof — ou coach — pour la préparer, et pas même quelqu'un pour y aller avec elle. Elle ira quand même et sera refusée. J'ai trouvé ça triste. Mais vivre en une région éloignée fait cela à n'importe quel jeune ambitieux d'entrer à la prestigieuse École nationale.

Curieusement, l'auteur ne nous fait point voir la collaboration de sa compagne, la maman des trois formidables sœurs ! Quand — c'est rare — elle est nommée, c'est par l'expression *leur mère*. Très bizarre, non ? Reste que c'est une lecture captivante, déroutante ici et là, pleine d'interrogations car Bergeron oublie — ou esquive — de répondre à bien des questions d'un lecteur intéressé.

[Jeudi 9 mai 2002]

Le vélo

Non mais… brume encore un 9 mai ? Faire mine de s'en foutre. Hier, avec le compère Galarneau à son poste au zénith, première balade sur nos vélos. Le bonheur retrouvé. Le vélo, c'est toute ma jeunesse. Nous avions des blousons. Portions des « pantalons longs », disions-nous jadis.

Petit déjeuner au bout des premiers efforts, en guise de récompense. Cela, cette petite bouffe du matin, comme l'an dernier, au *Van Houtte* de Val-David. Yam ! Œufs, rôtis, confiture et… fruits. Aile : œufs avec viandes (bacon, saucisses) et patates ! La gourmande ! Depuis qu'elle ne fume plus du tout, elle a des envies de dévorer… de tout ! J'ai peur. Je tiens à ma peau. Moi, j'en fume une après chaque repas.

À ce restaurant du coin de la track, les flâneurs habituels, des retraités rieurs, d'autres cyclistes comme nous. La serveuse-chef avec un bel accent du… Chili

(Bolivie, Pérou ?) : « Ah ! C'est donc vous ! Je vous ai entendu à TVA chez monsieur Bruneau. Je suis de tout cœur avec vous : on ne peut tout réussir, carrière et vie familiale. Moi, j'ai dit non. À beaucoup de choses. Je viens du sud, j'ai dit « oui » à un gars, mon homme, un Québécois. Et ainsi, j'ai tourné le dos à une carrière dans mon pays. Ici, cela a été autre chose mais je ne regrette rien. »

Elle est enjouée, efficace, fait plaisir à voir. Je me dis : pourquoi devoir ainsi couper, retrancher, pourquoi donc ne pas pouvoir tout avoir ? Je ris de ma réflexion, sachant bien, le premier, que j'ai été obligé de renoncer à ceci voulant sauver cela. Ce trajet le long de la Nord, jusqu'à Val-David, est merveilleux. Le silence d'abord. Total. Les vues sur la forêt. Les cascades rugissantes juste avant d'arriver au lac Raymond, à Val-Morin. Ces rochers, monuments célestes, sur des hauteurs ou bien dans des ravins, tombeaux muets et anonymes. Ici on ne voit pas, comme au village, 10 ou 20 sapins mais des grappes de centaines et de centaines d'arbres, sapins, oui, mais aussi mélèzes, érables, pins, bouleaux d'un blanc si éclatant avant la pousse de leurs feuillages.

Chaque fois, c'est un bain naturaliste qui nous stimule. Sommes si heureux de pouvoir de nouveau rouler dans cette large piste du petit train du nord. Avant de rentrer, Aile décide de mettre mon vieux vélo « Québec-tours » (acheté en 1985) chez le… huileur et graisseur à sa boutique de la gare de Mont-Roland. Hen, quoi ? Ce sera 40 tomates ! Et elle m'a dit : « Tu cracheras un peu, Séraphin Poudrier ! »

On dansait…

Revenus satisfaits de notre excursion rituelle, prise de soleil sur le balcon. Bronzons un peu. Des corneilles, sans cesse, tournent autour de notre mangeoire à mésanges et à pics. Aile, furieuse, tape dans ses mains. En vain. Elles reviennent toujours.

Envie de lire le récent Jean D'Ormesson, *Voyez comme on danse*. Bizarre, je m'en trouve au septième ciel ! Des mots joyeux. Des phrases longues mais si souples. Tournures anciennes certes mais bonne santé des propos dès les premières pages. Bien éloigné de certains mâles parisiens invertis et si bêtement fiers de l'être.

J'avais croisé, en 1981, l'académiste célèbre — abonné chez Pivot — à l'occasion d'un lancement pour mon prix France-Québec (*La Sablière*), à la Maison du Québec à Paris. Arrivant rue du Bac, mon éditeur me dit soudain : « Oh, chanceux ! Jean D'Ormesson est là ! C'est important, c'est un bonze du *Figaro*, il est très influent ce mondain, mais il ne va pas partout. » Présentation. Échange bref de propos vides entre deux verres… de cidre. Yves Michaud présidait le tout à la québécoise !

L'auteur est d'humeur égale, joviale, adore les potins, semble déférent, distant avec politesse (son vif regard d'un bleu de cobalt vise un point lointain entre le plafond et le haut de votre crâne) ! L'homme est d'une politesse antique, tout cela rend agréable une rencontre avec ce romancier nostalgique. Et avec ses mots.

Que de nostalgie encore avec son *Voyez comme on danse*, roman déguisé en livre d'histoire. Ou vice versa. Un cimetière, on attend un convoi funèbre. Un ami décédé. Beau, séduisant, brillant, iconoclaste, célèbre à force de ne rien faire ! Qu'on aimait et qu'on jalousait.

Petite foule des amis, même des rivaux, dont le narrateur — d'Ormesson à peine déguisé. Pour chaque tête de cette lugubre fête, un récitatif récapitulatoire ! Retrouvailles délicates parfois : ex-amoureuses, etc. Il se lance donc en mille brefs récits. Ses souvenirs illustrent un milieu chic, très XVIe arrondissement. Vaste galerie d'aristocrates et aussi d'aventuriers, des chanceux se sortant de la basse extraction de roturiers. On sourit de ce Paris au vieux sang bleu.

Je lis, je lis. Ce monde dérisoire, hors temps, des privilégiés blasés, m'assommera sous peu, je le sens. Alors, je vais à un livre de Messadié, pris à la bibliothèque par Aile. Titre : *25 rue Solmar Pacha*. Ma surprise ! Lieu (Le Caire) et le temps (1950) du *Jasmin sur barbelés* : le roi déchu, frappé, Nasser au pouvoir, guerre aux portes, la fuite des bourgeois étrangers d'Égypte, la chasse aux juifs. Entre le *Jasmin sur barbelés* (un modeste récit véridique) et ce livre de Messadié, il y aura sans doute un monde. Encore un roman-histoire ! Je lirai au moins certains chapitres car je n'aime pas lire un roman qui n'est que prétexte à donner un cours d'histoire. Je préfère les vrais livres d'histoire sans récit romanesque pour faire avaler les faits, la vérité.

Pour faveur obtenue ! Groupaction, agence de lobbying de Montréal, devrait être baptisée Group à fédérats. La firme de publicitaires, très favorisée par les libéraux, est empêtrée dans une merde médiatique engendrée par le gaspillage éhonté — politico-patroneux — que l'opposition dénonce sans cesse. L'agence Group à fédérats est embarrassée maintenant par la condamnation de la vérificatrice officielle d'Ottawa, hier.

Ils communiquent ce matin: «On a sauvé un Canada en grand danger à la suite du dangereux 50-50 du Référendum de 1995.» Un messie quoi, un sauveur des fédérats, *via* les annonces, fanions, écriteaux, drapeaux, enseignes, bannières, bandes d'arénas, drapeaux, guenilles et torchons rouges, placards partout.

Chréchien, audacieux, applaudit. L'enquête étant confiée à la RCMP! Quand on sait que cette police fédérale peut rédiger de faux communiqués du FLQ, mettre le feu à des granges, voler des listes électorales, installer des bombes chez Steinberg, etc. On peut avoir confiance comme le chef Chréchien, non? La RCMP va conclure: «Ouiaille, ces magouilles, ces gaspillages scandaleux, c'était pour la belle cause anti-patrie québécoise!» Fermez la boîte de pandore. OK? Compris?

Notre peuple québécois n'est pas fou. Un jour, tout cela éclatera et notre pays normal, notre nation normale, on l'aura. Je verrai cela avant de mourir, moi qui attends cela depuis 1960. Cela adviendra. J'en suis convaincu. Je verrai ce jour merveilleux en serrant dans mes bras mes petits-fils devenus adultes et qui, comme ceux de leur génération, ne toléreront plus la folle mascarade fédérate. De cela, je suis sûr et certain.

Le Dion à moustache (rat de Serge Chapleau), distrait, affirmait avant-hier: «Mais non, foutaise tout cet argent, la pub, ça ne sert à rien!» Puis hier, se reprenant: «Peut-être bin que oui.» On sait en tout cas une chose sur cette montagne de fonds publics dépensés avec et entre bons copains: cela nous coûte cher, très cher. On a payé un prix fou pour la propagande dans cet

Almanach du peuple, devenu prostitué ouvertement. Vous y lisez un long reportage sur, par exemple, Trudeau. Vous apprenez qu'on a pris votre argent pour vous faire lire ce publi-reportage. Et beaucoup! Tarifs exorbitants! Un scandale de plus. Bof! Quarante millions par an cette pub fédérate! Deniers publics. Et cela, depuis 1996. Calculez: cela donne 300 millions de dollars, à ce jour, puisés à même nos taxes et nos impôts. Et l'autre avec son: «La pub, la commandite, ça sert à rien.» Le traître stipendié, renégat à notre patrie, balbutie, bafouille. Il achève de ronger son fromage.

Tit-Coune pour rire

Le Roger Drolet chez Marc Labrèche avant-hier soir: «Le féminisme est une invention des hommes pour mieux rouer les femmes.» Rires dans la salle et salve de hourras des filles présentes. Ignorance ou facétie pour faire rigoler — ou faire droletter — l'auditoire? On ne sait jamais. «La femme est soumise à l'homme et heureuse de l'être», continue notre héros en litotes variées. De bons moments avec cet énergumène.

Le gaillard *preacher* à peine laïque des dimanches soir de CKAC s'amusait ferme. Pas de confrontation, et bravo, tant mieux, ce n'est ni l'heure ni le lieu. Nous étions en contrée du divertissement de bon aloi. Drolet a l'intelligence de le comprendre. Aussi il joue de son fleuret gaillard en rigolant, sans se prendre au sérieux. Du music-hall, pas une chaire en Sorbonne, hein?

Plus jeune, mon Roger Drolet pourrait légitimement songer à devenir un solide stand up comique. Il y ferait florès. Il est doué. C'est un comédien, peut-être amateur mais qui a du rythme et c'est l'essentiel. Il joue de silences calculés avec art et aussi de fortes affirmations étonnantes avec un très bon sens du timing, ce vétéran des stations de radio. À 19 ans, il facétiait déjà à la radio de Joliette, pratiquant au téléphone les canulars sans vergogne. Et le premier, hein! Bien avant les Tex Lecor, Yvan Ducharme et autres Béliveau.

Chapeau à lui! Pour le public sérieux, c'est un bonhomme qui vogue de généralités en généralités. Le cas par cas, mon Roger, il connaît pas! Un public (poujadiste?) en est friand, lassé par tant de ratiocinations confuses chez les leaders patentés. Jos Bleau, tante Armandine écoutent, rassérénés, les élucubrations claires de l'oracle: «Tous les hommes sont des cochons, des sensuels sans humanité. Toutes les femmes sont sentimentales, généreuses et abusées.» Ça revole! Il aime les forts contrastes et la foule aime les monstres. Le cirque. La femme à barbe! Et puis, Drolet ne gueule pas, il est si gentil, si poli, calme et doux. Malin et roublard. Rien à voir avec la réalité, mais cela peut être tellement plus divertissant.

J'aime bien à l'occasion les bouffons inoffensifs, le vaudeville. Les mélodrames aussi, je le prouve parfois.

Un enfant rigolo

J'oubliais: au *Van Houtte* de Val-David, un garçonnet près de notre table, avec son père, je l'aborde et lui fais mon vieux coup du pouce coupé en deux. Il m'observe. Il tente de m'imiter, alors je lui dis: «Écoute, c'est long, tu pratiqueras chez toi et on se reverra un jour, peut-être ici.» Il tente de m'imiter encore et s'éloigne. Il me revient bientôt, résolu, me défiant. Joue avec ses mains comme moi et me montre, lui, deux doigts disparus. Il les cache tout simplement. « Hein, hein ? Qu'est-ce que t'en penses, qu'est-ce que tu dis de ça ? » fait-il, fier comme Artaban. Je joue l'étonné, le renversé et le félicite : « Deux doigts, deux ! » L'enfant exulte et aussitôt, le ventre en l'air, il éclate de rires si cristallins que tout le petit bistrot s'en trouve embelli, les clients sourient, allégés on dirait. Le blond gamin est ravi de ce public. Il s'en va, s'autocongratulant, avec son papa qui me fait un clin d'œil. Dans la porte ouverte du *Van Houtte*, le gamin enhardi lâche : « Tu pratiqueras ça hein, pour quand on se reverra ! »

Un gamin de six ans triomphait d'un vieil adulte à la barbe blanche. Et puis, ses rires merveilleux : si clairs, si clairs, ce matin-là, ah ! ma journée était faite ! Aile semblait ravie de ce vieux jeu du papi et de l'enfant. Elle y est habituée, me dira encore : « Que tu as le tour, mon vinyenne, avec les enfants. »

Mon secret ? Je les aime.

Aile en fête

Hier soir, Aile, nerveuse, qui ne fume plus, dit qu'elle a besoin de salé-sucré. Je sais ce qu'elle veut. Je pars au dépanneur bleu de la rue Valiquette lui acheter croustilles et tablette de chocolat, sa chère Oh Henry. Ouf ! C'était son anniversaire hier, à mon Taureau d'amour — mon fils, lui, Taureau du 13 —, et les coups de fil ne cessaient plus. On ne s'achète jamais de cadeaux. Ni à Noël ni au jour de l'An. Jamais. C'est entendu entre nous depuis longtemps. Nous disons en riant que nous sommes «un cadeau de tous les jours l'un pour l'autre». Et, à force de nous le dire, nous nous sommes crus! Et puis, nous n'aimons pas vraiment tous les deux sombrer dans les manèges usuels.

[DIMANCHE LE 12 MAI 2002]

Un masque de sérénité

UN CIEL DOMINICAL BLANC. Si mat. Bof! Je suis bien. Je suis heureux. Je pense soudain à un vieux de mon âge qui est dans un centre pour... vieux, qui est pas bien du tout, il y en a, non? Sa mémoire flanche... Le comprimé-miracle pas encore testé. Sa détresse... Je prie pour lui à ma manière. En union de pensée. Je pense aussi à une fillette en Palestine, dans des ruines, perdue, orpheline — photo qui traîne dans un coin de journal, n'est-ce pas? Des ballottés sur Terre, il y en a trop. Mais bon, je suis bien dans ce dimanche matin, heureux. Il le faut bien. Le monde en chamaille, misère, n'a pas le droit de me gâcher mon bien-être. Quoi, quoi? Je n'ai jamais rien fait de mal. Enfant, notre mère menaçante, pour une rumeur, du bavassage, on se défendait aussitôt: «J'ai rien fait de mal, m'man, je te l'jure.» Vous vous souvenez?

Pauvres de nous, tous les impuissants des grands malheurs de la Terre. Comment nous soulager de ces pensées noires, comment ? En vivant. Tout bonnement. En continuant. Modestement. Montrer un masque de sérénité, pour ceux, au moins, qui nous entourent. Le devoir simpliste d'être léger malgré tout. Rappelez-vous : nous avions un problème et notre mère disait : « Secoue-toi, avance, donne le bon exemple. » Le bon exemple. Vouloir au moins illustrer un fait indiscutable : on a de la chance, ici, en ces temps-ci, en Amérique du Nord la chanceuse. Scandale à mes yeux que toutes ces faces de carême alors qu'ailleurs…

L'argent?

Vendredi midi. Montréal. Aile ira à ses courses dès notre arrivée à Outremont. Trouver des casseroles, des plats divers : aubaine notée au La Baie de Rockland. Moi, je file comme promis luncher avec les garçons de Daniel. Thomas, en congés pédagogiques, est chez lui et, fougueux, il me saute dans les bras comme lorsqu'il était tout petit. Cet enfant m'aime fort. Son chien aussi. Que de belles façons frénétiques dans le portique. Départ vers Sophie-Barat, pas loin, pour ramasser d'abord Simon, le grand frère. Bonnes pâtes au *Pasta Express,* rue Fleury.

On jacasse. Ces deux ados me semblent en pleine forme. C'est bon de les voir si souriants, en santé totale, ouverts, curieux, généreux. Ils m'écoutent raconter le petit garçon aux doigts disparus au *Van Houtte* de Val-David. Ils rient. Thomas me parle de ses prouesses en skateboard, sa passion parascolaire actuelle. Simon m'annonce qu'il laisse son job d'emballeur au marché Métro du coin. Travail aux vacances d'été, pas avant. Je lui dis: «L'argent, bof!» Il m'a semblé songeur. Mon fils, son père, ne roule pas sur l'or comme concepteur de jeux et je sais que ces jeunes veulent tant de choses. Oui, il m'a paru fort songeur, mon Simon, comme s'il me cachait quelque chose, un secret, une envie qui s'éloigne puisqu'il n'aura plus ses gages. Je dis: «Et vos études? Ça va, pas de gros problèmes?» Cette question les tue? «Mais oui, ça va, papi, ça va bien.» L'un a un 90% en français, l'autre a eu un 100% en telle autre matière.

Moi, dans mon temps de collège, je ramais si péniblement, tentant de me maintenir dans la moyenne exigée: 60%. Et ça me forçait. Est-ce que l'on pondère les notes, de nos jours?

Arrêt chez un Jean Coutu pour collation. Permission de petits cadeaux pour la fête des Mères, dimanche. «Non, non, Lynn préfère des poèmes, des dessins, elle a insisté là-dessus. On n'achètera rien», me dit Thomas. Beaucoup de gomme à mâcher, ah ça! Un livre à rabais pour le papa. À propos de bouddhisme, son sujet de réflexion actuel. Reconduite de Simon, boulevard Gouin, à cet ancien couvent de filles des sœurs du Sacré-Cœur qui est devenu un gros complexe pour clientèle — mot d'aujourd'hui — mixte. Plein de jeunes Noirs. Haïtiens de Montréal-Nord, sans doute.

Revenu au foyer, Lynn, qui travaille seulement trois jours par semaine, nous fait des tisanes. On jase de tout, de rien. J'en fume une. Une seulement. Eux ont vraiment cessé de fumer et tiennent bon. Je les admire. «Allons promener Zoé», dira Daniel. Ce noiraud excité tire à m'arracher le bras sur sa laisse. Arrivé au parc, liberté, il part en fou faire sa revue reniflante du parc. «Il lit le journal du jour, dit Daniel, qui est venu, et où?»

Un temps plutôt couvert, comme on dit. Tant pis. Le vent n'a pas cessé depuis deux jours, ici comme dans les Laurentides. Soudain, un écriteau et je prends conscience du nom de ce vaste parc: Jean-Martucci. Mon fils: «Qui est-ce, tu le connaissais?» Je parle de lui: élève doué et sage du Grasset, un premier de classe et pieux, dont on se méfiait un peu, nous les cancres. Martucci sera ordonné prêtre et deviendra l'expert en livres sacrés anciens, rédacteur en la matière au *Devoir*. Un jour, il deviendra le brillant délégué du Québec en Italie. À une émission d'*Avis de recherche*, il m'apparut soudain sur l'écran et me demanda: «Claude? Ça m'a toujours chicoté, pourquoi, à moi, tu ne passais jamais les suites de ton petit roman ronéotypé, hein?» J'ai bafouillé. Pas envie de révéler en ondes: «On te trustait pas, p'tit maudit fifi des moines, éternel premier de classe!» Niaiseries de cet âge bête.

Tricot serré

Après la stimulante halte chez mon fils, je file vers la rue Saint-Hubert, angle Ontario. Quartier bigarré. Vie vive dans ces alentours. Un western! Décor anarchique. Stationnement rue Saint-Christophe, où j'aperçois des maisons rénovées bien jolies. Rue Saint-Hubert, bureau d'avocats criminalistes, un édifice bancal où m'attend l'équipe d'Alain Gravel pour mon témoignage filmé sur le Villeray du temps de la guerre, des gangs irlandais, des Italiens louches, de ce jeune bandit effrayant, longtemps ennemi public numéro 1, as des évasions (11 ou 12) et surnommé *Le chat*: Richard Blass. Garçon pourtant baptisé, communié et confirmé dans ma bonne paroisse Sainte-Cécile.

Pieuvre grillée

Plus tard, je dévorerai de ma chère pieuvre grillée à la mode libanaise. Bonheurs pour Aile et moi, à *La Sirène de la mer*, rue Dresden. Yam, yam ! Soudain : « Ah, Claude ! Bravo pour votre article publié avant-hier dans *Le Devoir* en l'honneur de Sita Riddez. C'était formidable, très poétique. » C'est Jean-Marc Brunet, ex-aspirant-boxeur de Villeray devenu millionnaire avec ses magasins de produits naturistes. Il nous dit qu'il était son élève — comme le fut mon épouse décédée et aussi l'Aile bien-aimée — rue Durocher. Qu'il y a connu, élève aussi, sa compagne de vie, la si mignonne Marie-Josée du téléroman populaire *Rue des Pignons*, signé Mia Riddez, sœur de Sita. Le monde québécois est tricoté serré.

Vue petite biographie de Serge Lagacé à Télé-Québec. Ce bandit repenti a fait mille mauvais coups et aussi, souvent, du pénitencier. Maintenant, le surnommé Coq de Montréal fait des figurations dans des films… de bandits. Il a une gueule ! Documentaire vite fait hélas. Un de ces films plutôt botchés, faute de moyens. Le héros valait, lui, le déplacement. Avec une sorte de prudence, sinon de pudeur, le Serge rangé raconte ses éclats sinistres de jadis. On voit la relation entre les rêves candides du jeune voyou fini, et désormais, — ce même rêve ? —, la célébrité. La gloire des écrans. Factice. Cette vedette d'*Allô Police* a parlé aussi d'un besoin — ado mal parti

— d'aider les siens, d'apporter de la richesse à sa môman ! Je n'avais pas envie de rire, je le sentais sincère.

Richard Blass écrivait lui aussi à sa mère de belles lettres — « ma vieille amour », mettait-il —, j'ai pu en lire des bouts dans la recherche d'Alain Gravel. Ce vieux désir des malfrats vient de loin, de creux, de toujours, feu premier de tant de carrières, les unes honorables, tant d'autres misérables, hélas. Il conduit d'un songe valable jusqu'aux chaises électriques. Cette motivation plus ou moins admise : pouvoir payer un château à la pauvre maman bien-aimée de son enfance. Éternels gamins voulant venger l'humiliée du sort. Des engins tarabiscotés d'Hollywood jusqu'aux tragédies des grands auteurs grecs. Jusque dans mon *Pour l'argent et la gloire*, qui est en librairie maintenant.

Ce matin, je me lève le premier. Ça m'arrive parfois. Pour cause de vent mauvais, la moustiquaire des toilettes… à terre ! Je regarde cela. Les cèdres s'agitent dehors. Aile est dans ma tête. Vais-je réussir ou pas à replacer la chose ? Malheur à moi si… Le cadre est défectueux. Le vent a eu beau jeu de le jeter hors de la fenêtre. La peur. L'entendre me crier d'en haut pendant que je prépare le café : « Clo ! t'as pas pu replacer… » Je m'y mets et réussis à poser la bébelle tant bien que mal. Aile va examiner la chose tantôt, je le sais, je la connais, et elle dira : « Clo, mon chou, mon amour, t'as pas pu, hein ? » Ma gêne d'être un si mauvais bricoleur depuis toujours. Je mène une vie dangereuse, sous haute surveillance. Les femmes ! Aile me guette, me dompte aussi. Elle fera de moi un bon petit mari un de ces jours… mais quand ? Tant d'hommes comme moi doivent sans cesse se garder d'être négligents. Elle réussira. À force…

Mais oui, cher poète Aragon, «la femme est l'avenir de l'homme». Chante, Aragon, chante, moi je m'échine sur la maudite moustiquaire que le maudit vent s'acharne à débarquer sans cesse de ses rainures.

Ce vent a jeté mon canot noir à l'eau, a renversé le vieux pédalo du vieux saule pour le jeter sur la pelouse. Il a cassé des branches partout durant notre absence en ville, a semé des détritus ici et là. Quelle vie quand un mauvais vent vente à ma porte et… au fait, que sont devenus mes amis ? Morts trop souvent.

Que d'ailes!

Hier soir, au cinéma *Pine*, vu un film merveilleux sur les oiseaux migrateurs. Envoûtant ! Images étonnantes. Couleurs se déployant dans tous les ciels de la planète. Que d'ailes devant nos yeux ! Aile éblouie comme moi. Buses, oies grises — le peintre Riopelle, fou d'oiseaux, est mort avant d'avoir pu voir ce film, hélas ! Immenses volées de pigeons, colombes, tourterelles blanches, beiges, canards aux plumes colorées si diversement, pélicans, hérons, hiboux, perroquets rouges, macareux, nos fous de bassan, aigles, faucons, bernaches du Québec, cols verts, j'en passe, j'en oublie.

Le peuple migrateur est un film qui vous donne deux heures de beauté inouïe, vous transporte au-dessus de l'humaine condition. Nous nous envolions, nous planions, silence au ciel, nous piquions, nous plongions, cris, becs aboyeurs, nous voguions, Icares hypnotisés. Quelle belle chose, ce cinéma moderne. En avion, en hélico, en montgolfière, avec des jumelles, des lentilles zooms, les imagiers actuels nous offrent ces tableaux vivants. Comiques parades nuptiales, mariages ornithologiques, jalousies, batailles, drames du triangle; dans tous les sens, par milliers soudain, formant une gigantesque nuée au dessin capricieux — le soleil en est caché —, noirceur d'un instant, nous suivions des caravanes inimaginables. Ou bien, en très gros plan, l'écran rempli par deux yeux d'un grenat rare, de grandes mains ouvertes aux doigts de plumes noires d'une voilure légère, ou un bec très jaune, si crochu… un doux se sauve, un farouche attaque, mort d'un crapaud, un rien; ces oiseaux ne cessent de se suivre, filant vers un temps meilleur, migrations rituelles, murale mirifique.

Une fresque mobile séduisante. La joie totale, cet écran de beauté, pour ceux qui aiment — comme Aile et moi — les documents sur la nature. Comblés! Des lumières inoubliables. Étangs bizarres, océans calmes, mers déchaînées, glaces en avalanches bleutées, banquises qui défilent au soleil trop bas, désert d'Afrique… Nous rêvions de pouvoir voler. Aile, rêvons!

Jeudi midi, Aile semble décidée: «On va à l'atelier de vélos. Faut faire nettoyer ta vieille bécane, il y a des limites!» J'y laisse donc ma bécane antique. Hier, on y retourne et l'expert joue le zouave: «Ça vaut pas cher votre machine. Si je répare tout ce qui se déglingue, vous en avez pour 80 piastres.» «Bon. J'irai ailleurs», je dis. «Non, dit Aile. Un neuf comme le mien, c'est 300 dollars mais si vous aviez des usagés?» Le bonhomme doit jouir: «Ah, chanceuse petite madame, il m'en reste un. Le dernier.» Il le sort. Ouengne! Tout en aluminium, il pèse une plume. Avec des gadgets. «Il valait 700 piastres, vous savez.» Folie! «Euh, je vous le laisse à moitié prix: 350 piastres.» Accepté.

Aile toute fière, heureuse pour moi.

J'ai fixé le vélo luxueux sur le support. Aile, dans le portique, admire l'engin: «Tu faisais pitié, mon chou, avec mon vieux vélo de fille acheté en 1973.» La femme est l'avenir de l'homme!

[Mardi 14 mai 2002]

Neige maudite

Hier soir, en ville, hockey, la dégelée hors de l'ordinaire, une raclée étonnante, totale, pour le club Canadien, ce matin, de la neige à la mi-mai, à plein ciel, Ailleurs, l'agressif Sharon faisant face à des pires que lui : « Il n'y aura jamais, jamais, de pays nommé Palestine ! » proclament des énervés d'Israël. Que dire ? La déprime partout !

Comme pour nous divertir, à midi, foin du lunch à sandwichs, nous sommes allés, sous cette neige maudite, dévorer la bonne soupe habituelle au *Petit chaudron* et des hot dogs oignon-moutarde. Chère vieille gargotte au pied de la côte. Avec frites. Avec vinaigre. Et espresso déca. Dessert ? Une cigarette. Aile m'épate, se délecte du dessert maison — crêpe au sirop d'érable — et résiste à prendre sa poffe ! Rencontre : Cyrille Beaulieu, ex-camarade d'Aile. Bonheur de rencontrer ce chef d'orchestre du temps qu'Aile faisait des variétés. Sa compagne, institutrice, va prendre sa retraite. Le couple a acheté une maison au bord du lac qu'ils veulent rénover. « Un *work in progress* qui sera lent », dit le musicien retraité. Il fait encore, avec une bande, des spectacles d'été dans les grands restaurants de grands hôtels.

Ce matin, chez Paul Arcand — que félicite Foglia dans sa chronique d'aujourd'hui —, le ministre-manitou de l'Éducation, un étonnant Sylvain Simard qui va déclarer soudain : « Depuis le rapatriement de la Constitution, ce sont les juges qui gouvernent et non plus les élus du peuple. » Vérité. Mais qui sont ces juges de toutes ces cours et d'où viennent-ils exactement ? Quel pouvoir avons-nous face à ces non-élus ? Peut-on les débarquer s'ils errent ?

J'ai toujours apprécié la lucidité du dramaturge le plus illustre du Québec, Michel Tremblay. Trop modeste à mon avis, il vient de déclarer que le grand succès remporté hier soir à San Francisco — avec *Encore une fois...* — tient à la notoriété de la fabuleuse comédienne Olympia Dukakis : « Puisque l'on ne sait rien de moi, là-bas. » Reste que ce triomphe pourrait lui ouvrir des portes importantes aux États-Unis. Rêvons : après les Tennessee Williams et autres Arthur Miller, pourquoi pas le Québécois Tremblay en dramaturge nouveau acclamé par les Américains ? Ça ne m'étonnerait pas, moi.

Je lis dans mes gazettes que Baril, le député-patroneux déchu, se fera tabletter dans un job chromé sans que le chef libéral Jean Charest n'y trouve rien à redire. Ce serait un bon vieux copain, quoi ! Voit-on mieux la vaste chapelle des copains comme cochons ? On se jette des injures pour la galerie, mais dans les coulisses, c'est le club uni, solidaire. Des observateurs de ces ententes clandestines, un De Virieux, un Pierre Pascau, dénonçaient cette situation incestueuse. Vainement. Pauvres gnochons d'électeurs que nous sommes, nous imaginant voir des opposants radicaux quand il s'agit d'une bonne vieille confrérie de cochons de copains.

Anne Thivierge — lettre ouverte — publie ce matin : « Le gouvernement doit garder un contrôle sur tous les aspects de la vie en société. » Sainte Vierge ! non, non ! Jamais de la vie. Si je n'ai aucune confiance dans les capitalistes, aux prêcheurs du privé partout, je n'en ai pas davantage en cette droite — à la Mario Dumont — avec le moins de gouvernement possible.

Qui suis-je alors ? N'ai-je donc confiance en personne ? Un disciple du sage Thoreau, qui disait : « Le gouvernement qui gouverne le moins est le meilleur des gouvernements » ? Combien sommes-nous ? Où nous inscrire ? Sous la rubrique : « sales anarchistes » ?

Stephen Harper, élu hier soir chef de L'Alliance. Il cause français. Il fut installé, tout jeune, en immersion française par ses parents bourgeois *canadians*... dont il ose dire (courageux ?) qu'ils l'ont fait probablement pour se débarrasser de lui ! Aïe ! Le Stephen affirme qu'il n'a pas eu à le pratiquer souvent puisque le Canada n'est pas du tout un pays bilingue. Lucide, bravo ! On lit ce matin (*Le Devoir*) son speech contre le bilinguisme à la Trudeau — rêveur romantique, le Pet affirmait pourtant préférer la raison aux émotions ! Donc, un « échec total », avance Harper. Un non-sens. Une connerie, une folie qui a fait dépenser des montagnes d'argent public stupidement. « C'est un pays unilingue, le Canada. » L'homme le dit, le sait. C'est la vérité. D'une même bouche, hélas, borné, ce chef affirme détester la loi 101 qui protège un peu la langue du 2% de francos en Amérique du Nord. Il voudrait abolir ce bilinguisme officiel, stupide en effet… et combattre la loi 101. Yeux croches ou quoi ?

Entre nous, le rêve de Pet a fait reculer, a retardé la venue de notre indépendance objectivement. Je le proclame. Ainsi, on ne sait plus s'il faut l'encourager ou le fustiger, ce Harper. J'encourage mon petit-fils David, qui étudie à Concordia, je le félicite, il sera bilingue bientôt. Partout dans le monde, il y a des personnes bilingues — trilingues, c'est encore mieux. Il n'y a pas de pays bilingue, allons, mon pauvre Pet mort, c'est une aberration.

Des guidounes

Mon adversaire idéologique, Lysiane Gagnon, frappe dans le mille ce matin en ridiculisant le récent questionnaire des sondeurs chez SOM. « Malhonnête », dit-elle. Vérité. Elle détaille la manière que l'on a rédigé les questions. Du biaisage éhonté, dit Gagnon. Et des commentateurs myopes y vont de propos sérieux, d'analyses graves ! Des farceurs ? Des innocents ? C'est une farce qui a fait plaisir à Mario le privatiseur, à John Charest le défusionneur. Ne pas croire que je souffre pour un Landry en pente douce. Oh non ! Rien de mieux qu'un bon séjour dans l'opposition pour ce parti embourgeoisé.

Un écrivain s'engage ? C'est si rare en ce pays des écrivains d'État puisque entretenus comme des guidounes. Subventionnés. Noël Audet (*À l'ombre de l'épervier*) attaque furieusement les patrons de Radio-Canada, qui oublient qu'ils ne sont pas les proprios des ondes publiques mais des petits valets en gestion, qu'ils ne sont que nos employés, les nous «cracheurs d'impôts».

Un congrès chasse l'autre ces temps-ci. Comme les clous. À Mont-Tremblant, un tas de ministres en justice veulent trouver les bons moyens de nettoyer le net des vicieux pédés à mômes. À Montréal, congrès de l'ACFAS. Ça jase accent, français international, national... On y voit des Suisses et des Belges. Colonialisme? Les délégués du Québec seraient seuls à proclamer la supériorité du français de Paris! Discussion sur... le sexe des anges: il y aurait le patois, le vocabulaire exotique, les trouvailles valables... ou non, la langue régionale et... aussi la diction, entendre la prononciation...

En effet, un cultivateur — je pense à feu Ubald Proulx, pomiculteur de Saint-Joseph — parlant mal selon les critères des puristes avec un accent d'habitant formidable, reste un locuteur merveilleux. On ne ratait pas, avec mon Ubald, un seul mot. Il articulait, le bonhomme. Il prononçait ses phrases inventées par lui avec un éclat confondant. Le reste? Broutilles!

Il sortira de ce caucus un beau rapport et une liste effarante de notes de frais, factures plantureuses signées par ces délégués chéris, autoproclamés experts et cooptés. Tout ce chiard de ratiocination à nos frais de cochons de payeurs de taxes. Comme toujours! Fermez vite les bars et les bonnes tables, Seigneur!

Une étude signale: Un suicide rendu public, celui d'une notoriété quoi, peut entraîner d'autres suicides. Est-ce bien vrai? Oui, dit un rapport parmi d'autres. Non pas que ce suicide (tel, jadis, une Marilyn Monroe ou, ici, un Gaétan Girouard, reporter célèbre de TVA) engendre des cas nouveaux, non, mais cette publicité fait se décider ceux qui y pensaient, qui, alors, sortent de leur état de velléitaires. Silence donc ? Comme on fait, dit-on, pour ceux (plus fréquents qu'on pense) de notre métro.

Il n'y a pas longtemps, on pouvait lire : « Citoyens d'ici, n'allez surtout pas en Algérie, danger ! » Ce matin : Marois, la ministre, de retour de ce pays en régime militaro-dictatorial, fait appel aux Québécois : « Allez en Algérie faire des affaires, c'est le bon temps. » Coudon ! Est-ce dangereux, oui ou non ? Des réfugiés d'Alger, à Montréal, pourraient aller raconter à Mme Marois comment le gouvernement promoteur de si beaux projets agit face à ses dissidents. Des contes qui n'ont rien à voir avec ceux des *Mille et Une Nuits*, elle devrait s'en douter.

Satanée neige ! Puis-je continuer à jouer le frugal avec ma bécane de luxe ? Dire que j'ai déjà moqué le Foglia qui jasait sur sa monture à 1 000 $. Silence désormais. Honte ? Pourquoi ? D'où ça me vient cette manie de conserver le plus longtemps possible mes vieilles affaires ? Mon enragement un peu puéril quand mon Daniel, ado normalement impétueux, brisait mon vélo de jeunesse, une vieille machine à diapositives ou une vieille ciné-caméra payée 30 tomates pour du film 8 mm ?

Édouard, mon vieux père mort, réparait sans cesse ses bébelles. Maman détestait ses rafistolages fous. Un barreau de chaise devenait une rampe épaisse par les mains maladroites de ce bricoleur indigne ! Papa fuyait les magasins. Il détestait acheter du neuf. Hérédité ?

[Jeudi 16 mai 2002]

Arthur Buies

LECTURE DES TEXTES d'un jeune voltairien québécois, bourgeois de Rimouski par sa maman, père disparu en colonie anglaise lointaine, soldat juvénile en Italie pour les républicains, avocat par accident, anticlérical farouche, esprit libre, ouf! Arthur Buies (livre paru aux Éditions Trois-Pistoles); devenu vieux et reconverti au catho, marié sur le tard, l'Arthur se fera — payé par l'État — publiciste des Pays d'en haut, niché dans la soutane de ce gros curé-sous-ministre Labelle, personnage étonnant, ami de Mercier, alors chef d'un Québec qui redressait un peu la tête.

Fin de XIXe siècle québécois captivante, et cela 20 ans après la Rébellion, celle de nos vaillants et impudents Patriotes.

Vu, mardi soir, le Buissonneau au théâtre *Go*. Quelle connerie, ce nom de théâtre! Une bêtise rare. Choix de son animatrice hors du commun, la costumière Noiseux?

Sais pas. Rue Saint-Laurent, bâtisse mode structure à l'air, minimaliste. Tristounet. Pas assez de subventions à ces architectes nouveaux ? En dedans, froideur, mais du sacré bon café au petit bar du fond. La salle : encore ces nefs froides comme à *L'espace C*. Il n'y a donc pas d'équivalent nouveau à ces merveilleuses vieilles salles de théâtre d'antan (et, jadis, de cinéma souvent)?

Décor : des tables à café, des chaises, un écran (inutile et mal orné avec des images d'un peintre de Paris !). Paquet de surprises textuelles, Tardieu (sous-Queneau, sous-Prévert ?) et de bons moments d'un étonnement fantasque. Beaucoup de temps moins forts. Le jeu avec le lexique et le sens des mots ne m'a jamais beaucoup attiré. Tardieu offre parfois de lumineuses acrobaties verbales et mon Paul — c'est sa veine, sa hache, son terreau de prédilection — s'y ébroue comme un jeune chien qu'il est resté, Dieu soit loué. Une soirée divertissante dont, hélas, il ne reste rien.

Je serai toujours, au théâtre, du côté d'un Arthur Miller (pour prendre un seul exemple), de *Mort d'un commis-voyageur*.

Aimer ou admirer. Tout est là. Tardieu et ses semblables (Beckett, Adamov,Ionesco) sont des gens de cirque (cirque langagier). On est épaté ici et là mais on est pas ému, jamais bouleversé. Il n'y a que des exercices brillants et la petite troupe du *Go* est pleine de bons talents très capables de rendre ces vertigineux jeux avec les phrases… folles, ambiguës, alambiquées. Théâtre moderne, ce *Cabaret*? Oui et non. J'aime les textes modernes, j'ai aimé — seul exemple — *Le ventriloque* de l'autre Tremblay, au même théâtre. Il me faut une histoire, on peut me la narrer n'importe comment, de façon avant-gardiste et sans le vieil ordre chronologique si on veut, mais je reste froid s'il n'y a pas un récit.

Soleil reluisant, ado avec un Kodak luxueux qui rôde, sur la galerie du café-couette d'en face un homme affalé sur un banc. Parking de l'église d'à côté plein de chars. Bingo ? Une Jaguar décapotable blanche. Deux gamins courent derrière un ballon de soccer. La vie, la vie. Un vieux numéro de février dernier, l'hebdo gratuit *Ici*, pris dans l'entrée. Le Robert Lévesque fou récidivait, affirmant détester, « sans les avoir vus », les récents films d'ici. Ça fait peur !

Un choc profond pour Aile et moi hier soir. On songe à monter dormir et, dernier coup de zapette, à la télé de la SRC, un documentaire d'un certain Brouillette sur le cinéaste défunt Gilles Groulx. À *Vues d'ici*, *Trop c'est assez*. J'ai connu Groulx, il avait 20 ans comme moi, étudiant en céramique, beau jeune homme aux cheveux blonds, aux yeux d'un bleu clair. Il y resta peu de temps.

Le choc ? Lui en vieillard prématuré, vivant comme un clochard dans un sinistre refuge pour débiles. Silhouettes inquiétantes tout autour de lui. Des gens perdus, fauteuils roulants, marchettes cognées dans les couloirs, la télé dans un coin, les grosses berçantes rassemblées. La vie écrapoutie !

J'en suis complètement secoué, Aile pas moins abasourdie que moi. Qu'est-ce qui lui est arrivé? On ne le saura pas. Une interview pénible, libre, pas du tout explicative. Effrayantes images, propos confus de Groulx. Nous sommes fascinés, malheureux, rivés à ces images infernales. Groulx, barbe hirsute — il a 100 ans ? — cheveux effilochés, buvant au goulot et tentant de rassembler péniblement les souvenirs du jeune cinéaste censuré qu'il fut à l'ONF. Groulx fut une sorte d'imitateur suiveur des pires conneries insignifiantes du Jean-Luc Godard dépouillé si subitement de ses premiers dons. Des extraits montrés, on se souvenait des incohérences révolutionnaires d'un cinéaste mal équipé intellectuellement pour dénoncer efficacement les abus du monde à consommation acceptée. Un Patrick Straram, un Vanier, poète illuminé bégayeur de condamnations floues. Tout ce pauvre carrousel de nos ivrognes ou drogués marxistes. Le gang de gaspillés, généreux et futiles, ces bohémiens désaxés des années 70.

Deux heures de douleurs ! C'était un film amateur, pas assez… clair, trop confus, pauvre jeune Brouillette !

Les pubs. Aux huit minutes. Voir Groulx se noyer et devoir endurer en plus ces spots crétinisants. Faire cela à un tel documentaire, c'est pire que la pire pornographie. Une honte pour Radio-Canada.

Une de plus. Au moment où les patrons jouent aux malins avec les grévistes en ce mai de 2002. Un patronat qui vient de se congédier ce matin (et qui le sait fort bien), les syndiqués venant de refuser les offres. C'est certain cela, c'est classique avec une telle corporation fédéraliste, tout comme en mars 1959, la grève terminée, Ottawa congédiait la bande de ses patrons incapables de garder la paix syndicale : les Ouimet, Viens (Colbert, Lamarche, un peu plus tard), Jean-Paul Ladouceur, lui, drette là.

On offrait un milliard sept cent mille piastres à une « balance », un indicateur de police. Salaire faramineux pour un voyou, un tueur, un délateur sans vergogne.

La police qui nous protège est riche du seul argent public, celui des travailleurs taxés et imposés, et verse une fortune colossale pour obtenir des preuves.

Aile — comme moi — a bossé trois — presque quatre — décennies pour avoir quoi ? En tout, un demi-million, un million dans l'ensemble de sa carrière ? Pour une infirmière, c'est un peu moins ? Pour un agent de police, c'est un peu plus ? Il faudrait 900 existences bout à bout de salariés pour ramasser ce pactole offert par la police pour faire cracher le morceau à un assassin repenti !

Fin de ce conte de fées monétaire : le bavard se tuait ! Cri, cri, cri, mon histoire est finie ! Un conte amoral !

Francophobie

Ce matin, festival à Cannes et photos de Woody Allen partout. Je suis incapable de ne pas songer à ses photos pornos prises avec une ado (devenue sa fiancée) qui était sa fille adoptive, dont il avait charge morale. Je ne puis plus admirer ce créateur. C'est ainsi. Je suis bien ancien, hein ! Ma vive déception quand ceux que j'ai admirés se montrent en crapules infâmes. Ainsi de Picasso, que j'admirais tant et qui s'avère (à mesure des témoignages) un père écœuramment dénaturé.

Dans le sérieux magazine *Variety*, appels hystériques d'Américains pour le boycott du Festival de Cannes — qui se tient en cette France horrible. Le magazine ose publier que la France de mai 2002 est exactement comme la France nazifiante de 1942. Folie ? Francophobie couvante qui se déculpe ? Maladie mentale ? Cette revue n'est pas une poignée d'hypocondriaques sionistes ! Au pays où il y a le plus de juifs (après New York) et d'Arabes, il subsiste quelques têtes brûlées, c'est inévitable, disposées à brûler des synagogues et à piller des tombes d'Israélites.

De là à comparer l'ex-France envahie (et certes en bonne part docile et même favorable au pouvoir brun, il ne faut pas craindre de le dire désormais) et la France de 2002… Des dieux juifs sont tombés sur la tête aux USA. Exagération farfelue et donc insignifiance, mais il restera des traces pénibles entre Hollywood-*Variety* et Paris-cinéma.

Paix

Le chef Laviolette (CSN) et le chef Landry: rien ne va plus? N'empêche, le grand chef syndical a raison. Récompenser un Mulroney, travailleur du fédéralisme infatigable, en faire un héros québécois (médaillé) est une connerie rare. Parler des beaux efforts de Brian pour deux traités honnis (Meech et Charlottetown), des offres combattues par tout le Québec souverainiste!…

Landry a besoin de repos, c'est urgent.

Ce matin, colonne nécro: «Mort d'un inconnu». Un de plus. Encore un. Qui est le sulpicien Wilfrid Éthier? Eh bien, il était un professeur savant, dévoué et estimé des étudiants du collège Grasset, il y a longtemps. Il ne saura jamais qu'un élève se souvient de lui, dans son journal intime, à Sainte-Adèle. Paix à ses cendres!

Et moi, pas mort encore? Non. Je sors de la clinique du docteur Singer. Jour de son rapport des analyses récentes. Mes contempteurs vont en baver. Tout baigne! Il n'y a que ce satané mauvais cholestérol. Mais le médecin va me régler ça. Qu'il dit. Une diète! Ah misère! Adieu les sauces à la française! Singer m'a parlé comme un Montignac. Pas des trois maudits *P*: pomme de terre (en frites), pain (trop sucré) et pâtes (mes délices).

Aile ravie de ce bilan, mais un peu énervée de devoir changer ses menus, s'adapter, adopter les mets sans les trois *P*. Tantôt elle allait acheter du poisson! Et du pain de blé. «Fini le beurre, qu'elle me dit, on va faire comme en Italie du sud: huile d'olive pure (machin à froid) dans le beurrier.» Oh oui, je vais râler. «Et des légumes...» Oh Seigneur! «Et des fruits, mossieu!» Ouengne, pas trop!

Et me voilà achetant un gros flacon de comprimés (sans ordonnance, au magasin voisin de la clinique) de Chol-Aid. Ce docteur Singer, ça m'arrange, n'aime pas trop le chimique et penche vers les produits naturels.

L'Aile heureuse pour tout le reste: «C'est pour ton bien, Cloclo. Tu vois, tout va si bien à part ça, chanceux.»

Je pense à ce beau jeune homme de 20 ans, aux yeux si bleus, aux cheveux si blonds et qui est mort, lui, en 1994 dans une refuge sordide, Gilles Groulx. Je pense aussi à un talentueux gaillard, cinéaste, doué lui, sans mémoire désormais, désespéré. D'un pont, il s'est jeté à l'eau. Dans la poche du noyé, on a trouvé un bout de carton: «Mon nom est Claude Jutra. Je suis cinéaste.»

«Écris pour lui.»

Promis, Aile tendrement aimée, je serai docile.

[Vendredi 17 mai 2002]

Ralentir

Soleil et vent très fort ce matin. Notre petit quai de travers et l'énorme quai de la plage publique dérive, voyage vers l'ouest, échoue chez les Boissonneau puis, dérive nouvelle — vent changé de bord — chez Maurice, mon autre voisin! À l'heure du lunch, pschitt, les nuages gris se joignent et Galarneau se tire!

Erreur dans mon entrée d'hier: pas un milliard au délateur suicidé, non, presque deux millions. Reste que ce sont les gages de trois décennies de labeur allant à un seul homme (à la repentance bien rémunérée) pour une seule année de loyaux services. C'est ça qui est écrit: «Loyaux services», sur ma carte de retraité de la SRC.

Hier, chez Claude Charron, historien jasant de son livre sur un Patriote venu de Suisse: Girod, qu'on avait déclaré suicidé pour calmer les esprits de 1838 mais qui aurait été exécuté dans sa cachette à Rivière-des-Prairies.

Trop court entretien comme toujours, comme si au Canal D, nous étions à une grosse commerciale station stressée par ses pubs!

Jean Letarte me lit, en «pitjama», me dit-il, avec son café du matin. Que je devine bien noir. Je lui ai répondu qu'il figurait dans ce *Je vous dis merci*, publié chez Stanké, puisque c'est à cet ex-réalisateur, aussi peintre et bijoutier, que je dois la dramatique *Chemin de croix dans le métro*, prix Anik-Wilderness de 1971.

Travailleurs absents

J'ai regretté l'égocentrisme et la bourgeoisie des jeunes nouveaux romanciers. Jamais de travailleurs dans leurs récits! Or, je lis ce matin: «Prêter des sentiments forts à des personnages du quotidien est un geste politique.» Voilà. C'est le cinéaste marseillais Robert Guédiguian qui dit cela. Il est à Cannes avec son *Marie-Jo et ses deux amants*. Il ajoute: «Mon romantisme (chez ces petites gens) est, dans un sens, révolutionnaire.» Bravo, bien dit. Qui sera le prochain romancier d'une ouvrière, d'un ouvrier, continuant le Gilles Bédard, chômeur, de *Pleure pas Germaine*? Assez des héros égotistes, instruits, inquiets d'égarer leur cellulaire ou leur ordinateur de poche, ou leurs belles planches de surf!

Je lis sur un courageux et étonnant cinéaste d'Israël. Son film *Kedna* («Vers l'orient», en hébreu) ose un dialogue franc et décapant entre un Israélien et un Palestinien. «Nous aurons des enfants révoltés, génération après génération», dit l'Arabe. Ce Janusz lucide déclare: «Israël n'est plus un pays juif!» Il craint un peu son retour chez lui après Cannes. On lit aussi, même matin, que de plus en plus de réservistes de l'armée d'Israël refusent de combattre leurs si proches voisins, les Palestiniens. Objecteurs de conscience, comme du temps du Viêt-nam pourri, tant de jeunes recrues se réfugiant en Canada. Espoir ? Un tit peu.

Téteux

Yves Duteil, le chanteur, lointain neveu d'un juif accablé célèbre, Dreyfus, tourne dans nos parages. Il a fait des chansons nouvelles sur ses années récentes et terribles : mort du papa, maladie de l'épouse, etc. On lui raconte l'Ardisson fessant notre accent : « Pas sexy, Miss Arcand, et à mettre aux rebuts. » Il s'en étonne. Dit que c'est « charmant » de nous entendre. Téteux un peu ? L'accent des habitants, oui, mais l'accent désarticulé de nos citadins ? Ouen, pas joli du tout. Ce n'est souvent que charabia. Pour des raisons historiques, politiques, économiques aussi c'est certain.

Mon cher David — qu'Aile est allé chercher au terminus d'autobus — va y goûter encore, côté accent. Il subira nos « Quoi ? », nos « Comment dis-tu ? » Ça le fait rigoler et il se corrige volontiers en notre présence du parler-ado. Aile l'aime, il est bavard, cocasse, très franc. Nous allons encore le cuisiner. Nous sommes si curieux des us et coutumes des nouvelles générations. L'on va s'instruire encore davantage sur les visions d'avenir et les rêves de ceux qui viennent. Bon séjour, brave David !

Duteil : « J'essaie de ne pas livrer les miens en pâture. » Et mes miens à moi ? *La Petite Patrie* ou *Enfant de Villeray*, les ai-je livrés en pâture ? Je ne crois pas. L'impression plutôt de les avoir valorisés. C'était facile, ayant eu une enfance heureuse. Je devrais interroger ma quasi-jumelle Marielle là-dessus… elle qui vient de m'envoyer une belle nouvelle lettre. Elle accepte maintenant, m'annonce-t-elle, de remettre (crédits d'impôt?) la liasse énorme de mes lettres mensuelles — depuis 10 ou 15 ans — aux archives de la Bibliothèque nationale.

Oh! Le gros quai-radeau de la plage n'est plus chez Maurice. Vent de l'ouest plus fort encore. Qui le recevra? Ce qui est trouvé d'un échouage (vieille loi maritime) serait la propriété du trouveur. Un vrai beau radeau! En bois traité. Ce matin, j'apprends: danger du «cuivre chromaté» appliqué sur ce bois, vif poison à mesure que ce genre de bois vieillit. Brrr!

Ce *Kedma*, le film courageux sur Israël et la Palestine, est signé, je le découvre à l'instant, Amos Gitaï. Le verra-t-on ici? À l'*Ex-Centris* peut-être?

Allons accueillir notre valeureux David. Il fait deux bacs en même temps, il aura donc un sac rempli de manuels savants!

[Lundi 20 mai 2002]

Le soleil

Le soleil, le petit verrat, se montre tôt et, quand vous êtes sur le piton, cafés bus, journaux lus, pouf! disparu l'astre des astres!

Coup de fil tantôt, des Trois-Pistoles. Mon nouvel éditeur est content du Réginald Martel (*La Presse*) et aussi du Louis Cornellier (*Le Devoir*): deux bons petits papiers pour *Écrire*, le mien s'intitulant *Pour l'argent et la gloire*.

Mon Victor se cherche une nouvelle complice car sa Katleen a mis les voiles. Dans son village lointain du Bas-du-Fleuve, «pas facile, dit-il, de dénicher une habile aide-littéraire pour la pré-production». Il travaille à son neuf téléroman ces temps-ci. Pris, très pris, mon barbu matamore, ex-Bouscotte vieilli.

Me voilà pris avec une autre commande, torrieu! J'avais promis — il y a un an — à la magnifique sœur Gagnon, âme active et fondatrice de *La Maisonnée* dans

La Petite Patrie, un paquet d'aquarelles inédites qu'elle pourrait vendre pour ramasser des fonds pour son œuvre dédiée aux femmes démunies de son coin. Elle vient d'acquérir — déménageant de son pauvre petit logis-refuge — le grand presbytère Saint-Jean-de-la-Croix, rue Saint-Laurent, angle Saint-Zotique, au cœur de la petite Italie. Sa voisine sera donc cette église vendue en condos. Une dame m'a contacté samedi matin: «Aiguisez vos plumes et mouillez vos pinceaux, monsieur Jasmin.» Elle veut jumeler l'expo avec l'installation d'une sorte de centre culturel dans le soubassement de l'église Saint-Arsène, rue Bélanger. Elle dit loger rue Liège angle Saint-Denis et a à cœur de réanimer un esprit *Petite Patrie* chez les résidants du quartier.

J'ai tenté de la décourager mais c'est une farouche acharnée et aucun de mes arguments n'a pu lui faire baisser les bras. J'admire cela. Elle vient donc me rencontrer demain matin pour discuter de cette affaire caritative et culturelle.

Bigre! Diantre! Sacrebleu! M'installer, tout l'été, à mes tables à barbouiller à l'atelier-cave? Aile m'en grondait déjà tantôt. «Non, lui ai-je dit, je poserai mes couleurs dehors, en plein air.»

Je dois vite contacter Sire Graveline (chef en éditions pour VLB, Ville-Marie, Typo, etc.), qui a les droits du livre pour qu'il accepte la publication du récit populaire avec mes aquarelles. Ces tableaux — les originaux — seront exposés et vendus par la suite. Au fond, c'était un vieux projet chéri et abandonné par paresse et voilà qu'en y étant forcé, cela va se réaliser. J'espère. Ainsi je singerai le célèbre Clarence Gagnon et ses illustrations fameuses du roman de Louis Hémon, *Maria Chapdelaine*.

Ouf, du boulot !

Remue-ménage dès vendredi quand le jeune géant, mon David, 20 ans à peine — l'aîné d'Éliane et de Marco — s'amène pour le week-end. Un goinfre. Un gouffre. Son bagage posé à l'étage, il va voir dans notre frigo. Pas grand-chose. Nous n'achetons — tous les jours — que la seule bouffe du souper. Le vide sous ses yeux ! Lippe maussade ! Rien à dévorer ! On rigole !

Aile qui n'aime vraiment que les garçons — elle s'adonnait mieux avec les mâles, camarades réalisateurs, acteurs ou techniciens, à son travail — observe attentivement le jeune phénomène. Elle en a eu pour son… argent. David est d'un genre naturel et franc. Il n'a rien à cacher, est bien dans sa peau et rétorque vivement à tout questionnement.

Un spectacle étonnant, dimanche : David a son baladeur sur les oreilles, ce qui ne l'empêche nullement de dialoguer avec nous ! Il a apporté trois manuels scolaires car il tente de faire deux bacs en même temps à Concordia. Il regarde le hockey à la télé d'un œil, répond à nos questions et, de l'autre œil, étudie ses livres… Un phénomène, non ?

Je lui ressemblais. À Radio-Canada, j'aimais, plus jeune, crayonner un décor sur ma table à dessin, jaser avec un camarade venu écornifler dans mon cagibi et parler au téléphone avec un réalisateur inquiet de son décor tout en fumant et en buvant une bière. Jeunesse folle ?

Samedi soir, avant le film loué, *Sortie de l'enfer*, David, en confiance avec son papi, se confie : « Je découvre peu à peu l'ambiance trop matérialiste à mon goût de ce monde du marketing, de l'économie, à l'université. Je voudrais pas me trouver plongé dans le « business only ».

Aussi, je songe à l'enseignement. Je ferais mon doctorat et je serais prof dans une université, ici ou aux États-Unis s'il le faut.Ça me mènera à quoi ? Vingt-cinq ans par là ? Ce sera plus long, mais ça vaut la peine d'attendre, non ? »

Je lui parle de « moa » à 20 ans : j'étais en deuxième année à l'école technique (céramique), et pas du tout certain de me trouver un emploi dans le domaine. Je raconte à David les douleurs ordinaires de l'angoisse de l'avenir à cet âge. Je sens que mes propos le rassurent un peu puisque c'est toujours la même histoire. Quand on a 20 ans, l'avenir est un fameux point d'interrogation. Je cause avec lui de hasards, de circonstances. Le jeune céramiste diplômé finira par être décorateur *(La Roulotte)* et puis animateur dans les terrains de jeux et les centres récréatifs… et puis, nouveau hasard, scénographe aux émissions pour enfants à la télé.

David sera bilingue, aura des connaissances solides en économie et se passionnera toujours pour l'histoire. Il sera donc professeur peut-être. Je lui dis : « C'est le plus beau métier du monde. » Je le crois sincèrement. Je lui raconte aussi : « J'ai voulu l'être, mais quand j'ai posé ma candidature aux Arts appliqués, j'ai découvert que j'allais perdre quelques milliers de dollars par rapport à mon job à la SRC et j'avais charge de famille… » Adieu donc le prof qui dort toujours au fond de moi.

Dimanche après-midi, ramenant le beau jeune géant — qui porte un collier de barbe — chez lui, chez ma fille — et leur si joli jardin, ma grande fille me fait cadeau d'un pot avec, dedans, six arbres nains : érable à sucre, chêne, bouleau, amélanchier… Nous avons, père et fille, la passion des plantes. Rue Chambord, un cerisier et un pommetier montraient feuilles et fleurs naines déjà. Le climat plus au sud est meilleur. Ici, on attend les feuilles encore. Marc, chef de service à l'information au ministère de la Famille, dit avoir donné du boulot à des grévistes de Radio-Canada. Aile en a les yeux dans l'eau. Elle éprouve une peine immense à voir patauger tous ces précaires mis sur le trottoir depuis des mois. Elle enrage de voir sa chère Société couler irrémédiablement, elle qui y connut presque quatre décennies de bonheur parfait.

David, l'aîné de mes cinq mousquetaires, me dira que lui et ses copains n'aiment guères les discothèques — « trop bruyantes, on peut plus se parler personne » — et « les bars où les filles, dit-il, se dénudent tant qu'elles peuvent pour attirer les gars ». Ils vagabondent plutôt dans les cafés. Je dis : « Et le théâtre découvert au secondaire et au cégep ? » « Plus le temps, c'est raide deux bacs. » Il lui reste la musique (ses chers rappeurs !), sa bonne copine — une belle fille, je l'ai rencontrée, venue avec ses parents de San Salvador. Et des livres d'histoire, son dada.

Et la danse ? « Discos archibruyantes ou rien », m'explique-t-il. Nous autres, fin des années 40, avions des lieux : l'Union des Latins d'Amérique, rue Sherbrooke ; le manège du CEOT, rue Berri ; la *Peace Centennial School*, rue Jean-Talon, etc. Eux : rien, si ce n'est le bruit infernal !

Dans ses cours d'histoire, David et cinq de ses camarades, francophones de souche, étrivent un peu leur prof. David me montre des chapitres de son manuel d'histoire du Canada. On pouffe de rire. Les notions enseignées versent dans le merveilleux plusse meilleur

Canada fédéraliste. David est resté farouchement patriote québécois, ce qui me rassure.

J'en profite pour montrer la nécessité de la lucidité. Je ne m'empêche pas de lui souligner certains bienfaits enseignés par nos conquérants. Cela existe. Craindre, toujours, le fanatisme. Nous sommes, là-dessus, tous les deux d'accord.

En soirée, eaux gazeuses, maïs soufflé, croustilles, noix, raisins verts ou rouges, tout se vide à très haute vitesse avec le jeune ogre David en Gargantua ! Aile n'en revient pas. Le gaillard est frileux. Découverte d'un tas de draps sur le lit de David samedi matin ! Aile le gronde amicalement. Il n'avait pas vu le thermostat au mur, il ignorait, au pied de son lit, la commode aux couvertures de laine. Il ne voit pas non plus les serviettes et débarbouillettes sur un meuble, mis là exprès pour lui. Bizarre !

Philosophie du journalier

Mauvais temps. Pas de vélo donc. On ira faire — en après-midi — un tour de machine, comme on disait enfant, pour lui montrer de grosses cabanes ultra-bourgeoises vers Sainte-Marguerite. Il regarde l'opulent étalage de ces amateurs de bunkers luxueux, l'œil froid, puis parlera de — bientôt — devoir se louer un petit appartement, quelque part. Enfin, il est content de s'être déniché — il vient de l'apprendre — pour les vacances, un job de maître-nageur et sauveteur à la piscine olympique du parc Sophie-Barat, si près de chez lui. Il a les diplômes voulus. Soudain, bâillage, David : « On dirait que le grand air du Nord m'endort ! » On rit. On rentre.

France, une amie raide: «Claude, comment croire qu'on est assez intéressant pour publier son journal intime?» La démone! M'expliquer: envie de mettre sans cesse: «Et vous?»

Le journalier espère qu'au fond des choses, c'est cela, se livrer dans un journal, chercher les points communs. Espérer qu'il y a plein d'autres humains qui vivent la même situation. C'est souhaiter sans cesse qu'il y aura des lecteurs pour dire: «C'est comme ça que je réagis, moi aussi.» Et si vous arrivez à trouver un gros lectorat qui se retrouve dans vos écrits, c'est un succès. Trop des journaux des grands littérateurs sont trafiqués. Jean Paré, avec raison, dit craindre ce ravaudage après les aveux.

Idées, émotions, sentiments, opinions ne sont valables que s'il y a ce lecteur qui compare, qui nie parfois, qui a envie de protester, ou qui est d'accord. C'est formidable quand il y a souvent concordance. Rien à voir, chère France, avec la vaine fatuité, la détestable vanité, l'exhibitionnisme.

Reste que des tas de gens — pudeur, sentiment d'infériorité, identité mal assurée, crainte d'être jugés — n'oseront jamais se livrer en diaristes. Vocation? Oui. Recherche compulsive de complicité, de solidarité? Oui. Mes contempteurs peuvent continuer de crier à l'égocentrisme. Je n'y peux rien et que ceux qui aiment mes proses ne m'abandonnent pas, Seigneur!

David étonné

Nous discutions des actualités: Kosovo, kamikazes, intégristes, antisémitisme, Islam, Cachemire, Palestine,

Israël, etc. Aile surgit de la cuisine et lâche: «Maudites religions aussi! Elles font naître ces guerres partout!» David se redresse, il est de foi prostestante, pratiquant, songeait même à aller à un office le lendemain, dimanche, à la coquette chapelle du coin de la rue du *Chantecler*. Il explique calmement que le danger réside à appliquer «littéralement» — et, dit-il, «littérairement» — les livres anciens de religion: *Coran, Thora, Bible.*

J'apprécie la distinction de David. Je tente de calmer la soudaine fougue anti-religieuse d'Aile, lui dis que la religion est souvent un besoin de spiritualité très valable. Elle finira par l'admettre. Justement, à TV-5, dimanche soir, face à trois savants qui publient pour fustiger l'irrationnel — des invités de *Campus* —, l'animateur Durant avance: «Que pensez-vous de la religion, une affaire de philosophes, une affaire de poètes?» Les scientifiques hésitent à répondre. Je guettais. On bafouille. Rien de clair. Puis: «La religion comble, rassemble, tente de rassurer», dit le savant Changeux.

Ces illustres chercheurs et trouveurs en avaient surtout contre la montée des amateurs astrologues, la vogue des signes du Zodiaque, les sorciers escrocs d'aujourd'hui, les gourous à gogo, ces témoins d'ovnis pour une télé très fréquemment consacrée, pire qu'avant, aux parapsychologues, etc.

L'un du trio: «Nous souffrons collectivement d'analphabétisme scientifique et c'est très grave.» Charpak (Prix Nobel) a déclaré, solennel: «Nous serons 9 milliards dans 50 ans. Et ça augmentera. Danger: pollutions diverses, effet de serre, etc. Faut prévoir. La science seule peut nous aider à organiser l'avenir.»

Guillaume Durant ose parler des difficultés de comprendre la science: «Tout serait donc chimique, messieurs, en fin de compte. Électrique, quoi! C'est vite dit. Ces neurones, ces cellules et leurs synapses tout cela n'est pas facile àappréhender, admettez-le.»

Silence sur le plateau.

Changeux éclate: «C'est le seul prodigieux organe humain, le cerveau. Il est capable d'être beaucoup plus qu'un organe fonctionnel, comme cœur, poumon, reins, d'organiser, il forme d'innombrables réseaux aux milliards de connexions. Il permet tous les raccordements, c'est inouï, non?»

C'est le Durant qui se tait.

Moi de même… qui aimerait tellement être plus savant, qui tente parfois de comprendre les recherches physiques modernes, mais qui reste un analphabète scientifique comme tant d'autres.

Je m'ennuie de Pivot. Il avait de meilleures conversations sur les livres. *Campus* embrasse trop large. La portion finale avec les livres nouveaux et leurs critiques — dont une épivardée, Léglise son nom, qui a un accent insensé — me semble vaine.

Vu à la SRC l'acteur Michel Dumont, patron chez Duceppe, s'entretenant avec Claude Charron. Conversation aimable. Jasette sans prétention. Repos des esprits. Badinage. Révélations en mineur. Michel Dumont, d'entrée de jeu, avoue avoir eu envers son mentor, Jean Duceppe, une relation père-fils tout à fait comme son interrogateur, Claude Charron, avec René Lévesque. Il lui a dit «vous» et «monsieur Duceppe» jusqu'à sa mort. Vénération totale. Claude Charron, lui, on le sait tous, ira jusqu'à trahir ce père, Lévesque. Voudra même le voir démissionner. Disparaître. Colère du chef à cette époque. Dumont, lui, n'a jamais contesté son admirable père, tout en avouant les colères subites effroyables de ce Duceppe peut-être maniaco dépressif.

Jamais je n'ai eu un tel engouement durable pour un plus vieux que moi. (Et vous? Et vous?) Mystère à mes yeux que ce besoin d'un père spirituel, d'une idole, que dis-je, d'une icône.

Entrant au collège Grasset, nos devions nous choisir un père spirituel, un confesseur. Des grands me dirent: «Choisis le père Lachance, il est à moitié sourd, endormi et endormant, il te fichera la paix totale.» Je l'avais élu volontiers!

Dans le jardin du petit château Chambord, rue du même nom, rencontre de Raphaël, fils de Roger Drolet, copain de Gabriel le trompettiste et amateur de poissons exotiques, le benjamin du clan Barrière. Les deux partaient pour *La Ronde*, question d'y obtenir une passe de saison, je crois. Comme pour le ski alpin, ma détestation d'attendre en file indienne au bas des appareils. Jeune, je négligeais le vieux *Parc Belmont* du boulevard Gouin à cause de ces attentes à n'en plus finir. Quand je dis à David que ce parc très populaire était une des possessions de Trudeau, il doute: «Hen, comment cela? Trudeau était si riche?» Je lui raconte la saga des garages Champlain, du club d'automobilistes, le CAC, propriétés du papa de PET, l'héritier… écossais par sa mère, une Elliott. Je remarque, une fois de plus, comment ces historiettes fascinent la jeunesse.

Ressauts

Remontés dans les Pays d'en haut, Aile et moi partons en promenade de santé. L'autre jour, prenant à gauche de la rue Morin, avons découvert les gras neufs pavillons du pas moins neuf chemin du Nomade. Cette fois, bifurcation à droite, vers le chemin Joli-Bourg. Encore des condos. Plusieurs construits dans des ressauts escarpés. Architecture bon marché? Quelque 100 000 tomates pièce? Autour, des boisés, parfois d'immenses bouquets de gros bouleaux très blancs. Beauté. Des impasses partout, nous devons donc rebrousser chemin souvent. Impossible de dénicher un sentier menant aux pentes de ski de l'hôtel Chantecler. Mystère! Les gens doivent-ils prendre la voiture pour aller skier à deux minutes plus loin? Aile, avec raison, s'explique mal l'achat d'un logis collé à deux ou trois autres. Le ski, les jeunes enfants? Sans doute. Soudain, un gamin dévale un chemin en pente sur son vélo, seul être vivant rencontré. Personne ici pour promener sa carcasse? Oh, un jeune couple avec un chien fou. Ici et là, des ruisseaux bruissent. Petits bonheurs. De gros tuyaux de métal les font filer sous les chemins pavés qui vont se multipliant dans ces collines.

Dans la presse

Mes coupures de journaux: Gregory Baum, fédéraliste ouvert aux changements (il a 78 ans) déclare qu'il est découragé de constater que jamais le reste du Canada (ROC) ne voudra reconnaître que le Québec forme une nation à part entière. Dire que des cocos comme Mario

Dumont ou John Charest, eux, ne sont nullement découragés et font miroiter aux citoyens québécois candides qu'ils réussiraient à changer tout ce monde anglo! Des fumistes.

Un homosexuel d'Espagne veut révéler ses coucheries avec trois évêques espagnols. Ce Carlos Alberto Blendicho sait-il qu'en Espagne la religion catholique est en chute libre et que ses divulgations ne feraient pas un bien grand tort à l'Église de Rome là-bas?

Nous avons, chacun, un cochon. Ils seraient sept ou huit millions de porcs sur notre vaste territoire. Égalité magnifique. Un homme, un cochon. Ça chie en masse, ces bestioles, et on ne sait plus quelle terre agricole aller arroser de ce purin surabondant! On songerait à abattre des forêts (ça se fait déjà, dit-on). Non mais!...

En 1968, on bavait sur le théâtre de Michel Tremblay en milieu cultivé et colonisé: «Un autre régionaliste borné!» Puis, le succès venu, silence. Dans *L'Action nationale*, dernière livraison, on peut lire un excité qui se creuse les méninges pour démolir tout mouvement de reconnaissance de la culture littéraire vivante d'ici. Pour ce grand énervé, il n'y a de bon bec qu'à Paris. Tristesse. En 2002, ce combat idiot ne devrait plus être mené. Vous pouvez écrire en jargon, en patois, en joual (vert ou rouge) un navet dégueulasse ou un chef-d'œuvre. Le niveau d'écriture n'a rien à voir avec le talent ou le génie. L'outil est secondaire.

Il y a des ouvrages insignifiants rédigés avec une totale connaissance du français... de Paris, de Bruxelles ou de Lausanne. Ce sont des livres ennuyeux en un français impeccable. Bien écrire désormais, c'est réussir à captiver un vaste public, à épater un monde large, à émouvoir un auditoire important.Point final.

Rares sont les écrivains qui s'engagent. C'est imprudent pour bourses, voyages, subventions, etc. Yves Beauchemin a le cran d'appuyer le Dorion qui a soutenu une thèse bien faite sur les périls que nous courrons collectivement en face de l'aveuglement du pouvoir actuel, si prudent, si liche-cul (Commission Larose, ministre Diane Lemieux) aussi en face des tentatives de sabordage d'Ottawa (avec l'assistance des juges de la *Supreme Court)*, tous luttant sans cesse pour réduire, diluer l'essentielle loi 101.

[JEUDI 23 MAI 2002]

Un nègre littéraire

CE MATIN, message urgent expédié à M. Graveline, éditeur chez Sogides (Typo) qui a acheté à *La Presse*, ex-éditeur, les droits de *La Petite Patrie*, mon récit emblématique et parfois encombrant quand trop de monde s'imagine que c'est tout ce que j'ai publié dans ma vie!

De l'ouvrage pour tout l'été. J'illustrerai de mes aquarelles. Tas de dessins sur le guenillou, l'affûteur de couteaux ambulant, le maraîcher, etc.

Aile étant inquiète de cet engagement, je dis: «T'en fais pas, mon amour, pas question de m'enfermer, je sortirai ma table à aquarelliser dehors!»

Ça brassait dans la cabane, avant-hier, Aile et ses deux femmes de ménage baguettes en l'air. Je ne savais pas où me cacher. Un trio à torchons, serviettes, serpillières, moppettes et époussettes de ces nettoyeusesfrotteuses dans mon bureau. Oh maman! L'étage sentait bon vers midi!

Hier et aujourd'hui, travaux herculéens sur la galerie. Jean-Guy, l'indispensable, retire le bois pourri des balustrades et du plancher. Sciage de forcené. Bois nouveau. Clous et peinture partout. Oui, où se cacher. Aile: «Ça me gêne quand des gens travaillent comme ça chez nous et qu'on est là, étendus au bord de l'eau.» Délicate Aile, va!

Soupe au *Petit chaudron*, toujours bonne. Rencontre du producteur retraité qui a passé les rênes à sa fille, Claude Héroux. Une compagne alerte, souriante, lumineuse. Je lui avais très subitement rapporté ses belles machines à travailler quand Réjean Tremblay, malgré les promesses de Héroux, avait refusé de me laisser rédiger les premiers jets de *Lance et compte.* Je refusais, moi, de lui servir de polisseur, de secrétaire téléphonique, ce que fit volontiers Louis Caron (sans vraiment le réaliser?). Je perdais une petite fortune ce faisant, mais je n'avais pas l'âme d'un nègre littéraire.

Julie Stanton au téléphone avant-hier: «Monsieur Jasmin, j'ai perdu notre entretien téléphonique pour mon magazine, *Le bel âge*! Sacrée enregistreuse...» Vieille chanson jadis, mais en 2002? J'ai reçu son questionnaire par courriel et lui ai envoyé mes réponses. Hier, retour sur Internet: «Bien reçu. Merci, vous m'avez fait rire et émue aussi, merci!» Bon. Recevrai-je un exemplaire du magazine? Des fois... rien.

[Dimanche 26 mai 2002]

Racoon maudit

Lévitant de mon lit — toujours un peu tard, paresse grandissante avec le temps — store levé, regard sur le lac: un bien sombre dimanche s'annonce. Noirs d'apocalypse au nord-ouest, au-dessus des collines.

Hier, soleil, Jean-Guy qui peint la galerie, l'escalier, habile, lui, «qui gratte la vieille peinture, lui, qui se beurre pas», dirait mon Aile, très satisfaite de cette rénovation qui s'imposait. Je pose un crochet au couvercle du coffre de bois à vidanges au bord du chemin. Fini de vous introduire monsieur, le racoon! Je l'ai vu, ce matin, se dandinant, filant vers chez mon voisin Jodoin, l'hypocrite déchireur de sacs verts! Il a frappé un nœud avec mon crochet!

Je connais beaucoup d'homophiles qui se conduisent bien. Qui ne sont pas, pas du tout, des «guetteurs» compulsifs d'adolescents. Qui ne sont ni voyeurs vicieux, ni onanistes névrosés. Qui fuient la porno infantile. Qui vivent en couples, loin des saunas, et mènent une vie heureuse, calme.

Hitler, Mussolini — tels des sorciers moyenâgeux — mettaient à mort les «étoilés roses». Longtemps, l'on disait: «Une maladie mentale». Les riches parents d'enfants homosexuels engageaient des thérapeutes pour qu'ils soignent cette honteuse maladie chez le chéri héritier dévoyé. Dans mes alentours, j'entends encore des: «Cela se soigne!» On refuse de croire que cela n'est pas un choix.

J'ai eu des confidences de camarades homos. Enfants, ils savaient déjà, ils constataient qu'ils l'étaient.

Dans *L'actualité*, articulet sur l'homosexualité. Innée ou acquise? Finira-t-on d'accabler, de culpabiliser les femmes, mômans couveuses, mères trop possessives et autres fadaises? Trois phases à ce jour: Le Dr Deau Hamer (1993): gènes transmis par la mère. Ah? Région du chromosome Xq28. Hamer a étudié 40 paires de frères homos; 2) Le Dr George Rice (1999): pas en assez grand nombre, ces Xq28! Ne peut conclure à une hérédité, à de l'inné donc. Rice a étudié 52 paires de frères homos. Pas certain donc d'une origine commune; 3) Le Dr Spitzer, un spécialiste de la question lui aussi, en 1973, changeait d'avis: «C'est peut-être réversible et un traitement psychothérapeutique pourrait modifier cette orientation sexuelle.» À suivre…

Si, un jour, on modifie le Xq28, cela fera-t-il des homosexuels une espèce en voie de disparition? Et quand «cela» n'existera plus, en 2050, fera-t-on des documents folkloriques (livres, films, etc.) sur ces invertis des débuts du siècle? Il n'en restera pas moins que ces «inversés», sublimation ou non, furent, sont encore, des créateurs féconds et indispensables dans maints domaines, qu'ils ont enrichi le patrimoine culturel mondial de façon remarquable.

Dans le cahier livres de *La Presse*, ce matin, deux articles concernant mon cher éditeur-auteur. Édition trois-pistolienne d'un vieux texte d'Aubin (arrivé en Canada en 1835). Une collection de nos «anciens» dont je lis le fort cocasse Arhur Buies (*Jeunes Barbares*). Aussi, re-parution de son *Tolstoï*, la trente-quatrième brique de sa murale fascinante. Michel Lapierre parle du fréquent «*gin and rhum*» d'antan quand le Vic s'adonnait à la saudite boésson.

Il tisse un parallèle entre le vieux Tolstoï à l'écart — seigneur déguisé en paysan — et Beaulieu, seigneur de paroisse revenu de l'arrachement à sa terre natale et tenant journal (ah!) à l'ombre du grand Russe. Lapierre cite VLB: «Écrire en bandant, écrire bandé.» Les mêmes mots (de Lindon) dans le journal d'Hervé Guibert. Ah!

Partir

Une idée me revient parfois. J'avais dit à Aile: «On vend tout. Le deux logis, les deux autos, le mobilier, etc. Tout. Nous resteraient deux passeports, deux cartes Visa et deux malles de linge utile. Et on partirait, on voyagerait. Jusqu'à notre mort. Même à Montréal, on coucherait à l'auberge modeste. Plus rien à entretenir. Rien, absolument rien.» Je lui en retouche un mot hier. Silence encore.

Comme moi, Aile se dit-elle: «Pour aller où? Le premier voyage… où? Ça donnerait quoi? Une meilleure vie? Sûr? Le bonheur plus grand encore?» En effet, quand je repense à mon plan, nous en aller où? On n'a que Paris, Londres, Rome, un bout de Suisse… Ai-je vraiment envie (besoin) de voir la Grèce, l'Espagne, le Portugal, la Chine et le Japon? Je ne sais pas trop. Sommes-nous deux sédentaires? Je cherche quoi? Pas des paysages. Pas l'exotisme. Quoi? Quoi? Souvenir: Notre ennui en Floride (15 jours à la fois) car pas de bibliothèques, pas de librairies, pas de livres, ni cinéma, ni télé en français!

Ouen! Ouaille! Non mais…

La simple idée de six mois au sud-ouest de la France ne se concrétise pas depuis trois ou quatre ans. Alors? Ne plus revoir, longtemps, les miens: les enfants (ah!), leurs chers conjoints, les petits-fils (oh!), ma sœur Marielle, Marcelle, Nicole, mon frère Raynald (que je ne vois presque jamais), merde…

Au téléphone, Éliane, ma fille, rit: «Tu peux pas imaginer, papa! Le père de l'ami de mon Gabriel, Raphaël Drolet, Roger… il a fait aménager un étang près de son ex-couvent qu'il rénove. On l'a presque forcé à y mettre des poissons. Des rouges, des carpes exotiques. Gigantesque aquarium, tu vois. Or, s'amènent des goélands.» Plongeons. Festin! À pleins becs. Énervement là-bas. Un voisin de Roger s'amène, carabine à l'épaule. Protestations de l'animateur néomoraliste. «Non. Ne tirez pas! Pas permis.» Discussion. Contre sa volonté mâle: photos prises par l'épouse étonnée.

Éliane s'amuse fort de ce conte vrai. Et moi aussi. Je voyais les goélands maudits au-dessus de l'étang drolettien avec, au bec — pas des vidanges d'un *McDo* —, luxe, des poissons rouges! Belles taches dans l'azur.

Je regrette que ma fille refuse de venir jaser de ses lectures d'enfance pour *Bibliotheca*. Me semble que... «N'insiste pas, j'ai pas l'habitude, moi. Daniel va bien faire ça.» Son Laurent déçu. Lui ai promis qu'à une prochaine occasion... Aile, un peu moqueuse: «C'est pas trop *famiglia* tes prestations télé?»

Elle m'enrage.

À Historia, une très jolie chapelle, moderne, sobre, de beaux vitraux de Plamondon (circa 1945), maître-autel en céramiques rares, des têtes de banc sculptées, un chemin de croix moderniste, des vases sacrés aux émaux (camaïeux de bleus de cobalt) éblouissants... Apprendre que cette chapelle des Clercs de Saint-Viateur était là, rue Querbes, à un coin de rue de chez moi, jadis, et je ne savais pas. Y aller un de ces jours.

John Chréchien à Ottawa: «Au référendum de 1995, on a frôlé la catastrophe, mesdames et messieurs, il fallait réagir...» À coups de millions, en pleine campagne et contre nos lois. Quelle catastrophe? «Mesdames, messieurs, on a frôlé la victoire, on a frôlé d'avoir une patrie, oui, une patrie, puisque nous formons une nation.»

C'est cela la vérité, sauf pour les Québécois stipendiés, francos de service vénaux du fédéral, antipatriotes dont le rôle noir sera inscrit dans nos livres d'histoire un jour et fera la honte de leurs descendants pour des générations et des générations.

Le canot parti à la dérive, le pédalo à l'envers, un vent de tous les diables. Mon fleurdelisé se déchire... Oh, mon bon Seigneur?

Grève terminée hier à la CiBiCi. Ainsi, on a traversé une ligne de piquetage. Sans aucun état d'âme. Juste des beaux « Bonjour » en passant ? Combien qui traversaient ont donné aux grévistes juste un petit pourcentage ?

Nous, en 1959, on a respecté la ligne de piquets des réalisateurs, les seuls en grève, une solidarité qui ne nous donna rien. Il aurait fallu entrer et soutenir les réalisateurs en leur versant un petit pourcentage sur nos gages. Ainsi, les grévistes et les réalisateurs auraient pu tenir, négocier raidement, rester dehors six mois, une année entière…

Mais non !

Imaginez la panique des gestionnaires sachant que ceux en dedans, qui osent traverser une ligne de piquetage, soutiennent avec de l'argent les mécontents : précaires abusés, femmes sous-payées, etc. ? Panique et bordel chez le boss Rabinovitch à Ottawa et ses adjoints ! Ils se mettent à table et vite dans un cas du genre, non ? Trop tard. À la prochaine ?

Mon père me disait : « T'as pas voulu t'instruire… » Un beau gros 90 000 piastres, viande à chien, en gages pour un mois de dur labeur d'un ex-politicien redevenu avocat. Cela, avec vos deniers, quand on utilise Yves Duhaime pour organiser le rapprochement épiciers-marchands-Métro versus gouvernement !

Le père Duhaime y va aux toasts comme on dit. Il proteste. Il va poursuivre en cour ceux qui révèlent cette farce grotesque… une de plus, pas pire que les grossières farces se déroulant à Ottawa.

[Lundi 27 mai 2002]

Des tueurs protégés

CIEL LUMINEUX ce matin mais sans lui — «L'Œstre» Verlaine à propos de son cher Rimbaud. Notre Jean-Guy en gratteux véhément pour le plancher à reteindre côté des cèdres (longs arbres que le déneigeur promettait d'émonder). Gros tracas? Oui, se défaire de tout et partir avec deux malles!

Wit. Oh! le film étonnant loué. *Wit* signifie «dépérir». Avec la fameuse Emma Thompson. L'ami Faucher nous le recommandait. Une très sévère vieille fille, prof de littérature ancienne, le poète ésotérique John Dunn est son idole, entre de toute urgence à l'hôpital. Cancer des ovaires. Un ex-élève sera son soigneur. Il lui fouille le organes, ganté. Humiliation. Tout le film nous fera assister à son calvaire. Intelligente, lucide, elle observe tout, note tout. Monologue fascinant. Images redoutables. La Thompson y est hallucinante de justesse. Terrifiant défilé des froids spécialistes, horreur d'une cure expérimentale, enfin, délabrement physique.

Wit n'est pas un film triste. C'est autre chose. Cette érudite, si austère, si rigoureuse, si intransigeante fait face à la mort plus que probable. Des retours en arrière, minimalistes, illustrent à peine son passé. Courage inouï. Solitude totale. Quelques scènes inoubliables. Du cinéma important signé Mike Nichols, tiré d'une pièce de Margaret Edson.

Des tueurs protégés, les médecins ? Assez souvent. « Deux mille assassinats chaque année au Québec », titre un article. Il y a, dans cette profession, un mot caché, un euphémisme hypocrite, pour le rapport du bon docteur erratique. Erreurs médicales fatales. Léthales. J'ai oublié ce mot. Mais il s'agit, le mot *chien* ne mord pas, d'« homicides involontaires ». Ce que dirait le code criminel. Ni procès ni sentence.

Des glanures

Duhaime, ex-politicien, rétorque : « Pas en deux mois mais en sept, mes grosses gages ! » C'est noté, maître ! Donc environ 25 000 tomates par mois ! Donc environ 7 000 tomates par 5 jours ouvrables en consultant-lobbyiste. Maudit pauvre, va ! Plein de travailleurs gagnent quoi, eux ? Trois centaines de dollars par semaine. La vie, la vie.

Visite de « l'étalagiste obsédé de chairs mises à nu » dans nos murs, sous le patronage complaisant du Musée d'art contemporain de l'abbé de cour, le révérend père Brisebois. Spencer Tunik, stoppé à New York, vante notre… tolérance aux exhibitionnistes. Ceux-ci s'imaginent immortalisés dans les photos exposées. Prenez une loupe et cherchez-vous dans la multitude à poil de bande de caves ! La nudité est importante dans l'histoire de l'art (ancienne surtout), mais voir un auguste nu lumineux d'Auguste Renoir ou voir un amas de viande humaine effondré sur le macadam, c'est deux choses.

Tanné d'être ce veuf accoté. Mon mariage planifié depuis des années. Je veux un gros party : 50 invités au moins. La smala bouchérienne et jasminienne au grand complet. Elle veut quoi ? Deux témoins. Les négociations traînent. Je descends à 36, puis à 25, puis à 15. *Niet* ! Je lui mets sous les yeux le journal du jour : « Claudia Schiffer, 500 invités ». Elle rit et me donne une grosse bise.

Ouengne !

Pourquoi tant lire ? Pour tout ceci, par exemple, glané dans *Voyez comme on danse* de Jean D'Ormesson :

« La mort l'avait rattrapé. La mort rattrape toujours la vie. Elle règne parce que la vie règne. La seule question sérieuse est de savoir si cette mort, qui est le dernier mot de la vie, est le dernier mot de tout. »

« Dans un monde où tout change, où tout passe son temps à bouger, le temps est la seule chose à ne jamais bouger, à ne jamais changer. Il bouge mais il ne bouge pas. Il change mais il ne change pas. [...] Le temps règne, immuable. Immuable et torrentueux, immuable et tout-puissant. Il y a le temps d'abord, et tout le reste après, et dedans. »

« Il ne traitait pas Dieu comme ces imprécateurs dont la passion farouche peut toujours apparaître comme un amour inversé. »

« Il me disait qu'il n'avait plus besoin de rien ni de personne [...] que Bach suffisait à remplacer tout ce qu'il avait tant aimé dans cette vie. Je lui glissai le mot de Cioran: — Dieu doit beaucoup à Bach.»

«Nous savons bien que tout appartenait à un théâtre fragile dont nous étions les acteurs pour une série limitée de représentations. Qu'est-ce que c'était que ce monde où rien ne nous est jamais donné que pour nous être retiré?»

«Chacun est prisonnier de sa famille, de son milieu, de son métier, de son temps. Nous sommes les prisonniers de l'histoire. [Les vieux], nous avions été jetés dans une période parmi les plus sombres de l'histoire. Elle s'ouvre avec une guerre (1914), elle se clôt avec la chute du mur de Berlin et de l'URSS en 1990. Elle aura duré trois quarts de siècle. De violence, de haine, de mensonges, de crimes. [...] ceux qui auraient dû s'attacher à la justice et à la vérité se sont laissés aveugler par les idéologies meurtrières et rivales. Imposture intellectuelle.»

Oui, c'est cela la joie de lire.

Le petit malin et les autres

Un petit malin. Pas le premier. Peintre inconnu, il donne des tableaux. Pour une œuvre caritative? Pas tout à fait. Belle générosité? Dons du barbouilleur méconnu seulement aux grands de ce monde. Malin rare. Astuce et calcul? Par exemple, une peinture au pape polonais à Toronto bientôt. L'artiste dit qu'il va la montrer à Jean Chréchien avant (fameux critique d'art comme chacun sait). Ce certain Y. -J. Nolet a donné aussi à Bill Clinton. Bin quin! Sa toile au pape s'intitule *Kanada 2002* et montre un chef amérindien. Pape pas pape, pour les Européens, le pays c'est les Sauvages à plumes, non?

Et les cabanes à sucre? Nolet: «C'est au plus grand des chefs que je vais la remettre.» Plus téteux, tu meurs.

Samedi, l'experte conteuse pour enfants, la romancière douée Dominique Demers, en «Forum» de *La Presse*, écrit longuement pour dire simplement: il faut des animateurs, profs, bibliothécaires allumés pour exciter l'enfant à la lecture. Il faut aussi des livres excitants. Bref… elle est pour «le fort talent» comme on est tous pour la vertu et contre le vice.

Maine. L'assaillant, Michel Doucette (nom prédestiné), curé de Saint-André, Bidderford, sud du Maine — du côté de Old Orchard et d'Ogunquit — , parle à ses ouailles en chaire pour confesser ses péchés de sodomite en soutane. Silence total dans la nef. Chez la victime, David Gagnon, rien. Pas de sermon public.

Les paroissiens: «Faut pardonner. Il fait de si bons sermons. On manque de prêtres. Gagnon a déjà gagné 63 000 $ pour son silence. À 15 ans, il était assez grand pour refuser. Qui n'a jamais péché…»

Heureusement, existe le BTS — *Breaking the silence* — et, surtout le SNAP — nom de produit connu jadis pour déboucher les tuyaux bloqués! Affaires d'égouts et ça sent mauvais. Il y a, ici, le MAJ (Mouvement action justice). On veut que tous les pédés ensoutanés défroquent et vite. L'abbé Doucette est réfugié à Ottawa. Pourquoi là? Un temps, on y trouvait de fameux réseaux de pédophiles actifs.Une grosse talle.

Mon petit doigt me dit que le Québec après le Maine va faire fleurir de ces tristes fleurs sur un fumier abondant. Qui ne sait pas quelques sombres histoires d'abus par frères et curés dans nos petits séminaires, pensionnats, écoles et collèges catholiques? Briser les silences complices.

Un jour, un curé, bonne mine — photo dans la gazette —, tête de l'abbé Pierre, reçoit à sa table un qui veut le sacerdoce. Repas arrosé. Soudain, raconte à *Good morning America* Paul Marcoux (33 ans), ce curé Weakland, 55 ans — il en a 75 aujourd'hui et est devenu archevêque de Milwaukee —, ouvre soutane et pantalon, baisse la culotte du jeune Marcoux et lui... pogne le paquet!

«J'étais pompette», dit Marcoux. Ah! le vin de messe!

Le *New York Times* en fait sa une. Bon, okay, silence, on va payer. Presque un demi-million, versé à qui? À notre francophobe Brent Tyler (de l'Alliance), avocat de Marcoux, que ce dernier a connu à Montréal en 1993, publiant des vidéos religieuses.

Ce monseigneur, pauvre pécheur, était un libéral, voulait le mariage des prêtres, l'ordination des femmes. Le reporter Richard Hétu nous informe qu'on a obtenu une lettre de lui: «J'ai le sentiment d'être le plus grand hypocrite du monde. Je reviens à l'importance du célibat dans ma vie... Cet engagement donne la liberté...»

Le jour même du show télé, Weakland démissionnait de son poste et le Vatican s'empressa d'accepter sa fuite. Ce qui me chicote: l'attente. Vingt ans à se taire. Il n'avait pas 15 ans mais 33!

Le ménage continue

Rideaux au lavage. Tentures démontées. J'aide de temps à autre. Je sens Aile heureuse, légère. Elle chantonne les Michel Rivard qui sortent de mon bureau, satisfaite: «Méfiez-vous du méchant loup, il rôde tout partout, dans les sous-sols de nos banlieues...»

C'est dans les chromosomes des femmes? Macho, va! Aile parade devant l'homme. Elle est en train de nettoyer le placard de l'homme. «Ce vieux veston, je jette, hein? Ces trois chandails usés, ce gilet fané...» Je dis: «Oui, OK.» La paix du ménage. Aile adore jeter ce qui traîne, mais il y a des limites: «Ouow! Minute! Ce tas de gaminets? Non, bons pour mes petits-fils.» Elle: «T'es fou, tu connais pas les jeunes, c'est des cochonneries...» Je me tais.

Il y a longtemps, du vivant de l'épouse, un veston de velours épais disparut, aussi une chemise de soie, si légère... mon premier linge de jeune homme. Je l'aimais. Comme un costume symbolique. Je cherche partout. Aveu: «Ça faisait 15 ans que tu traînais ça...» Mon chagrin! Je m'attache à tout. À trop? Trop à Aile? Sans doute. Un bon matin, je jetterai Aile! Je dois faire un homme de moi, non?

[Jeudi 30 mai 2002]

Adieu, mai!

Odeurs d'eau dehors. Nuit pluvieuse. Un matin annonciateur d'ondées nouvelles. Je reviens de chez mon barbier, Lessard et frère, d'une coupe rase-crâne. Coupe anti-sueurs. Puis suis allé chez le brocanteur pas loin, rue Valiquette. Le nouveau Michel des lieux me conseille de garder ma vieille picouille de tondeuse.

Aile en beauté. Si heureuse. Neuf corbeilles sont suspendues autour des galeries, en avant et en arrière. Ses choix merveilleux.

En plus: pots de géraniums et, à ma demande, un plant de tomates. Elle y allait avec truelle, pelle, terre noire, dans le parking, joie et bonheur pour elle ce rituel de fin mai. Ah! la voir remontant l'escalier d'en arrière avec ses chères fleurs! Oui, le bonheur du printemps enfin, enfin revenu.

De mon bord: plantation d'un joli sapin entre le bouleau et le haut chèvrefeuille pour nous cacher du voisin. Plantation de deux bosquets de chèvrefeuille pour camoufler la souche immense de cet érable pourri (à Giguère!) qu'on a fait abattre le printemps dernier. Maintenant, on voit mieux le lac à gauche. Nouveau paysage. Hier soir, je sors ma lunette sur la galerie, télescope pas cher (l'aubaine de mon beau-frère, Albert), hélas, rien qu'une étoile au nord et pas bien luisante. J'espérais tant. Une vision… moi en mini Reeves épaté! J'arrive à rien. Attendre un ciel vraiment étoilé!

J'ai songé à l'asile des fous en visionnant ce navet qu'est *Comédie de l'absence.* À ce mystérieux cousin de papa, l'oncle inconnu surnommé Bombarde car il jouait de la guimbarde. La folie me fascinait. Devenir fou? «Le plus grand des malheurs», me disais-je à 12 ans. Puis il y eut une cousine (même famille) qu'on a fait renfermer, comme disait le peuple de ce temps. Cette expression m'était effarement: se faire renfermer! Ma peur de voir surgir Bombarde ou sa sœur, la fille de tante Elvina. Ce poète fameux, Nelligan, pourrissant dans sa cellule. J'imaginais une conspiration. Autour de moi on se moquait tant des poètes.

Aile sort en trombe. Des cris d'oiseau piquent sa curiosité. Elle ira jusqu'au rivage pour tenter de trouver la source de cette complainte bizarre. Revenue: «J'ai vu deux rats musqués, un gros et son petit. Ils nageaient rapidement pas loin du rivage. Cet oiseau, j'ai pas pu le voir. Sur la grève, j'entendais clairement ce piaillage, mais rien à voir. Mystère! C'était là, dans la haie, je cherchais des yeux… Curieux, non? L'oiseau invisible existe, c'est ce criard!»

Je loge un appel sur le répondeur de Jean-Claude Germain, qui veut un bref polar pour sa revue *L'Apostrophe*. Je lui dis que je tiens une piste. Date butoir: le 15. Je dois trouver un bon sujet. Son magazine est de gauche. Comment relier limier, bandit, police et gauche?

Aile: «Menteur! Tu n'as rien et tu lui dis que tu as...» Je m'explique: «Folie? Vanité conne? Un auteur ne va pas avouer à un camarade qu'il n'a pas une idée.» Elle rigole, répète: «Menteur, saudit menteur!» Elle... des fois.

Limonade, orangeade

Le président du conseil (sous le maire Tremblay) est mon ex-camarade des parcs de la Ville, Marcel Parent. Je viens de demander à Faucher (de *L'actualité*) de me donner des nouvelles de lui par le biais d'une entrevue. Ce bonhomme était moniteur de récréation dans Maisonneuve, où j'allais faire peinturlurer ses petits. Il devint cadre plus tard. Il aimait les enfants, les enfants l'aimaient. Il aimait le théâtre. Il fut enrôlé par Buissonneau pour *La tour Eiffel qui tue*. Marcel jouait, poudré de blanc, un vendeur itinérant, répétant, son kiosque-cabaret en bandoulière: «Limonade! orangeade!» en fixant la salle comme un dément. Je l'ai perdu de vue... Il se fit élire député. Il devint coach, chef du caucus sous Bourassa. Le voilà donc en président du conseil, «boudeur exaspéré», dans toutes les gazettes du jour.

Manifestation hier dans nos rues. Le monde de la couture industrielle proteste. Mes sœurs furent exploitées en midinettes mal payées. Maintenant, on craint l'exploitation au sud des travailleurs... qui nuisent aux emplois du monde de la guenille à Montréal. Situation complexe. Il y a toujours pire que soi. Les industriels désormais (merci mondialisation!) voyagent et dénichent (*cheap labor*) plus misérables que nos misérables relatifs! Je pensais pas voir ça de mon vivant!

L'Express consacre un tas de pages à: «Le Québec veut des Français!» Ils émigrent peu. On peut comprendre cela. La France est un pays étonnant, si joli partout, si varié, si fécond dans maints domaines. Vouloir devenir apatride, quand on vit dans ce fantastique pays, nécessite de graves raisons. Une certaine xénophobie (chez les fragiles comme toujours), mélangée à un certain complexe d'infériorité (pour des raisons connues) font que l'émigré de France devra faire face chez nous à certains problèmes. Il n'en reste pas moins que la France est une source parfaite, idéale, pour la lutte contre la dénatalité et contre les tentatives séculaires des francophobes pour nous diluer. Quelle francophobie? Lisez *The Gazette of Montreal*. L'affaire du kirpan à l'école fait de nous des fascistes dangereux, des intolérants enragés, des brutes nazies. Lisez *The Gazette* et vous verrez si la francophobie existe encore dans nos murs. Des éditos (*La Presse* et *Le Devoir*) se scandalisent avec raison de ces condamnations folles!

Nuits chaudes enfin, donc dormir fenêtres ouvertes. Brise parfaite. Je regarde la nuit et je vois les lumières des condos sur l'autre rive. Conte de Noël. Cartes de souhaits de l'enfance. Sous-Krieghoff. Paysages bienaimés de jadis. Ces maisonnettes illuminées sur la colline d'en face comme celles posées au pied de l'arbre de Noël. Elles sont là, lucioles vives, veilleuses charmantes dans les collines, si vraies dans ma nuit. Et je m'endors comme un enfant la veille d'un Noël.

J'ai vite abandonné un roman nouveau de Marie Auger, un pseudo pour Mario ché pas qui. Page 20, je décrétais : « Quelle détestable fable aux péripéties inexistantes ! » Page 40: « Piétinement, redondances, haïssables jeux de mots. » *Le ventre en tête* est une lourde et pénible logorrhée, une salade de calembours pesants. Page : 60, indigeste intrigue. Aucune progression dramatique. N'est pas Soucy qui veut (fantastique *La Petite Fille aux allumettes*). Aile me dit qu'elle aime bien. Quoi ? Ma peur ? Que nous soyons trop différents. Fou, non ? Elle a droit à ses goûts, à ses auteurs favoris, à ses opinions. Je voudrais l'unanimité toujours, que nous formions un couple parfait avec les mêmes valeurs, critères, les mêmes plaisirs et déplaisirs. Je rêve !

J'ai lu des nouvelles de Marquez hier. Grand plaisir pour moi qui n'avais guère apprécié son célèbre *Cent ans de solitude.* Gabriel-Garcia Marquez, avec ces nouvelles (« L'incroyable... ») brosse des personnages, des lieux, des fables qui sortent d'un pays pauvre de la mer Caraïbe où la misère court les rues de villages désertiques perdus.

Un monde ancien ? Souvenirs arrangés de son jeune âge ? Un panorama insolite. Fillettes prostituées, généraux bouffons — j'avais beaucoup aimé son *Patriarche...* —, sorciers, guérisseurs infâmes, homme-oiseau, ou ange tombé, maquerelle redoutable, milices effrayantes.

Et puis, sur cette plèbe, autour de ces gueuses et gueux, des descriptions étonnantes avec des phrases audacieuses, percutantes, d'une imagerie troublante. Fort écrivain. Et qui m'a donné l'envie — c'est cela aussi lire pour un auteur — de me garrocher illico dans cette sorte de récits fous où je pourrais sublimer, moi aussi, mes souvenirs en fables folles, délirantes.

Faire un film

De la vidéo, c'est moins cher. Engager Cailloux, sa bouille rare, son timbre de voix si spécial. Je rêvasse : enrôler un tas de ces vieux comédiens, hommes et femmes. Composer des histoires où il faudrait des gens âgés. Je dis à Aile : « Tu reprendrais le métier, oui ? » « Non, fait-elle. J'ai donné. C'est bien fini. » Bon, je ferai son job. On voit tant d'amateurs complets dans ce métier.

Je voudrais tant revoir des figures fameuses d'il n'y a pas si longtemps. Comme on a jeté vite nos vieux artistes. J'admire, moi aussi, Luc Picard ou Marina Orsini, mais il y a les aînés, non ? Je n'aime pas du tout cette ingratitude des producteurs d'ici.

À l'abordage : studios en vue ! Avec Denise Bombardier, jeudi, qui vient pour une *Conversation*. Où ça ? Aux ex-shops Angus au bout de la rue Rachel, dans l'Est. Des studios naissent donc partout ? La recherchiste au téléphone : « Apportez des photos de vous, enfant. » Se moque-t-elle de moi ? « Ne m'embarquez pas là-dedans, vous me connaissez là-dessus, la *nostalgia* ! » Elle y tient.

Grande hâte de revoir mes pivoines au pied de la galerie, sous les lilas. Belles grasses fleurs. Roses et blanches. Parfum fort, consistant. Fleurs volées, j'avoue. La maison voisine, celle de la vieille demoiselle Françoise Saint-Jean, resta longtemps en vente. Les pivoines poussaient… pour personne. Un jour, nuitamment, la pelle…

et hop, déménagement chez nous d'une bonne part de ces fleurs. Un peu de honte, rien de plus. Peur d'être vu surtout. Aile humiliée. Les acheteurs, nouveaux venus, refirent complètement l'aménagement paysagiste du terrain.

À la radio, le Bouchard ethnologiste à Brazzo qui raconte que «dans les vieux pays, tous ces Européens fuyaient pour plus de liberté, venaient en ce continent nouveau pour chercher un eldorado où tout serait permis».

Je vois plutôt deux types d'émigrants *in America*. L'un, minoritaire, est souvent une sorte de saint, de mystique, il fait partie d'une élite, d'une caste de nantis à la moralité noble, il est toujours accompagné d'un autre minoritaire, le marchand audacieux, qui rêve, lui, de marchés nouveaux.

L'autre type, c'est le monde ordinaire, majoritaire. Des pauvres. Tel mon ancêtre en 1700, tels vos ancêtres. Comme Aubin Jasmin (du Poitou), des très jeunes gens pauvres. Ils s'engagent comme soldats. Régiment de Repentigny (Aubin), de Callière, etc. Ils n'ont rien à perdre. Tout à gagner. De la terre à perte de vue une fois l'engagement terminé. À Poitiers, Aubin n'a rien, n'est rien. Ici, il aura, au village Saint-Laurent, des milliers d'arpents! Cela va de la rivière des Prairies jusqu'au Dorval actuel. Une hache, un cheval, un vache... Plus tard, cabane dressée, une fille du Roy, pis vas-y, défriche, jeune homme!

Foin de ces rêveurs de liberté, Bouchard!

Sortie de placard

L'animateur Daniel Pinard rêvait — il l'a dit publiquement — de son *Sel de la semaine* télévisé bien à lui. Il doit être très triste, déçu. C'est René Homier-Roy qui a été élu pour animer ces prochains longs entretiens d'une heure à ARTV. Pinard, un homme cultivé, érudit sur bien des sujets, passionné par tous les aspects humains de la vie et des êtres, est bien articulé quand il questionne, capable de structurer solidement une interview, de jacasser avec beaucoup d'esprit (radio, télé, aussi journaux). Il a de l'humour à revendre. J'espère qu'il aura une autre occasion de faire valoir ses talents multiples.

Jaws!

Comme c'est fréquent ici, vers 18 h ou 19 h, le soleil décide de se montrer en force. Luisant, brillant. Surprenant. Chaque fois, la galerie inondée. « Va-t-on manger dehors ? » Aile : « Euh. Pourquoi pas ? » « Ce sera aile de requin, mon chou ! » « Hen quoi ? Incroyable. Elle s'apprête à quelle sauce, mon Aile ? » J'exagère, Aile oui, mais requin, non. Jamais ! Plutôt un médusante méduse. Je m'approche donc de ce *jaws* cuisiné en toute confiance.

Demain, dernier jour de mai. Je chante : « Le temps, le temps et rien d'autre… » Je ne le vois pas passer. Hier, dans la file de l'école de cuisine, j'ai repris (une troisième tentative) la lecture de *Brève Histoire du temps* de Hawking. Je veux comprendre notre Univers. Début avec Aristote, Ptolémée, plus tard, Galilée, puis Copernic et Newton. Ça va jusque-là… mais j'ai peur de la suite.

Juin 2002

[Dimanche 2 juin 2002]

Ça fait peur!

Ça va mal à *shop* ce matin: froid insolite dehors. Ce juin part mal! La météo annonce: « Gel au sol ce soir! » Un cri! C'est ma belle Aile découragée: « Merde! On va rentrer les fleurs, le plant de tes tomates, tout. » Yvon Deschamps: «*US QU'ON S'EN VA?*» Papa répétait, face au moindre caprice du monde en marche: «Ça, mes enfants, c'est les conséquences de la bombe atomique. » Elle avait le dos large.

Je croise André, gigoteux, valeureux et vigoureux jardinier chez le juge, et je lui dis: « L'hiver va revenir, ma foi? » Ses yeux s'arrondissent, sa bouche crochit, il a pris le visage terrible d'un sorcier déçu: «Ça fait peur! Le monde va croche! » Et il repart de son pas de bourru, marmonnant, grognard, d'inaudibles imprécations. André vient presque chaque jour gratter, creuser, jeter de la terre ici et là, déplacer des rochers, tondre sans cesse, caresser virilement ses plantations, examiner la pousse de ses efforts. Le juge a de la chance de pouvoir se payer un tel zélé conservateur de son jardin.

Aux nouvelles, braillements généralisés. La grande peur ces jours-ci: Ottawa, énervé par les scandales à propos des tripoteux qui lui sucent des fonds généreux, a émis un moratoire. Stop! Fini les folies! Plus rien pour la propagande fédérate! Les téteux à festivals tremblent! Et vous? Et moi? Est-ce que je lance, moi, un festival? Non. Je suis pas assez riche. Eux? Des quêteux à cheval: ils comptent sur l'argent public! Le nôtre. Saloperie! J'aimerais ça, être producteur, et vous? Aider des talents, soutenir des créateurs, encourager des imaginatifs… mais non, j'ai pas les moyens. Eux tous? Sont comme vous et moi, mais se rabattent, ces parasites, veulent l'argent du trésor commun des contribuables! Honte!

Un téteux va rétorquer: «Le *government* donne aux entrepreneurs (G. M. ou Bombardier), donne aux usines, aux manufactures… pourquoi pas à nous, aux parteux de festivals variés? On draine du tourisme, non?»

Bombardier, subventionnée, génère des jobs? Les festivaleurs rozonniens subventionnés remplissent les chambres des hôtels, nos restaurants du Vieux-Montréal. Un système où c'est le travailleur qui soutient la patente marchande.

Je me tais. Ottawa, revenez vite, mettez vos unifoliés mur à mur. Ne tuez pas la beauté de ce monde, les Groupaction, qui congédient déjà pour faire enrager les politiciens. Je suis un candide. Je me disais que pas riche, il ne me fallait pas oser installer une machine du genre producteur de films, de séries télé, de spectacles, éditeur, etc.

Un nono. Un pas-capable. Que les parasites intelligents en profitent et laissons-les chialer aux nouvelles:

«On veut vos sous, cracheurs d'impôts. Allez travailler lundi, demain matin, et on vous prélèvera une part de vos gages pour *Juste pour rire*, le Jazz, le Festival du film, ma cabane à éditer, ma compagnie de production de téléséries… Allez suer en mornes bureaux, en sordides usines, en exténuantes manufactures. Les «gros»? Ah! les gros, eux, ils jouissent d'exemptions d'impôts car il y a l'investissement à amortir et leurs super comptables-fiscalistes veillent aux crédits. Puis il y a les abris tropicaux, portes de fausses compagnies aux îles machin-chose, non? Demain matin, va travailler le nigaud, candide!»

Du Jasmin

Ai donc débuté le Trevor Ferguson. Est-ce mal traduit? Est-ce traduisable? Le Ferguson a peut-être un style si original que… En tout cas, les yeux sursautent sans cesse. Aile: «Regarde ça dehors!» Derrière le Ferguson et moi, soudain, une lumière faste dans la fenêtre du salon! Collines sombres sous un fabuleux ciel nuageux découpé par un soleil invisible et pourtant radieux! Une belle ancienne gravure dans un livre d'histoire sainte! Notre ébahissement. Silence dans le salon.

Ai expédié, hier, ma lettre mensuelle à ma quasi-jumelle, Marielle. Un mémering bien-aimé. Marielle, un lien avec ce qui reste — si peu — de la *famiglia*!

Bien conseillé, j'ai pris, vendredi, de l'onglet (?) à l'École hôtelière. Sorte de bavette. Saignante! Samedi, délicieux souper, à s'en lécher les doigts: artichauts (miam!), fèves et mini tomates d'Aile.

Vu un reportage sur la pépinière Jasmin au nord-ouest de l'ex-village Saint-Laurent. Le descendant, Pierre J., m'a dit: «Au départ, nous vendions 300 vivaces par année; maintenant, c'est 3 000 par jour! En mai, c'est souvent, par client, jusqu'à 1 000 $ en achats.» Ce vaste et florissant commerce, visité par la caméra de télé, se situe là même où l'ancêtre Aubin, en 1715, faisait abatis sur abatis. Du bois debout couché à jamais. Où poussent désormais plantes exotiques, arbrisseaux variés, fleurs de toutes les couleurs; semailles «qu'on part» dans d'immenses serres climatisées. Non, on n'arrête pas le progrès, mon p'tit Chose!

Même le parc Jarry, jadis, faisait partie de Saint-Laurent. Papa me disait que, enfant, il y avait une barrière à péage — il y en avait partout pour pouvoir payer les cantonniers — au coin de Saint-Laurent et de Castelnau, délimitant son village natal de la paroisse où il s'installait pour toute sa vie, Sainte-Cécile.

Rassuré par les critiques

Sommes allés nous divertir en toute confiance chez *Astérix*, Carrefour du Nord, à Saint-Jérôme. On a ri. Souvent. C'est un très rapide défilé de gags visuels, effets infographiques connus, qui redondent partout, toujours les mêmes, avec des répliques (les *one line*) efficaces et le vieux jeu des anachronismes. Berval en jouait en 1950 à son *Beu qui rit*, mêlant Corneille et Racine au joual. Bref, on rigole et on sort de *Mission Cléopâtre* comme vide. Un humour épais, la maladie infantile du ciné actuel. Quelques gros (Depardieu!) noms n'ont, hélas, rien de solide à interpréter. Gaspillage de talents. Ce n'est pas pensé ni écrit, c'est dessiné comme le *comic-book* à 5 cents de nos 10 ans. Pas mieux, ni pire. Recommandable à personne, à moins d'une rage de maïs soufflé. Et encore.

Avant, c'était mieux? *Play Time*, un film du Tati de 1967, revu vendredi, tard, à ARTV; bien long, trois heures, et pas souvent comique. Piétinement intolérable dans sa caricature d'un monde d'acier, de verre et de plastique avec ses mécaniques à minuteries.

Pas comique non plus d'entendre le chanteur Renaud (tant aimé par mon fils et sa bande jadis) raconter sa chute récente. Pastis, Pernod, Ricard? « Une drogue dure », dit-il. Il sort de son enfer et se remet en scène pour raconter son *bad trip* aux rivages du Styx. Sa grande fille — « Je te reverrai plus jamais si tu t'en sors pas » — fut sa planche de salut. Jim Morrison n'avait pas de grande fille, lui!

Aile en état de choc en lisant la chronique nécro de *La Presse*: deux mortes de son âge! Gisèle et Monique, qui travaillaient à la SRC comme elle. Très songeuse, l'Aile interloquée.

Dans mon temps

Hier, un docu de la BBC sur les frères Cohen, cinéastes américains. *Fargo*, film parfait. Les témoins bavassent, potins vains des amis, camarades d'école, acteurs divers. Odieuse et facile technique du saucisson comme toujours. Après, leur film *Miller's crossing* (ou *Un cadavre sous le chapeau*). *Le Parrain* en brouillon de potache. Trop de bandits, trop de sang, trop de futiles coups de revolver… et humour rare.

Samedi en fin d'après-midi, un vrai bon film, *Insomnia*, remake d'un vieux film suédois, me dit-on. Pacino, excellent comme souvent, en flic expédié en Alaska (paysages étonnants parfois) avec Robin Williams en écrivain raté. Fameux duo. Une aubergiste y dit: «Ici, en Alaska, il y a deux sortes de monde, ceux qui sont nés ici et ceux qui y sont venus pour échapper à quelque chose.» Vrai pour tant d'apatrides, d'exilés, de réfugiés fuyant les prisons des dictatures.

Ce matin, j'ai lu le cahier livres de *La Presse*; hier, *Le Devoir* culturel du samedi, ai achevé *L'actualité*... et pas de stimulation aucune. Pourquoi? Lisant parfois un magazine de France, j'en sors toujours stimulé. Je songe à l'importance pour les jeunes surtout d'être stimulés. À quoi ça tient ce manque? Épuisant de s'autostimuler sans cesse en une contrée trop souvent insipide... Ou bien, c'est la direction-rédaction des écrits d'ici qui est nulle. Ça se pourrait. Avant... dans mon temps... dans les années 60!... Me taire là-dessus. Refus du rôle de vieux schnock nostalgique.

Ce matin

Espace du store levé, un oiseau frétillant juché au faîte d'un haut sapin. Comique. Aile me dit l'avoir vu il y a deux jours. Silhouette remuante bizarre. L'étoile (noire ce matin) qu'on posait au bout de l'arbre de Noël!

Coupures retrouvées, je corrige deux choses: 1) C'est dans *Le Devoir* et non dans *La Presse* qu'un éditorial, fort bien intitulé *Shame on you!*, fustigeait le racisme anglo de *The Gazette* où l'on nous traitait collectivement de racistes fascistes. Le quotidien de Power-Gesca ménage *The Gazette*; 2) C'est Ouimet, le nom de la stupide qui déclarait comme étant de «même farine, notre SSJB et l'*Allliance Kouaybec*», la très subventionnée par Ottawa. Coup de pied au cul perdu.

La SSJB se veut moderne: on invite une Nanette Workman, un Éric Lapointe et cie comme figures patriotiques à Montréal. À Laval, le 24 juin, ce sera le magnifique Claude Dubois et l'emblématique Gilles Vigneault. Vive Laval!

Polar

Suspens, *spy-story*, film que l'on veut voir: *The Sum of all Fears*, basé sur un Tom Clancy (que l'on a comparé à Jules Verne, franchement!). Marcel Sabourin y tient un bref rôle de néo-nazi de France. Terroriste avec bombe nucléaire. Rien que ça. À la Maison-Blanche, on a craint l'arnaque des arnaques… la nucléaire. Via les conteneurs puisque 2 % seulement sont examinés dans nos ports. Souvenir. J'avais lu *La bombe chez vous*, avertissement de l'atomiste — qui travailla à Fort Alamo en 1944 — Ted Teller. Secoué par ses révélations, fin 1966, je publie *Revoir Éthel* pour revoir Éthel et aussi pour le polar d'une bombe atomique sur le Stade olympique, en construction à ce moment-là. Invité à *Parle, parle…*, je narre l'intrigue de mon roman et j'entends l'animateur Giguère qui me dit: «Mais Claude! Un film américain va se faire sur ce thème qui aura pour titre *Black Sunday*.» Imaginez ma stupéfaction! Le roman n'eut guère de succès chez Stanké.

Aile excitée

Page E-3 de *La Presse*, on parle d'un entrepreneur, M. Marin, qui va construire un gros bloc de condos dans le joli jardin derrière notre pied-à-terre, *Le Soleil*. On avait acheté pour ce boisé plein d'oiseaux. On voit une photo : un de nos voisins de palier, le Lousianais valeureux, Zacharie Richard, tout désolé devant des arbres déjà sciés. Personne ne manifestera pour défendre des petits-bourgeois gâtés qui se lamentent pour un escarpement vert, pas vrai ? On a tenté une bataille il y a deux ans, sans aucun succès. « On a besoin de taxes », disaient le maire et ses conseillers.

Installé au rivage, je regardais… le vent. Deux oiseaux — noirs, oui, chère Aile ! — viennent se suspendre dans le tout jeune feuillage du vieux saule. Oh ! Joliesse ! Ravissement ! Une gravure délicate d'un peintre japonais classique ! La beauté une fois encore ! Le bonheur.

Vendredi à 17 h, comme d'habitude, porte ouverte à l'École hôtelière, ruades (hommes et femmes), course effrénée pour obtenir les bons plats. À mon côté, une nouvelle venue sursaute à mes sparages et me jette : « Mal élevé d'effronté, va ! » Je n'en reviens pas. Je dis rien. Je me sens redevenu le gamin de 10 ans dans la ruelle entendant maman me répéter : « Rentre, toi, petit effronté de mal élevé. » On ne change guère ?

Jean-Claude Germain l'a eue enfin ma brève nouvelle pour sa revue *L'Apostrophe*. Mon titre : *Germaine braille pus, est morte*. Je raconte en huit brefs paragraphes l'assassinat, près du bingo de la rue Papineau, de mon héroïne. Ce meurtre littéraire : au fond envie de quoi ? De me débarrasser du passé, des ouvrages d'antan ? La mort pour en finir ? Ma crainte de radoter ? Ma Germaine n'existe plus et ça m'avance à quoi ? Mystère !

[MARDI 4 JUIN 2002]

Safari

HIER SOIR, on regarde — tiré d'un roman-vérité de Peter Maas — *Serpico*. Le calme au salon. À l'écran les coups fourrés contre le jeune flic new-yorkais des années 60, l'antipourris, une histoire vraie, ce pur si bien joué par Al Pacino, si bien réalisé par Sidney Lumet — si jeune le Al quand on pense à celui du bon film, *Insomnie*, vu il y a peu. Soudain, cris d'Aile ! Je sursaute.

Son index indique, là, là, derrière la télé ! Film vif, en temps réel : une bête ! Est-ce un lion ou un tigre ? Je cherche des yeux. Je vois l'intrus. Pas vraiment un mulot, non ! C'est quoi ? Aile et moi abasourdis. Rendue sous la fenêtre, la grosse bébitte nous fixe, crâneuse… monte sur une plinthe chauffante, en redescend, file sous le porte-journaux. Angoisse d'Aile. Ô cinéma d'horreur ! Maintenant seul, il se démène sans notre aide, ce vaillant Serpico qui doit s'enferrer en anti-magouilles policières !

Debout, impuissants, Aile et moi cherchons comment faire sortir l'impudente bestiole. C'est un genre rongeur, plus gros qu'un rat, moins qu'un écureuil. Sorte de suisse en miniature. Il court le long du mur ! Aile bondit pour lui ouvrir la porte-fenêtre du coin à petit déjeuner. Il ne comprend rien, le petit zéro. Il vagabonde. Je cherche quoi faire. Ce matin, nous avions trouvé une tomate rongée sur le comptoir de la cuisine. C'était lui. D'où vient-il ? D'où sort-il ? Erreur d'avoir installé deux trappes à souris. Le fromage non, les tomates, oui !

Il grimpe sur un fauteuil. Nous défiant, ma foi ! Petits cris de souris de ma tendre Aile très énervée. Ah ! les femmes et les souris, c'est connu ! Je dois donc faire l'homme. M'empare de la pelle de la cheminée et… bang ! Il gigote. Rebang ! Du sang sur le parquet ! Il frétille, secousses puis immobilité.

J'ai mal, fifi que je suis. J'ai pas aimé ça. Je pellette le cadavre chaud dehors, au-dessus de la balustrade de la galerie. J'éponge ce sang. Adieu ! Je guette des applaudissements, mais c'est : « Oh non, Cloclo, non ! Comment as-tu pu faire ça ? »

Allons voir comment va se faire piéger par ses camarades vénaux ce policier courageux : coup de pelle fatal à la fin sur la bête et Serpico éliminé, handicapé, s'exilera en Suisse. Ouf !

Tantôt, merde, une autre tomate rongée ! Ils sont — étaient donc deux ? Ou quatre ? Misère ! Je suis allé porter les trappes à la cave. Encore cette pelle près de la cheminée ? À ce soir le numéro deux ?... On a trouvé mieux : on jettera un blouson sur le faux suisse et hop, dehors ! L'expérience civilise.

Télé

Pivot, lourdaud, complaisant, à Manhattan, en quête de francophones pour un de ses *Double Je*. Paul Auster parle : « En France, on jase, on discute, on mange bien, on boit, on fume, on prend le temps de vivre. J'aimais ça. À New York, il y a plus d'énergie et ça me manque quand je m'absente. » Un intervenant dira : « Les Français n'émigrent jamais vraiment. Ils retournent un jour ou l'autre en France. Pas le cas des autres : Italiens, Grecs, etc. » Souvenir : notre premier séjour à Manhattan, en 1962. Aile avait 25 ans et moi 31, voyage qui me fera écrire *Éthel et le terroriste* — avec plusieurs rencontres de New Yorkais parlant français, du taximan au proprio de galerie d'art. L'agréable surprise alors ! Avec Pivot, hier, unNoir, exilé d'Afrique puis de Belgique, tenancier d'un club, *Le Tapis rouge*, dit : « New York, c'est Babel et personne ne nous demande jamais d'où nous venons, c'est fameux ! » Drôle de binette de Pivot qui, avec raison, ne cesse d'interroger tout son monde francophone : « D'où venez-vous ? »

Pourquoi cette satisfaction de taire ses racines, ses sources ? Pourquoi ce besoin d'un passé anonyme ? Mystère à mes yeux, moi qui cherche toujours l'histoire d'un rencontré, où que ce soit. Ce cosmopolitisme à secrets m'intrigue. On cache quoi ? On a honte de quoi ? J'ai repensé à l'aubergiste dans l'excellent film *Insomnie* :

« En Alaska, il y a ceux qui y sont nés et tous les autres qui ont quelque chose à cacher. »

Oh, oh ! Montréal dans un pré-comité culturel. Ça démarre en grande aux HEC et ça va durer trois jours en assises. Assis ! Je serais pris dans cette gomme à projeter de l'avenir. Ouengne !

Le Simard du Festival du jazz, lui, projette à qui mieux mieux et parle d'un funiculaire partant de la rue Peel (angle avenue des Pins) vers le sommet du mont Royal, puis d'une navette spécialisée pour faire voir le centre-ville des arts et spectacles et ces nouveaux centres multimédias du canal Lachine et de l'ouest du Vieux, lieux qui rassemblent les travailleurs visuels modernes ; et quoi encore ? Patentes à allécher le tourisme. Cette vache à lait que l'on veut traire épuise partout désormais la planète. Exemple : parade qui s'organise de gais et lesbiennes à (incroyable !) Jérusalem ! Ô Allah ! Ô père fouettard Yahvé ! Ô tourisme !

Vérité ?

L'Odyssée d'Alice, un film folichon parodiant les contes de fées, va sortir bientôt et son auteure, qui cosignait le feuilleton *4 et demi*, dira : « La télé est un médium d'auteur, le cinéma un médium de réalisateur. » On sent de la frustration — il y aurait eu 12 versions du script — et la dame avoue qu'elle n'a pas trop envie de revenir au cinéma.

Au théâtre aussi, c'est place à l'auteur, à la pensée. Le cinéma, lui, est affaire d'images, de mouvement, pas souvent de pensée, donc d'écriture. Il arrive, Dieu merci, qu'on y trouve les deux: du grand et fort texte, de la pensée, des sentiments humains riches, féconds, développés. Avec un imagier pas moins fort. Il n'en reste pas moins que si cet imagier est un génie, on se fiche alors du contenu, de la pensée. Exemple: Federico Fellini.

Quinzième anniversaire, cet été, d'un spectacle d'amateurs: *La Fabuleuse Histoire d'un royaume*. En 1988, Aile et moi en sortions ravis par la générosité des participants bénévoles malgré une manière de faire… disons primaire. Le seul pro de cette gigantesque et sympathique équipe? Michel Dumont, natif du lieu. Il fait la voix du narrateur des multiples tableaux à la sauce Épinal. Sa belle voix est un enregistrement!

La machine a attiré au Saguenay des centaines de milliers de touristes.

Les plus vieux de mes petits-fils adoraient les effronteries de *L'Album du peuple* du François Pérusse des débuts. Ils me le firent connaître. Je rigolais. Ce diable d'homme sort de 6 ans de radio en France, Belgique et Suisse. Il revient ici et déclare: «Je dois retrouver mon parler, ma langue!» Preuve d'un clivage profond, en humour, entre deux sortes de français parlé. Ça me fait réfléchir. Anomalie? Un Noir viendra d'Afrique ou de France et, à *Juste pour rire*, fera rire la foule, cela sans changer sa parlure. Nous sommes vraiment bilingues!

Le Texan

Le *double you* Buch en visite chez les apprentis militaires, à l'école célèbre de West Point, près de New York, dans le New-Jersey. Son sermon sur la montagne: «Le mal existe, la moralité est une réalité, nous devons, Américains, défendre le bien. » Qui est pour le vice ? Qui est pour le mal ? Contre le bien ? Discours surréaliste. Chirac, en campagne, allant à l'école militaire de Saint-Cyr — le West Point des Français —, dirait-t-il la même chose ? Offrirait-il la même salade à la jeune élite des armes ? Traîné en cour de justice pour divers abus de bien public, s'il n'avait pas été président, pourrait-il parler sans s'étouffer du bien et du mal ? Bush, élu par effoirage floridien, magouilleur pétrolier avec la famille Ben Laden, a un front de beu ! La jeunesse candide, costumée, au garde-à-vous, écoute, la main sur le cœur, l'œil vissé au drapeau. Misère humaine !

[Samedi 6 juin 2002]

Ciel blanc mat

Hier, vendredi beau et si ensoleillé ! La belle fin de journée. Débutant dans la peur. Longue limousine noire dès potron-minet à ma porte. Chauffeur impeccable. Un corbillard ? On me conduit à une potence ? Je dois réussir à animer deux émissions de 30 minutes sur les lectures d'enfance de deux vedettes. L'homme à la luisante casquette me parle de Ville La Salle, sa petite patrie à lui. Des beautés du canal Lachine rénové. Sa fierté. Il me vante les condos neufs aménagés dans des usines. Après que je lui ai conté la menace d'une tour dans ma cour chemin Bates, de la destruction du boisé sur l'escarpement d'Outremont, il me dit : « Je vous offre gratuitement, quand vous voudrez, une visite des alentours du canal. Vous aimeriez les abords de ce site, du canal retapé. » Je songe à maman, née au bord du canal, rue Ropery. Me verrait-elle mieux de l'éther si je m'installais dans sa toute petite patrie ? Je m'ennuie d'elle. Je ne l'ai pas assez aimée, devenue la petite vieille sur son balcon, dans sa berçante, avec son journal. Regrets futiles. J'étais tellement *busy body*, n'est-ce pas? Jeunes gens qui me lisez, ne faites pas comme moi. Vous le regretterez amèrement plus tard, la mère, le père morts.

Vaine angoisse: tout se passa fort bien. Bilodeau fut chaleureux, bavard, heureux de raconter ses premiers plaisirs de lecture: Tintin, les deux Verne, Jules et Henri (Bob Morane), Dumas. Et Françoise Faucher, avec ses livres conservés toujours, *La Semaine de Suzette* et cette bretonnante *Bécassine*, les contes de Grimm, leurs illustrations en couleurs. Et Dumas, elle aussi! Alors je dis: «C'est un genre pour garçons, non?» Elle: «Pas du tout! Qu'allez-vous imaginer, tous ces beaux mousquetaires, ce si secret Athos surtout, non, non, nous en rêvions, les jeunes filles!»

Trois heures plus tard, l'équipe semblant bien satisfaite — politesse — de son animateur, sortie, limousine et retour à la maison. Le nouveau chauffeur vient de Villeray. Il est allé à l'école avec le fameux gérant de Céline, René Angelil, son voisin. Nous parlons du quartier. Nous nous souvenons du père Lalonde, formidable animateur de loisirs à Saint-Vincent-Ferrier, rue Jarry. «Ses sermons fameux. Il aimait le théâtre et cela se voyait. Il était merveilleux. Dans sa chaire des dimanches.»

La veille, jeudi, à cet ex-vaste shop Angus, au nord-est de la rue Rachel, angle d'Iberville, pour jaser avec Denise Bombardier pour sa série *Conversations*. Elle me dit au maquillage: «Tu vas parler au monde entier, Claude!» Je dis: «Quand je t'entends saluer le monde, TV-5, c'est France, Suisse et Belgique, non?» Elle: «Ah non, ça va partout, partout. Tiens, un jour, au Venezuela, à Caracas, un type traverse la rue pour venir me saluer. Étonnée, je dis: "Vous me connaissez?" Et lui me dit: "Mais, je suis un francophile, je vous vois chaque semaine sur le Canal 5."» Mon trac s'agrandit un peu. Hélas, Denise pose des questions relatives à mon enfance et alors, forcément, je m'entends répéter ce que j'ai raconté déjà 20 fois. Mais bon, à Caracas, on sait rien du petit gars de Villeray! Les autres pitonneront en maugréant: «On la sait par cœur, sa petite patrie.» Fière, Denise me présente son jeune réalisateur: c'est son fils! Sosie parfait du papa, Claude Sylvestre, qui fut le jeune réalisateur du jeune René Lévesque, celui de *Point de Mire*. Affaire de famille, sa jeune compagnie? Oui et j'aime ça. La chanceuse. La recherchiste est sa bru: Elsa. Elsa? «Oui, Elsa. Mes parents aimaient tant le poète Aragon.» On me fait déambuler devant une caméra dans cet ex-usine de locomotives. Décor étonnant avec ses colonnes métalliques, une dizaine de tours Eiffel. Dehors, vaste chantier où s'élèveront bientôt des appartements en grand nombre. En somme, une zone morte, industrielle si longtemps, où des milliers d'ouvriers ont sué à longueur d'année, convertie en espace urbain moderne. Le progrès étonnant!

Supplice de la question?

Revenu des studios de La Salle, interview par Julie Stanton arrivant de Québec pour sa revue *Le bel âge*. Magnétophone posé devant moi, ce sera le questionnaire, d'abord sur le jeune, et alors m'entendre encore répéter les éphémérides de mon enfance, misère! Je ne suis tout de même pas pour m'inventer une autre enfance pour éviter le radotage! Ne pourrait-on pas — ces gens du milieu sachant bien ma petite histoire — trouver des questions différentes, un angle nouveau qui pourraient surprendre? Il y faudrait de la recherche, du gros boulot, et nous sommes tous si paresseux. Julie S. interroge aussi le vieux, bel âge obligeant, ce sera le visage du sage, de l'expérimenté qui fait débouler ses conseils de vie. Oh là là!

À la fin: «Qu'aimeriez-vous qu'on dise de vous, longtemps après votre mort?» D'emblée je dis: «Il a beaucoup aimé une femme.» Et, ce matin, je lis, pris dans une lettre de madame George Sand: «Il n'y a au monde que l'amour qui soit quelque chose.» Bravo, George!

Le plus agréable de ce vendredi? Imaginez-nous, Aile et moi, au couchant, rue Hutchison, installés sur le balcon du troisième étage chez les amis Carole et Pierre-Jean Cuillèrier. Nous vidons une fiole de blanc bien frais avant d'aller à la soupe et aux pâtes dans un modeste restaurant (on apporte son vin), inconnu de nous deux, en face du Rideau-Vert, rue Saint-Denis, le *Colloquio*. Pierre-Jean nous dira: «En face, Claude, c'est le logis de ta camarade Monique Proulx», dont j'ai tant apprécié l'*Homme à la fenêtre.*

Souvenir: à un Salon du livre de Hull, je la rencontre et je lui fais de chauds éloges pour ce roman. Monique Proulx rougit, m'écoute, ravie, et s'en va vite.

Le vieux Richard louangeant Lafleur? Le vétéran est là, poqué, courbé, marqué de cicatrices, vieilles blessures (fraîches aussi) — le Allard du «Ça suffit, Jasmin, on vous a assez vu, dégagez la voie.» Elle commence sa carrière et file vers son zénith. Chacun son tour, le bonhomme, pas vrai? Au *Colloquio*, la Croatie venant de battre au football l'Italie en Corée, il y a des mines sombres. Bonne bouffe et nous marcherons de nouveau rue Villeneuve, de Saint-Denis jusqu'à l'avenue du Parc. Rue modeste, embellie, devenue ravissante, le calme, de la verdure, quelques terrasses camouflées, plus rien à voir avec la rue Villeneuve de 1950, triste, laide même, quand, à 18 ans, j'allais veiller chez Miche, angle Saint-Laurent, et que sa maman, chambreuse débordée, trouvait le temps de me préparer de bons spaghettis.

Belle soirée en somme, Aile épanouie, légère, regrettant presque de devoir aller dormir dans cette douce chaleur enfin, enfin revenue. Les Cuillèrier, plus jeunes et bien courageux, descendaient, de nuit, vers leur rang rural derrière Sutton, où ils rénovent une antique maison (1873) de campagne, ce qui amuse l'ex-réalisateur.

Super Mario

Dumont *dixit*, ou laisse entendre, laisse dire que: la jeunesse est devenue l'atout suprême partout. Voyez ce jeune Mario Dumont en vogue nouvelle, vu en sauveur. Niaiserie. Jadis: la vieillesse comme garantie pour la sagesse des nations. Le vieux maréchal Pétain vu en sauveur de la France couchée! Pas juste des jeunes, pas juste des vieux. Le mélange des générations. À bas les cloisons sottes. Juger selon la valeur. Jeune, il y avait deux choses qui m'importaient: ce mélange partout, vieux et jeunes, ma grand-mère Jasmin à l'étage, le grand-père Lefebvre à deux pâtés de maisons; les classes sociales mélangées aussi dans mon quartier. Rue Saint-Denis, plein de médecins, avocats et notaires et plein de travailleurs modestes aussi. En banlieue moderne, souvent, une seule et même classe de monde, selon la qualité de ladite banlieue, est-ce instructif, bénéfique pour les enfants ces uniformités, desquelles naît l'ennui?

Ce matin, départ laurentien. Je sors le minifrigo. Aile debout devant la voiture, un index pointé. Quoi? Le faux pare-choc de plastique. Pendant. Décroché. Je me penche. Clac, clac! Remis dans ses trous. Aile satisfaite s'installe au volant: «Et que c'est smatte un homme!» Immense affiche plantée dans les arbres tronçonnés qui nous nargue: «À vendre. Condos.» L'entrepreneur, un certain Réal Martin, aux prises avec des poursuites judiciaires dans le Vieux et à Verdun. Chemin Bates, des acheteurs résilient les contrats. Mince espoir. Je songe à ceux d'ici qui n'ont pas de résidence secondaire. Ça va creuser, cogner, dynamiter aussi! C'est long, élever 10 étages d'appartements.

La bande à Le Bigot. Chroniques diverses. Vivante radio. Mode, spectacles, politique, bouffe, botanique, etc. La parole à René-Richard Cyr qui prépare sa version, à Joliette, de *L'Homme de la Mancha*. Fou de Brel comme moi — Brel qui adaptait cette comédie musicale de New York —, Joël Le Bigot l'écoute et, mis en confiance, salue volontiers l'initiative cyrienne. Il ira, dit-il; je dis: «Nous irons, Aile!» Comme nous irons voir, chaude recommandation de Pierre-Jean, *La Souricière, la Trappe*, arrangée à la moderne par Asselin au Rideau-Vert. Pour *Lulu Time* de Lepage, crainte. Je n'estime pas les acrobates, du fameux Cirque du Soleil ou non, ni la musique rock, du fameux Gabriel. Lepage dans *Voir*: «On me chicane. On refuse les technologies, les effets visuels, ici, un establishment intellectuel —

des critiques — me blâme, déclare que c'est trahir un art voué à la parole avant tout.» Je dis cela souvent. Ai-je tort? Nous avons pris tant de plaisir à certains Lepage!

Chez Le Bigot: ambiance fréquente de… quoi donc? de jet-set? Tendances branchées, cuisine exotique. Ce matin, le journaliste transformé en gourmet savant et saliveux. Je le voyais en gras Obélix, en Depardieu bouffi, humant les délicates odeurs d'un sanglier apprêté aux herbes introuvables hors le circuit bourgeois des fines gueules. Or, soudain, Aile fait un détour. Stop. *Adonis*, filiale des deux restos *La sirène* où j'apprécie la pieuvre grillée, boulevard de L'Acadie. Immense magasin pour fins gourmets. J'entre, méfiant. Ma vieille crainte des bourgeoisies. Un vaste marché étonnant, angle Sauvé, clients contents, mines satisfaites. Nos Gréco-Québécois en habiles fournisseurs de bouffe de luxe.

Vendredi matin, je vois Aile en caucus avec notre voisin Maurice, un débrouillard qui a vu neiger, de Baie-Comeau à Sorel, de Hauterive à Tracy. Elle me reviendra avec une cage à écureuil. Une trappe qui enferme mais ne tue pas. Il s'agirait de petits d'écureuils, nouveaux nés surgis dans l'entre-planchers et/ou l'entre-toit. «C'est fréquent», a dit Maurice. Vendredi midi, avant de quitter les lieux, Aile a mis trois noisettes… et une petite tomate dans le piège. «Oh Clo! C'est regrettable, on ne reviendra que demain, la bête devra rester enfermée si longtemps avant sa délivrance.» Dois-je pleurer, renifler au moins? Je la ferme. C'est une entreprise sérieuse.

Ce matin, Aile, empressée de délivrer notre captif, trouve la cage vide. Et la tite tomate?… Plus là? Examen minutieux. La bestiole pas assez pesante? Visite express chez Maurice. Retour. «Ça va marcher, Claude.

Je vais remettre une tomate, mais en la fixant mieux. Le poids suffit. La tomate ne doit pas rouler en bas du socle déclencheur, etc. »

Ma chère Aile, en inventeur à la Leonardo Da Vinci, calcule l'effet de sa machine de guerre... Je m'amuse comme un fou. Sans le dire. Pas fou !

Recherché: un poète

On cherche toujours l'officiel poète fédérat. Vingt mille piastres imposables ! Je voudrais voir la liste des candidats. C'est ouvert à la confrérie écrivante. Comme entretenus de l'État, les petits camarades en fines lettres, membres ou non de l'UNEQ, s'y connaissent, croyez-moi. Luc Perrier, poète de Saint-Jean, ce matin, en lettre ouverte, offre son âme et son cœur. Amusante caricature. Le ridicule ne tue pas ? Jean-Louis Roux pourrait se forcer et avec son bon gros cachet sénatorial accepter les deux futiles tâches. Et Jean Lapointe, le chanteur, compositeur à ses heures... en fou du roi Chréchien ! Non ? Ou cette brave Sagouine, la Viola Léger (que les cons de Blokes appellent « Ligère »). Un petit effort ! Ottawa s'ennuie tant au milieu des copains démarcheurs engraissés.

C'est une vieille coutume très *british*... très *angloise* ! Une folle mode bien albionesque. Ô fière et perfide ! Il faut imiter nos bons maîtres, pas vrai ? Pas facile donc de trouver un troubadour pour le patroneux de Grand-Mère, un domestique un peu cinglé sachant compter les césures et les pieds, arranger les rimes ; trouvons vite un trouvère pour le château gothique des rivages du canal Rideau et de l'Outaouais, ouais ! Urgence ! Que va devenir le temple des favoris sans un écrivain d'État ? Je le sens, va falloir que je me dévoue. J'irai à Westmount rencontrer le valet patenté, Roch Carrier. Il me donnera le mot de passe du traître québécois, le mode du code du raciste inverti, le questionnaire du collabo et je passerai le test fédérastique, *yes sir*!

Querelles du monde

Je dis à Aile : « Je peux pas croire qu'enfant tu marchais de chez toi, rue Molson, jusqu'à Christophe-Colomb pour te rendre à ton école Saint-Arsène. Toute une trotte ! Quinze rues, non ? » Aile : « Oui, c'est pour ça que je suis en forme — qu'elle a de si belles jambes, j'ajouterais — et quatre fois par jour, hein ! Le midi, je mangeais en quatre minutes et demi et je repartais, l'hiver compris, à 25 sous zéro ! » Je n'en reviens pas, non !

Coup de fil. Charles Mayer, 80 ans, veut me parler. Ex-camarade en décors, hongrois d'origine. Il a fait des gravures. Nos belles grosses granges et autres bâtiments de ferme. C'était un habile dessinateur, vraiment très fort. Je lui donne deux, trois noms d'éditeurs. Il me dira : « Je jasais avec Peter Flinch (venu d'Allemagne, lui, c'était l'ONU à la scénographie de la SRC). On est venus ici en émigrants et on va mourir en émigrants. Vous ne nous avez jamais vraiment acceptés. » Je jongle. Muet. Ne sais trop quoi rétorquer. Est-ce vrai ?

Télé : vues du Cachemire, visions du Cambodge ruiné, Jérusalem encerclée, l'Afrique secouée, Congo aux atroces chicanes, Israël aux bombes, Tchétchénie martyrisée, Sierra Leone à tromperies. Querelles du monde. Des images de misère, du sang. Faut regarder. Conscience !

Ne pas se boucher les yeux. Documents indispensables. Tout savoir et ne pas savoir quoi faire. Aux nouvelles d'ici? Motards à drogue mis en prison. Oh! relativité!

Un camionneur, routier à long fardier, raconte sa pénible vie à *Enjeux*. Métier effrayant. Les mensonges. Les faux papiers. Rouler 14 heures sans dormir! Un monde sinistre. Il ose tout dire. Il risque son job. Certain. Il pense à ceux qui vont venir. Il aura un terrible accident en bout de reportage. Oh, oh! Psycho-soma? Culpabilité? Acte pas manqué. Ces 24 roues que l'on croise, on les craint. On fait bien! Danger: les conducteurs poussés à la rentabilité doivent rouler trop longtemps et vite! Travaux forcés modernes! Ces galériens à couchette au-dessus de la tête! Pour gagner du temps, faire des calculs faux afin de tromper les inspecteurs, sinon le boss va grogner.

Au balcon (sans Juliette et Roméo)

Rue Hutchison, Pierre-Jean me raconte une réalité du genre qui m'arrive aussi parfois: sa Carole, en congé jeudi, a besoin de relaxer. Pas une sinécure son job à l'urgence de la Centrale des petits cœurs fragiles (Institut de cardiologie). Il ira donc seul au Jardin Botanique pour y admirer les plantes. Devant lui, cheminent deux jolies femmes. Il remarque qu'elles sont joliment vêtues, à la mode, avec goût. Elles gesticulent et s'arrêtent aux exhibitions, semblent des connaisseuses en botanique. Il finira par être proches d'elles et découvrira, désarçonné, qu'elles ne sont pas du tout ce qu'elles lui semblaient être. Une parlure, disons, comme jadis, commune, au bord de la vulgarité.

Désormais, avec toutes les infos qui circulent, des gens de toutes conditions apprennent à s'habiller, bien manger, se choisir du bon vin. Ils restent tout de même ce qu'ils sont, des incultes. Jadis, on pouvait facilement déceler de quelle classe sociale venait telle ou telle personne. Il m'est arrivé ainsi de croire que des gens étaient, comme on dit, du milieu, artistes ou même bourgeois bohémiens, mais j'ai fini par les entendre parler et c'étaient, à mon grand étonnement, des personnes qui se souciaient comme d'une guigne de mal paraître, de mal parler, d'avoir un accent cheap, des analphabètes!

Lire, lire, lire

J'aime que l'on soit différents. Je me croyais fou de lire trois livres à la fois, en voyageant de l'un à l'autre. Vincent Bilodeau, lui, c'est 10! Il déteste les biblios — j'en fréquente trois — car il tient à posséder ses livres. Il ne donne jamais ses bouquins. J'ai tout donné à la bibliothèque locale.

À la fin de *Conversation,* Denise Bombardier: «Toujours révolté? Vous espérez quels changements?» Je m'entends dire: «À 71 ans, je ne crois plus aux idéologies. C'est futile. Il faudrait coucher l'homme sur un bloc opératoire et le changer, fondamentalement.» Est-ce que je favoriserais la manipulation génétique radicale? Seigneur! On n'a pas une heure, pas une minute, pas 10 secondes à la télé. On vous pose une question: répondez vite, s'il vous plaît.

Virginia Woolf

Vu, mercredi soir dernier, un documentaire de télé, sur cette célèbre Virginia Woolf — saphiste avouée, cocue misérable, suicidaire, pacifiste et prophétesse à sa façon, féministe, bourgeoise victorienne de gauche. Vive déception. Ouvrage pour spécialistes. Allusions à des personnages que j'ignore, à des textes inconnus de moi. Aucune chronologie. Suis-je trop linéaire, trop ancien pour apprécier ce genre en mosaïque? Carole Rioux, 20 ans plus jeune, m'a dit avoir apprécié grandement. Cette V. W.: méfiante farouche des familles, classes, nations, a eu un père despotique. Trouver *Une Chambre à soi*, *La Traversée des apparences*, *La Chambre de Jacob*, *La Promenade au phare*, *Orlando* (sa biographie). Elle a dit, entre autres, deux choses importantes: «Le sens critique et l'intelligence. Le reste…» et: «Ne jamais séparer vie privée et vie publique. Cela explique les hommes.»

Churchill en tueur?

Discussion récente: Avoir fait de mes petits-fils des princes, sans cesse leur enseigner qu'ils sont uniques, est-ce dangereux? La vie est si raide, si bête… Je me dis: «S'ils s'estiment suffisamment, ils se conduiront toujours comme des hommes de valeur.» Ai-je raison? Ma fille: «Attention, pas trop, ne pas trop leur monter le bourrichon. La dure réalité leur serait terrible en vieillissant.»

Chez Stanké, on publie un livre et on invite au lancement tous les gens nommés dedans. Foule. Si Beaulieu invite au lancement de ce journal tous les gens qui y sont nommés, il faudra louer un aréna!

Lu ce matin: en Afrique 18 lignes de téléphone par groupe humain de 5 000. Chez nous, en Occident industrialisé: 565 lignes par même nombre de têtes de pipe.

Woolf, écœurée, dénonçait Churchill, jeune, qui avait participé à un massacre horrible en commandant des batteries de mitrailleuses (engins nouveaux) en colonie d'Afrique: 25 000 morts d'un seul coup! En face, des Noirs qui n'avaient que des javelots! Vive l'impérialisme britannique, vive l'Empire!

Ensuite? «Venez, mes révérends pasteurs! Nègres idiots: place à nos bons missionnaires protestants.» Ça bat un peu Champlain au bord de l'Hudson tirant sur les Sauvages qui s'enfuyaient, découvrant la mort qui court: le fusil. S'il avait eu une mitrailleuse, hein? Place aux Récollets et aux Jésuites, place, *pace*! Le sabre et le goupillon, comme au Mexique, comme partout en ces temps de valeureuses missions civilisatrices des Blancs si purs!

Et «il n'y a au monde que l'amour qui soit quelque chose», de dire Madame Sand.

[Lundi 10 juin 2002]

Poulet mariné

Comme hier, dimanche, beau soleil ce matin. «On va faire un tour voir la mer à Ogunquit?» Aile réfléchit. «Sais pas, hen, oui? Non, demain. Regarde le beau soleil, on va pédaler.» À demain la mer «toujours recommencée»! Départ pour le petit déjeuner au *Van Houtte* de Val-David. Au retour, le bonhomme Galarneau va se cacher. À 16 h, c'est la blanchitude totale et du vent fort. Aile: «La météo annonce des jours de pluie à la file.» Au Maine, USA? Je monte vérifier la météo sur Internet. Aile examine le manège. Boston ou Porthsmouth: pluie et pluie!

Aile: «Nenni la mer pour cette semaine, hen?» Je m'ennuie des flots bleus, de «la bergère d'azur infini» (Trenet). On n'a pas accompli ce rituel estival l'an dernier et je l'ai regretté. Un besoin viscéral. Plus juin s'allonge, plus c'est cher de coucher au vaste motel le *Norseman*, directement sur la plage. Maudite météo du yable!

Au souper d'hier, régalade très appréciée des deux couples pour le poulet mariné d'Aile, acheté samedi chez *Adonis*. Oh oui, miam ! Il a fallu transporter le gril sur le petit balcon d'en avant tant le vent soufflait. Après-midi passé avec les Faucher à commenter les résultats des élections en France. Kir versé, on s'installait. Le Pen et ses énervés tous mis K.-O. Satisfaction de nous tous. Chirac triomphe et Jean F. en est tout content. Françoise, Aile et moi plaignons la gauche, les socialistes, pas fortiches. Les moqueries et les piques fusent. On tente de peindre le Jean en réac, en froussard, en petit vieux conservateur. Il rigole ferme. TV-5 fait parler tous les acteurs-politiciens et aussi ses commentateurs. Jean, le plus attentif, manette en main, hausse le son — le crapaud — dès que nous fonçons dans un sujet autre que ces législatives.

Françoise précise : « Vous savez, moi, ni gauchiste ni droitière, je juge au cas par cas, la valeur des candidats. »

Quand nous disons à Françoise avoir reconnu sa voix dans *Insomnia* (en coroner), elle dira : « Vous m'entendrez aussi dans *Iris*, un bon film, et c'est moi qui doublais la vieille dame au précieux bijou dans *Titanic*. » Notre surprise. Jasette sur la vieillesse, silicone à la mode et chirurgie plastique. Aile dira : « Moi, être actrice, je voudrais de l'aide, c'est normal. » Françoise : « Ah ! non ! Je veux devenir la vieille dame que j'étais destinée à devenir. » Sagesse encore.

Jean, l'ex-réalisateur émérite, nous annonce qu'il compose un livre, un peu sur le modèle de ses nombreux *Propos et confidences* de la télé d'antan. Ces temps-ci, il travaille avec le comédien Gérard Poirier. Françoise : « Et vous, Claude, à quoi travaillez-vous ? » Je lui parle du journal. Étonnement léger. Dangers. Risques. Je dis que je n'ai pas de pudeur. « Oui mais… » Regards vers Aile. Aile parle de son anxiété face à ce journal. J'explique : « Je dis tout. Je n'ai rien à cacher. Je mène une bonne vie, non ? Alors pourquoi pas un journal intime ? » Rigolade de tous ! Françoise : « Ah non, impossible. Le seul fait de savoir qu'on sera lu, non, rien d'intime alors. On fait attention. » Je dis : « Je fais attention de ne pas blesser inutilement. C'est tout. »

Quand je lui raconte l'œuvre de sœur Gagnon (la maisonnette dans *La Petite Patrie*), que je me suis engagé à produire une quarantaine d'aquarelles sur les temps de jadis… Françoise aussitôt : « Vous devriez vous arranger avec M. Jacob, un pharmacien beauceron merveilleux, qui a édité les beaux dessins coloriés de Clémence Desrochers… » Elle ne tarit pas d'éloges sur l'homme. Je me dis que si les Graveline et Soucy — de Ville-Marie littérature — continuent dans leur silence, j'aurai recours à cette petite maison beauceronne.

Françoise suractive : le 24 juin, elle ira avec d'autres dans le neuf musée Félix-Leclerc à l'île d'Orléans. Spectacle de lectures leclerciennes. Elle nous raconte une lecture du *Misanthrope* de Molière — qu'elle va monter en septembre au Théâtre Denise-Pelletier. Toute l'équipe (une surprise) — dont sa grande fille, Catherine, qui a abandonné le cinéma pour diriger les productions — a organisé une lecture hors de l'ordinaire avec des artefacts, une ambiance théâtre royal versaillais, des accessoires, chandelles, une lettre de Jean-Baptiste Poquelin. Beaucoup d'émotion pour elle, la semaine dernière.

Sans cesse, à la télé, les perdants du premier tour blâmaient le terrible 36 % d'abstentionnistes chez les électeurs de France. Jean rigolait ferme: «Mais oui, tout le monde aurait voté communiste ou socialiste, c'est très certain!» Suite dimanche prochain. Le grand soulagement: la chute du Front National.

Ben Laden collabo?

Le calme désormais. Nous vivions aux aguets depuis quelques jours. Ça semble terminé. On a pris au piège un autre bébé écureuil. Le quatrième. Et oups! dehors! Ouf! Aile, davantage que moi, se souciait de cette vermine dans nos murs. Son soulagement ce matin en voyant la cage pour une fois vide.

Entendu Guy Lapointe, à la SRC, dans un topo raide sur W. Bush. Chevron (ex-Texaco) très intéressé par l'Afghanistan. L'oléoduc à installer du nord (ex-républiques d'URSS) jusqu'au sud, à la mer. La famille du président captivée par la manne. Le président actuel, Karzaï, du clan bushien, installé en fantoche de la nouvelle alliance américano-afghane.

Un commentaire instructif en diable. Guerre aux Soviétiques s'abord, et victoire, armement utile aux intérêts texans, le Ben Laden en collabo des USA d'abord, et le réseau bien connu, ces Talibans — chefs de guerre — entraînés par la CIA puis qui virent (oh! oh!) en intégristes antioccidentaux. Terrorisme inédit! Guerre aux Talibans alors! En fin de compte: pétrole, pétrole, pétrole… et gaz! Merci, Guy Lapointe.

Télé réelle?

Deux petits malins voient, à Las Vegas, des vagabonds qui se battent. On sort vite le caméscope. Haute définition? Fibres inhumaines? Du vrai bon stock hyperréaliste. Mode bien-aimée. On va d'abord passer ça sur Internet. Succès monstre! Puis sur des réseaux privés. Télé payante? Oh oui! M. Beesmet et Leticia, 24 ans, foncent. On organise de nouvelles rixes chez les démunis, les drogués, les paumés du petit matin. On offre. Prix de forte présence, des voyages, des bouffes.

La trappe!

Vendredi soir, deux films avec l'acteur D'Auteuil. C'est alors que le troisième écureuil fit son apparition. Presque au-dessus de la tête d'Aile. Cri de mort, il tombait d'une fausse poutre. Aile criait fort! Silence: ira-t-il vers la cage dans la cuisine? Paf! Je le sors.

Trente minutes plus tard, un quatrième! Aile dans tous ses états! Il se cache. Je le chasse, tente de l'orienter vers la cuisine. Il se sauve dans la salle à manger. Zut! Je veux voir la fin du film, moi. Dérisoire safari. Aile monte au lit mal à son aise. Regarde partout sans cesse. Ferme la porte de la chambre. «Imagine que la bestiole soit sous nos draps, sur nos oreillers.» Brrr...

Le lendemain matin, c'est dans la trappe qu'il sera. Ouf!

Horizon péquiste

Au *Chantecler*, troupes péquistes en caucus. Un party moins couru que ceux des courses en Formule 1. Deux centaines. Devrais-je, par pédalo ou canot, aller inviter Bernard Landry — croisé souvent à notre Caisse Desjardins, rue Bernard — à se cacher chez nous... à l'abri des critiques mais pas à l'abri des bébés écureuils ? Si j'y allais, je dirais, à lui et à ses sbires : « Si vous nous refusez une patrie québécoise, votez contre nous ! C'est bien clair ? »

Clair. Net. Vous perdez les prochaines. Pis ? Liberté totale dans l'opposition, non ? J'imaginais les têtes de tous ces grouilleurs qui ne sont là que pour garder le pouvoir à n'importe quel prix. Le pouvoir et ses agréments.

Vroum, vroum!

Ces bolides autour du Casino — à déménager pour la faim et les fins du sieur Frigon, le rapace d'État. Ces conducteurs sonnés. Comme je hais la boxe, je hais ces furieux des vitesses à dépasser sans cesse. Des ingénieurs démoniaques font de savants calculs. Du 300 à l'heure, ce serait encore pas assez ? J'avais lu des documents accablants sur ces dangereux inconscients quand j'avais pondu ma dramatique *Nous sommes tous des orphelins*, avec mon courseur de Formule 1, si bien joué par Denis Bernard.

Des vétérans infirmes confessaient des choses troublantes sur ce sport suicidaire. La loi est claire, pour refus de secourir personne en danger, c'est la prison, le procès. Le code pénal le dit. En noir sur blanc. Qui, un jour, osera porter plainte ? Faire arrêter, avec mandat de juge, ces organisateurs de tueries plausibles ?

Ces héros du jour — à vroum-vroum polluants — sont des kamikazes. Il est pourtant interdit de risquer sa vie. Le faire sous les yeux de tous ces assoiffés de sang, morbides voyeurs que nous sommes, est un acte hors la loi au fond.

Allons, allons, va au cirque, fais comme les Romains antiques dans cette Rome éternelle qui se continue de mille façons. La boxe. La course automobile. Tyson (38 ans), ensanglanté, à terre, hier. Vieux lutteur fini. À qui le tour ? Le bonhomme Lewis attend, frétille et sautille… prochain Tyson. Tristesse. Le réalisateur-producteur, un des VIP en visite aux courses, dit : « On dirait une voiture d'enfant, mais c'est une bombe avec un gars assis dessus. » Il pouvait pas mieux dire !

Le kamikaze affligeant (de Suisse ou de Monaco) Villeneuve (alias New Town), célébré sur le cadavre du père tué, dimanche, sortait de piste au neuvième tour, blasé mais vivant encore. La foule s'en allait : il n'y a pas eu de mort cette fois. Dommage ? Dans tous les hôpitaux de la planète, hier, des hommes en sarrau blanc luttaient pour sauver la vie à des malchanceux qui, eux, s'y accrochent. Des fous ?

« Dans quel trou m'avez-vous mis, mon Dieu ? » (Réjean Ducharme)

Soudain

Le vieux romancier (ou scénariste) est assailli par une idée. C'est fréquent. Tous mes collègues vous le diraient. Je venais de lire : « À la CIA, désormais, 17 000 agents sont affectés à la surveillance du territoire aux USA. » L'idée ? Un jeune Américain araboïde (originaire du Maroc ou du Yémen) est engagé dans le lot de flics. Espion, il devra fréquenter une mosquée (à New York ou à Los Angeles). Il infiltre. Il joue le nouveau converti farouche, le pieux. Se fait des amis. Finit par être vraiment très pieux et estime vraiment, franchement le code de l'islam. Ses nouveaux amis sont des kamikazes et un complot effroyable se trame. Il tombe d'accord. Il se taira face à ses chefs de la CIA. C'est l'attentat effrayant. Il fuit, s'exile. Disparaît à jamais.

Le grand manitou du FBI, Hoover, remue d'aise dans sa tombe. La chasse, c'est reparti depuis le 11 septembre 2001. Avec Edgar Hoover, il n'y avait pas de pègre aux États-Unis, il n'y avait que des socialistes vicieux et des communistes dangereux. Il était lié au sénateur obsédé McCarthy, chasseur de dissidents gauchistes partout. Le communisme a disparu, voici l'arabophobie. Tous suspects et flicaille partout. Vous voulez manifester contre le capitalisme mondialiste ? Vous êtes donc un dangereux dissident. Arrestation et la question. Torquemada toujours vivant. Inquisiteurs en tous genres, à vos matraques !

Juin file

Un felquiste devenu journaliste, Pierre Schneider, publie l'histoire de sa vieille vie. Révolte d'ado, bombes, arrestation, caution, vite fuir aux îles françaises — Saint-Pierre et Miquelon —, demande d'asile refusée, cachette au Maine pour voler vers Cuba, mais police américaine le ramène ici, procès et prison. Deviendra le serin d'un caïd au pénitencier. Sortie. Puis journalisme à sensation (sauce *Allô Police*), un deuxième père: le douteux criminaliste Daoust, puis l'alcool, la chute fatale, mariage raté, faillite personnelle, dérive funeste, cliniques de désintox et rejournalisme, il est enfin sauvé. Ouf!

En entrevue, dimanche, il a dit: «Mon père était anglophone.» Ah! Quelle sorte de père? Anglo, ce n'est rien. Agir (FLQ) pour faire mourir le père? Le célèbre mot de Malraux: «Il faut tuer son père.» Tous comprenaient qu'il fallait se défaire de l'héritage ancien pour avancer. Je lirai cette biographie. Son nom, avec ceux de ses camarades, je les avais mis (1967) en dédicace à *Pleure pas, Germaine*, secoué que j'étais par les premières bombes. J'avais mis en haut de la liste: «À ceux qui ont manqué de patience».

Le vent ne faiblit pas depuis des jours. La chaleur ne s'installe pas. Juin va s'en aller sans l'été promis, normal. Coup de fil, ma fille Éliane: «P'pa? Dimanche, on apporte la bouffe. Moi et Daniel on veut célébrer un brin la fête des Pères. À Sainte-Adèle, ça irait?» Bien sûr!

Raccrochant, fou, je me disais: «Oui, faut fêter Daniel et Marco, les pères formidables de mes cinq petits-fils.» Et puis je me réveille: c'est pour moi, non? Il n'y a pas de fête des grands-pères. Que fait le commerce si friand en jours fériés pour consommateurs à piéger?

[Jeudi 20 juin 2002]

L'urgence de vivre

Chaleur caniculaire. Fin de la série de jours pluvieux enfin. Sueur. Aile a acheté des livres ce midi. Je suis plongé dans *Le Tueur aveugle* depuis deux jours. L'amie Josée, un soir récent, à *La Moulerie,* quand je lui dis ma manie de la vitesse, ma peur de perdre du temps, mon angoisse ordinaire face aux jours qui filent, s'exclame: «Ah ça, c'est l'urgence de vivre, Claude.» Je lui dis: «Oui, c'est ça, c'est moi, ça. Ce serait bon comme titre pour mon journal en livre. Tu permets, Aile?» Elle rigole.

[Vendredi 21 juin 2002]

Antisémitisme

Ciel mat. Bon vent du sud-ouest. L'été débute. Vu *Amen* de Costa-Gavras. Nous en sommes sortis accablés. Humiliés. Nous tous, Blancs chrétiens muets pendant que les fours à gaz s'activaient en Allemagne et en Pologne. Et l'Odile Tremblay du *Devoir* de faire la moue devant ce film formidable. Quelle mondaine étripable! Devant pareil sujet, oser chipoter, criticailler sur des détails.

Nous avions regardé, la veille à T.Q., *Sursis pour l'orchestre*. Même sujet. Autres visions sur l'antisémitisme effroyable. La mesure (d'endurance) est comble. Nous ne pourrions plus en visionner un autre avant un certain temps. Je maudis ce racisme écœurant. Je ne voudrais pas être Allemand. Tache indélébile pour 1 000 générations à venir. Le pire ? Bien savoir que si le Québec avait été une grande puissance, un pion comptant dans le vaste concert des grandes nations… cette maladie horrible aurait pu s'y installer. Personne ne peut proclamer: « Nous, on aurait pas été comme ça. » C'est cela qui fait le plus mal.

Honte d'être des humains quand on découvre ce fatal racisme dans un pays qui a donné tant d'écrivains, de musiciens et de philosophes merveilleux.

Aile respire enfin

Mes deux enfants sont venus fêter « le vieux papa ». Avec des vivres. Et les breuvages. Et rien à faire pour Aile. Une sorte de pique-nique. Heureux moments. Cadeaux, jolies cartes, le rituel. Deux absents, David et Simon: les deux aînés. Études, travaux urgents, etc. Je détestais ces fêtes des grandes personnes, jeune. Les comprendre. Gabriel, le cadet de mon gendre Marco, doué, musicien, créatif, installé à la cave-atelier, modelait un poisson d'argile. Soudain: cris, appels! Le septième bébé-écureuil gigotait encore, tête ensanglantée, dans une trappe à souris! Frayeur des dames: Éliane, Lynn et Aile. Marco, brave, est allé donner la chose au rat musqué du rivage du lac. Depuis, fin des apparitions écureuillois! Aile respire d'aise. Elle n'en pouvait plus.

Bon petit gueuleton sur la terrasse en face du lac, aux *Délices de Provence.* Le chef Claude sait préparer la perchaude (pour Aile) et la bavette (pour bibi). Un voisin de 88 ans, jeune d'allure, M. Lupien. Arrivé ici en 1948. Je le questionne. Il m'aide à préparer mon petit discours de lundi à la Saint-Jean, où je veux raconter le village quand j'y vins une première fois en prof de céramique dans l'ex-écurie du *Chantecler*.

Caprices

On a réparé mon ordi, mais impossible de recevoir ou d'envoyer du courrier. Mystère. Panique. Je téléphone à Carole, la sœur de ma bru, qui est experte en ordinateurs. En deux gestes, elle m'a reconnecté toute la patente. Du chinois pour moi.

Jadis, aucune femme (pas une!) ne savait réparer une machine. Les temps changent! J'y pense.

La jet-set pourrie

Il y a six jours, revu à la télé de T. Q. (mort aux criss de pubs!), *La Haine*, un film étonnant. Trois désœuvrés dans une cité de Paris. Effets de l'émigration mal intégrée. Une police nerveuse. Une terrible bavure. De la révolte. Suite d'images (en noir et blanc) sur un rythme d'enfer. Meilleure connaissance de ces jeunes paumés chômeurs, ouverts à la violence, cet exutoire classique.

À *Campus* ce même soir, la régente Régine des cabarets parisiens, vantarde et revenue de tout à la fois. Jet-set d'un monde gâté pourri racontée dans son livre. Durant tentera de lui tirer les vers du nez, mais elle ne nommera pas les célébrités croisées dans ses boîtes de nuit. Allure d'une vieille tenancière de bordel moderne. À Montréal, elle fit patate. Pas assez de mondains riches? Un livre, *Hell* (américanophilie conne de Paris) narre l'histoire d'une Lolita. Allure d'une collégienne racontant des dérives juvéniles. Secrets des beaux quartiers, du côté du parc Monseau, du XVIe arrondissement, de la chic avenue Kléber. Souvenirs, elle a 19 ans, parle en adulte, vieillie précocement. De la graine de collégienne délurée. Bon pour vendre du papier ! Mode. Ça jase drogues, extazy et compagnie ! On raconte les drogués célèbres : le poète Michaux (mescaline), Cocteau et Malraux (opium), Sartre (médicaments-drogues). L'un des invités dira : « Kerouac s'inquiétait beaucoup de son copain toujours bourré, Burroughs, mais il est mort plus vieux que lui, à 80 ans ! »

On navigue de prozac (drogue douce répandue) en métadone. L'on fait allusion à Styron le célèbre, alcoolisé à 100 %. Durant remue, frétille, le sujet le titille. La littérature sous un portique dangereux !

L'État mafia!

Mercredi dernier, soleil enfin. La laitue respire dans les champs spongieux. Nos fleurs aussi. Je raccroche les corbeilles autour de la galerie. Au couchant, le lac en feu. Les chants d'oiseaux vont croissant. Calme. La cloche de l'église à trois rues sonne les six heures. Volupté d'un certain silence. On rêve, Aile et moi, allongés dans les transats, livres aux mains.

Ombres : je repense aux déclarations — voir le film brillant *Jeu d'enfants*, signé Prégent — pénibles des Frigon, des Crête (nouveau big boss). Un vice s'installe confortablement au pays, un succès énorme. Des enfants rêvent (ils le proclament en riant dans le film) de gagner gros sans effort aucun. Ils grattent. Plus tard, ils iront au casino. Ils disent leur grande hâte ! Lieu magique, qui sera agrandi et mieux installé entre le port et le pont Champlain. L'État mafieux ronfle. Installera une clinique pour soigner ses victimes. La farce ! La honte aussi.

Ma tondeuse ne me revient pas. On chercherait un morceau. Patience, le tondeur de verdure ! Ce matin, vu une balle perdue ! Par quel enfant peiné ? Salie au bord du trottoir. Je me suis souvenu de mes balles, enfant. Aile dit : « Ah oui, "sa" balle, si précieuse, "son" ballon, les chers trésors. » À huit ou neuf ans, sa belle balle aux couleurs vives, un trésor. Alors que je regardais *Jeu d'enfants*, les maudites pubs pleuvaient et cela me semblait logique, la suite des illusions que le film condamne. Jumeaux exécrables : pub et gratteux ! La fidèle dévote accrochée (publicité télévisée) aux annonces de Loto-Québec. Des enfants déjà accros. État racketteur ! État bandit !

God save the Queen ?

Téléphone la semaine dernière : c'est TVA, pour le 17 h. Anabelle, la recherchiste : « Vous êtes sans doute très contre la reine du Canada ? » Je ris. « Sûr et certain. » « On va tenter de trouver un — ou une — pro-monarchie et on vous enverra notre camion pour un débat. » Pas rappelé. Personne ne veut venir face aux caméras proclamer les bienfaits du colonialisme chéri des anglos d'ici. J'étais content, cette fois, de perdre le plantureux cachet. Pauvre Anabelle !

Téléphone encore pour un projet de ARTV. Série sur des artistes divers qui font de la peinture : *Tableaux*. Je suis sur la liste. Ils veulent venir faire une pré-entrevue dans ma cave-atelier, où je m'échine justement à pondre des aquarelles sur *La Petite Patrie*. Je dis qu'il y a notre Clémence bien-aimée, ils savaient. Qu'il y a Diane Dufresne… ils savent tout.

La peste!

Avec la belle et moderne tondeuse du voisin Maurice, jeudi, tonte du terrain. Elle fait du compost en roulant! Sueur du vieillard, attelé à sa machine grondeuse. Ça coule! Aile, fée divine, vient m'offrir de la bière d'épinette. Régalante. Somptueux goût de gomme de sapin!

Souvenir lointain de ce jus. J'aime toujours. Le matin, une photo du *Devoir* me ravit: *Les colonnes du cosmos.* Je la découpe, la punaise sur mon babillard du bureau. La beauté! Photo qui me console de mes efforts quand je relis *Brève histoire du temps* de Hawking.

J'ai déniché chez Tout outils, le brocanteur de la rue Valiquette, une cloche pour 10 piastres. Genre marine à gogo. Je l'ai vissée sur le quatre par quatre de la galerie, là ou fourmillent les fourmis. Aile cherche un machin tueur pour ces tites bébites. Je proteste. C'est tellement moins encombrant que les bébés écureuils! Désormais, avec cette vieille cloche à bateau, Aile pourra me sonner quand le souper sera servi et que je serai à flâner sur la berge. Bon pour un demi-sourd, ces sons sonnants! Dong, dong!

Autre bon film loué: *Le Tunnel*. Entreprise captivante de creuseurs de corridors sous le mur de Berlin avant 1989. Signature: Roland Suso Richler. Formidable courage. Basé sur des faits véridiques, dit le générique. Un des conjurés en tunnel interdit, Éric, serait devenu prof à Montréal! Ce film nous hantera longtemps.

Le foot envahit les médias. Je n'y connais rien. Le 30 juin, *E finita la comedia*! Patriotisme échevelé — Italie, Angleterre, etc. — proche du fanatisme. Ma froideur à l'égard des sports me coupe des autres. Jeune, pas fou du hockey, j'avais ce sentiment un peu accablant de ne pas appartenir au monde normal. On s'y fait.

Samedi matin dernier, tomate rongée sur le comptoir de cuisine. Aile enrage: «Cloclo, va vite chercher la cage à Maurice. Il y en a encore. Eh merde!» Pauvre Aile.

Censure

Dimanche matin, à la radio de Radio-Canada, des propos étonnants. On n'est pas en 1838, mais en 1967! On révèle la folle nervosité de nos colonisés face à De Gaulle au Québec. La censure. Les inquiétudes ravageuses. S'il fallait… Jean Drapeau en petit et minable despote chiant dans sa culotte: «Vite! Cacher le microphone du balcon. Il ne faut pas que le président de la France s'adresse à la foule…» Etc. On n'en croit pas ses oreilles! Un familier du général raconte ce qu'il sait. Il était là, dans le hall à Drapeau le chieux, le pisseux, il a vu la méfiance, les entourloupettes, les cachettes. On est en 1967 et les dirigeants municipaux se conduisent comme des valets timides face aux anglos, qu'il ne faut pas faire fâcher. Une honte! C'est ce genre d'émissions du réseau français de la SRC que détestaient tant le PET Trudeau et ses sbires (Lalonde, Goyer et Cie). Édifiante émission. Déterrons sans cesse de telles précieuses et instructives archives sonores, c'est salutaire. Nous prenons ainsi la vraie mesure des petits potentats fédérastes du temps récent. Des pleutres. Des mauviettes. Des colonisés cons, Drapeau et sa ligue.

Jean Dupire (connu au Service des Parcs), devenu son chef de cabinet, qui me disait un jour: «Tu verras, Drapeau finira par tous nous gagner. Regarde, mon Claude, il n'y a que deux affiches de bronze devant l'entrée, rue Notre-Dame, et c'est en français seulement. Tu vois, tu vois ?» Quand ça se voyait pas trop, l'ex-nationaliste de 1942, du Bloc populaire, Drapeau, osait… des vétilles !

Bof!

Livres élus — listes de *La Presse* — .Le lectorat devait faire sa liste des auteurs importants. Suis pas là, zut ! Rimbaud non plus ! S'en consolera-t-il, le Arthur ? Bof, jouons les forts. N'empêche… mes lecteurs ne se sont pas grouillés le diable ! C'est pas juste ! Justice pour Stanley Pean ? Il vient de démissionner de sa chronique — bien faite — sur les parutions fraîches. Il aurait osé critiquer le tout récent *Ouf!* de Denise Bombardier, et sa boss, Miss Lepage, serait mécontente, le soupçonnant même de misogynie ! Plus grave, il aurait laissé entendre qu'avec la chaîne — très subventionnée par nous tous — Renaud-Bray, on peut acheter les annonces de leur catalogue. Etc. On n'a pas pu lire l'article. Ce fut : « Ou vous changez votre papier ou vous prenez congé. » Le Péan, pas plus paon qu'un autre, a tiré sa révérence. Dommage, il avait du jus comme chroniqueur. Pas facile à trouver, le bon successeur. Moi ? J'ai pas le temps.

Qui est le populaire Beauchemin ? « Un écrivain de divertissement », dit un libraire. Aïe ! « Comme Pagnol, comme Félix Leclerc », ajoute le cuistre. Le libraire Moffat, lui, vante un de ses poulains qui bosse chez Flammarion.

J'ai fini par prendre du plaisir avec ce roman *Le Tueur aveugle*, grosse brique de Margaret Atwood. Hâte de me replonger dans ce récit à charnières. Grand plaisir aussi à farfouiller dans *Les Mots sauvages* (Larousse), un dictionnaire étonnant par Maurice Rheims (académicien pas frileux du tout) qui nous fait lire des mots rares, des inventions langagières, des néologismes d'une saveur stimulante. Du cru. Les Queneau, Céline, Audiberti font montre d'imagination. Un livre tout à fait pour moi.

Papa serait heureux

Son très cher *padre* Pio est devenu un saint officiel. Il me parlait si souvent de ce modeste curé qui avait des dons — de bilocation par exemple —, des stigmates, et qui faisait des miracles. L'Église de Rome se méfiait de ce thaumaturge aimé des populations pauvres. Du temps passe et le voilà sanctifié. Je revois mon père. Il n'aimait que la religion des phénomènes, que le Jésus bravant la mort de Lazare.

Pas de miracle salvateur pour ces gamins exilés d'Albanie qui se vendent. Marchandise en marché. Comment survivre en Italie ? Ailleurs aussi. Prostitution. Pire encore : organes neufs, rares, bons, pas trop chers ! Infamie des infamies. La pédophilie s'active, venant en aide à ces orphelins abandonnés du sort. On les achète, on les débarbouille un peu, on les installe sur des trains et… en route pour les marchés intéressés en Europe. De l'Est comme de l'Ouest ! Tchou ! Tchou ! le train de l'Est… Tchou ! Tchou ! *All aboard*, Albanie ! On parle de train de la honte en voyant ces hordes de gamins voyageant vers des exils prometteurs. Exploitation garantie.

Je pense à Vanessa Redgrave osant jouer la chanteuse défigurée dans un camp nazi. L'horreur. Dents jaunes, cheveux rasés, boutons rouges, etc. Courageuse comédienne et excellente actrice. Ce film, *Sursis pour l'orchestre* (*Playing for time*, de Mann) me hante. Je me serais suicidé de honte et de désespoir au lendemain des révélations de tous ces Allemands silencieux de 1939 à 1945. Ou je me serais exilé à jamais. Pauvre, pauvre Allemagne… Je repense au roman *Le Liseur*, cet excellent ouvrage où une ex-gardienne de prison nazie se suicide, n'en pouvant plus de se souvenir.

[Samedi 22 juin 2002]

Nature au garde-à-vous!

Pour nous réveiller plus tôt, nous laissons les stores pas mal ouverts désormais. Ainsi je vois tout le paysage de l'ouest en me réveillant. Ce matin, vue bizarre, impression d'immuabilité. Aucun vent, pas la moindre brise. Les sapins droits debout, les feuillus aussi comme en arrêt de vie. Hautes épinettes si droites. Et le silence total. Pas un son même des oiseaux? Ils grassematinent? L'amour et la tendresse. Caresses ailées. Remuement conjugal autorisé — toléré — par toutes les églises, même si on n'est pas mariés! Aile, légère, chantonnant, ira au lavabo la première. Je roupille, heureux. Ouvre et ferme le regard. Atmosphère un peu surréaliste derrière la moustiquaire des deux larges fenêtres sur le lac. Garde-à-vous, nature! La fin du monde sans prévenir personne? Enfin, rompez: une toute petite brise agite mon drapeau bleu et blanc. Ça vient du nord-ouest. Ciel couvert. Humidité comme hier, je la sens.

L'existence des créateurs est tissée d'attente. Qu'est-ce que ça doit être pour les pas connus, Seigneur ! Ainsi, un projet de série télé — « Un retraité tranquille se fait happer dans un cortège de trafiquants véreux » — fut déposé chez l'héritière de Claude Héroux (retraité, lui). Pas un signe. La politesse ? Le monde des affaires ne connaît pas ce terme. Même projet déposé plus tard chez Fabienne Larouche. Silence après un mot gentil : « Merci de l'envoi. Je vais lire cela, Claude, et je vous reviendrai. » Air connu que ce « Je te reviens là-dessus ». À TVA, Chamberland (parti depuis), recevait un projet : « Vie dans une station de radio commerciale ». J'étais à CJMS. « Bonne idée. Je te reviens... » Aux archives de la Bibliothèque nationale : « Avez-vous dans vos cartons des romans abandonnés, des avortés ? » Moi : « Oui, beaucoup ! » Eux : « Ah, parfait, excellent ! » Étonnant, non ?

Facal se l'ouvre et le chef des cuisines péquistes, Bernard, n'est pas content. « Assez de sucer les classes moyennes », dit Joseph. Les travailleurs, cols bleus, blancs, rouges, se font piquer leurs sous mécaniquement, n'ont pas de conseillers fiscaux, eux.

Des courriels me stimulent. Mon Marco gendre avait donc raison, ils me disent : « On découvre vos romans, on vous lit. » Le journal m'apporte donc de nouveaux amateurs de mes proses diverses. Chaud au cœur.

Hier, un écolo crache sur le monde, la foule, les masses. Il craint que le beau parc naturaliste qui va recevoir le Groupe des 8 se détériore avec les améliorations apportées. « Il y aura davantage de gens ici. » Ces purs détestent le peuple ? Souvenir : il n'y avait pas de parc Paul-Sauvé à Oka. Nous y allions avec une clé clandestine. Gros cadenas des Sulpiciens dans le temps. Maintenant la foule. Les écolos n'aiment pas le monde !

Gœthe et Hitler

Mort d'Alfred Tramta, dessinateur exilé du Luxembourg. Il était une sorte de dépanneur en décors pour nous tous, les scénographes et longtemps, avec un acolyte, Jean Dion. Des petits jobs plates. Adieu l'indispensable Tramta pour les émissions de tables et chaises. Paix à tes cendres, Alfred ! Il était modeste, souriant sans cesse, zélé, poli, se pliant à mille contraintes quand il fallait subitement arranger un studio pour un invité de marque venu — de très loin parfois — et qu'on n'attendait pas à Montréal.

Avec *Sursis pour l'orchestre* et *Amen*, j'en était venu à détester les Allemands, toutes générations confondues. Stop ! Ce matin, bonheur en Allemagne. Au foot, le pays de Gœthe vient d'écraser les USA, en Corée du Sud. Photos de jeunes sportifs germains et allures d'un monde tout à fait normal. Ne pas oublier, ces footballeurs n'étaient pas nés quand les vieux se nazifiaient en vitesse, saluant bien bas Hitler, qui les protégeait des dangereux communistes.

La vie fonce, mais comment oublier un jour l'inoubliable ?

Un loustic

Regrette la parade familiale de la Saint-Jean. On fait cela le soir désormais. Fini les enfants réjouis de jadis.

La technologie préfère la nuit pour faire luire ses effets visuels lumineux. Signe affligeant des temps présents. Omnipotence de la technologie. Hélas ? Cette année, pire, ce sera comme un long commercial, des plogues pour publiciser nos différents festivals, manne à touristes hiver comme été. Regrettable démarche. Souvenir en 1968, un Pierre Garneau m'enrégimentait, avec d'autres scénographes, pour un premier essai de défilé de nuit (1968?). Ce fut un grand flop. Nous avions pondu des chars modernes avec beaucoup de plastique translucide, de l'aluminium découpé, des formes avant-gardistes. Mais le défilé populaire du 24 juin, c'est la foule, des fanfares tonitruantes, des bouffons au soleil du bon Dieu, des chars aux messages clairs et nets. De la candeur, quoi ! À la SSJB, des prétentieux, marchands, courroie docile des festivaleurs subventionnés, promoteurs de bébelles flashy, se trompent.

À entendre des grognons, il faudrait changer le peuple. « Nation nigaude », disait le drogué et névrosé fils à maman, Charles Baudelaire, un surdoué en poésie. Ainsi le peuple n'aime pas les livres ? L'État des bourgeois (Diane Lemieux, Louise Beaudoin) va y voir : « Vous allez aimer ça, la culture, ou bin on va dire pourquoi ! » On fait payer le peuple gnochon, de force. Veut, veut pas. Des millions entretiennent artificiellement les arts et font aussi rouler les machines à déchiqueter les livres subventionnés vainement. Belle démocratie ! Ah oui, si on pouvait changer de peuple, hein, les parasites subventionnés ?

Le chien et le loup

C'est quoi, un esprit libre ? Celui qui peut écrire librement ce qu'il veut. Faisons un pari : je donnerais 1 000 ou 10 000 dollars à un Mario Roy ou à un André Pratte s'il osait publier dans *La Presse* : « Il nous faut un pays indépendant. Nous sommes une nation, nous devons avoir un seul gouvernement. » Si je veux, moi, je pourrais publier une défense de l'état fédéral centralisateur. Si je le décidais, je pourrais le faire. Je suis un esprit libre. C'est cela exactement : pouvoir exprimer ce que l'on veut librement. Les politiciens ne sont pas des esprits libres. Il y a la fatale ligne du parti. Les esprits libres sont rares et, jalousie, sont très détestés par les enchaînés de tout acabit. La Fontaine : « Chien, dit le loup, c'est quoi, là, à votre cou, ce collier… »

La fille de Félix, Nathalie, voit à perpétuer la mémoire du papa magnifique. On va inaugurer un musée à l'île d'Orléans, le 24 juin. La fille de Riopelle, Yseult, s'y emploie aussi. Et ma fille ? Fera-t-elle quelque chose, moi mort ? Je veux un oratoire, une nef imposante, un mausolée remarquable, je veux un monument monumental, rue Bélanger, angle Saint-Denis, là où l'on jouait à la tag, à la cachette, aux cow-boys, à se moquer du buandier chinois, le guenillou « plein de poux les oreilles plein d'poil », le maraîcher et le marchand de glace. Là où je faisais le cheval de coton avec Tit-Gilles pour les cinéphiles du *Château* et du *Rivoli*. Une statue : celle d'un gamin qui rit, avec, à ses pieds, un bilboquet.

«Nous, le peuple...»

Comme dit la Constitution des révoltés de 1776 à Philadelphie — avons payé 2 600 000 $ pour acheter des tableaux de Riopelle. Au musée, à Québec, sur les plaines de la Défaite, il y en avait 70. Il y en a 270 maintenant. Idem au Musée de Montréal. «Vous êtes mieux d'aimer ça, du Riopelle, on bien on va y voir!» La culture imposée de force. Les élites veulent votre bien. Cela dit, je tiens *Pavane* (triptyque) ou *La Roue* pour des ouvrages de génie, du génie des couleurs, Riopelle.

Sacha Guitry disait: «On devrait remercier ce grand despote, Louis XIV, au fond, il nous a mis notre argent de côté. Versailles rapporte encore — et beaucoup — à l'État!»

Remercions aussi l'État gangster: Loto ceci et Loto cela rapportent beaucoup.

À cette fête pour le cinquantième anniversaire de *La Roulotte,* à une relationniste, je dis: «Deux anciens de *La Roulotte,* Luc Durand et Jean-Louis Millette, vont venir. Je les ai contactés.» Elle sourit et passent alors, au-dessus de nos têtes, deux mouettes! «Vous parlez au Diable, vous!» Moi: «Non, au bon Dieu.»

[Mardi 25 juin 2002]

Adieu

La fête nationale! Grisaille au firmament. «Si on allait pédaler un p'tit brin?» Aile: «Non, Clo. Pas de vélo ce matin, trop sale ciel!» Connaissant son cochon d'artiste, et sortant de ses ablutions — que c'est long la femme au lavabo du matin —, elle fait couler un bain souvent. Pour me faire taire, elle y jette de cette mousse rendant l'eau bleue avec des nuages de cream puff. Je me sens une gogoune. J'y pataugerai content, malgré mes grimaces face à son manège. Hérédité? Mon père détestait l'eau et le savon lui aussi. Fils de paysan? Ma Germaine de mère criait après lui: «L'eau ne mange personne, ni le savon, habitant crotté.»

Deux jours de fête tombés dans… «l'abîme du rêve» (Nelligan). Visite du Groupe des 7, dimanche. Homard. Quinze tomates la bête au moins! Aile: «Une fois par année! C'est 30 au restaurant!» Josée, sa chère ex-scripte de la SRC, devenue fidèle amie, est venue l'aider samedi. Ça revolait dans la cabane et je me tenais sage. Il y a longtemps que c'est: « Toi, mon Cloclo, je te demande juste d'animer nos invités. T'es excellent là-dedans. Ne te mêle pas de la cuisine! » Compris. J'en profite. Je joue l'amphitryon zélé et efficace.

Ils arrivent, descente groupale au rivage. Belles couleurs vives, toujours, quand le temps est gris. Jasettes: potins et nouvelles. Mimi en vacances de son job et pour longtemps. Retraitée précoce, pétante de vie. Elle a été fêté, l'avant-veille, à son collège abandonné Marie-Victorin. Qu'elle aimait, qu'elle aimera toujours, dit-elle. Songe à vraiment peindre. Un vieux rêve enfin praticable. Josée, elle, contente d'enfin toucher du fric après le maudit lock out de la SRC.

L'ex-Cynique André Dubois observe le rivage et tourmente sa Michèle: « On devrait s'acheter un spot dans les Laurentides. » Sa belle Mimi: « Non, merci! Trop d'ouvrage. » Cancans. Méchants et gentils. La pluie nous arrose. On remonte en vitesse sur la véranda. Rires et souvenirs de vacances en groupe de jadis. La pluie plus forte à un moment donné. Avec du vent. Rentrée en catastrophe au salon. Le repas parfait d'Aile. Un peu trop de vin… blanc, rosé, rouge.

Au dessert, bavardage de quatre femmes. À l'unisson: Les mères… pas fameuses. Manque d'amour. Blessures diverses. Mineures et majeures. Freud, caché, écoutait le lamento des filles pas assez aimées! André et moi, muets. Puis, je dis, pas fort: « Moi, ma maman m'aimait! » André opine du bonnet. Les mères aimaient davantage leurs garçons? Ça se peut-ti, ça? Silence là-dessus. Il y a des yeux mouillés. Ah, « l'enfance, cicatrice jamais refermée », disait la grande Colette.

Trois du groupe partent marcher jusqu'au joli parc de la rue Chantecler. Les restés au salon, nous décidons de tout éteindre dans la chaumière et de mimer le sommeil. Je monte me coucher, Josée aussi — elle a sa chambre chez nous —, Mimi s'étend sur le divan. Le noir total. Rires quand les autres reviendront enfin. Un beau dimanche.

Je n'y tenais pas, mais André (producteur) me reparle, rageusement, de notre échec pour la vente d'une série avec moi en prof vulgarisateur des peintres d'ici. Le refus par ARTV, Canal D et Historia de notre démo avec Cornélius Krieghoff. Il voudrait approcher Télé-Québec et me dit: «On fera un nouveau pilote, en septembre, avec ton cher Marc-Aurèle Fortin.» C'est ça, un ami! Je lui disais avoir préparé une belle émission sur Fortin, avec les reproductions et tout.

Sermon sur la montagne

Hier après-midi, petit speech du romancier adélois sous une des tentes — ex-site de l'ex-hôtel *Monclair*. Une cinquantaine de curieux. J'ai narré mes quatre ou cinq Sainte-Adèle. D'abord, j'ai raconté les mensonges affreux de mon père sur les Laurentides. Devenus des ados, nous lui demandions de vendre Pointe-Calumet pour un chalet dans le nord. Papa noircissait les lieux: innombrables mouches noires, rochers dangereux, eaux profondes, pas de plage de sable, le froid dès le crépuscule, les bêtes sauvages rôdant partout…

Puis j'ai raconté la découverte du Nord réel à mes 16 ans avec le club de skieurs du collège Grasset. Ensuite, le Sainte-Adèle du temps du Centre d'arts de

Pauline Rochon, du premier théâtre d'été, de l'ex-écurie du *Chantecler* où j'avais tenté de tenir atelier de potier; enfin, le Sainte-Adèle des années 80, notre installation rue Morin, la rédaction de mon premier polar *Le Crucifié du Sommet bleu*, puis *Contes du Sommet bleu*, etc.

On m'a dit avoir aimé mes anecdotes. Nous retournions parmi les ballons, la musique et les enfants maquillés pour le souper aux brochettes, rencontres variées. Un monsieur, sosie de l'acteur Claude Blanchard, nous raconte longuement le temps des prises de vues pour *Les Belles Histoires des pays d'en haut*. Il y faisait de la figuration. Nous révèle des accidents de tournage fort cocasses. Secrets sur Paul Dupuis (Arthur Buies), le gros curé Labelle (Desmarteaux), Alexis, Ducharme et cie. Son père fut un pionnier du lieu, du côté de la rivière aux Mulets. Captivants souvenirs. Il m'a promis des photos «antiques», tout un album.

En rentrant, nous croisons une petite famille. M. Côté m'arrête: «Je vous écoutais à CJMS avec Arcand. Vos anecdotes du matin, j'en riais. Que de bons souvenirs. Cette ancienne blonde de vos 10 ans, rencontrée avec vos petits-fils, devenue une armoire à glace avec moustache!» M. Côté en riait encore. «Vos petits-fils criant après son départ: "Ouasch! Papi, c'était ça, ta première blonde?"» Sa femme rit avec lui. Le gamin sourit de voir tant rire son père. Puis: «Je me souviendrai toujours de votre conte de Noël, à CKAC, l'an dernier. De ce pauvre Ovila, son taudis à Ville Jacques-Cartier. Un fameux conte.»

Parfois, on s'interroge: Ça sert à quoi nos bavardages ici et là? Et voilà que j'avais devant moi un des invisibles de la radio encore content de ses auditions. Requinqué le bonhomme, je vous le jure. Aile étonnée et contente aussi.

Dimanche matin, fléchettes éparpillées, lignes noires furtives barrant mes fenêtres. Elles filent. Si vives, elles traversent — fusées minuscules — l'espace. Fuite éperdue ?

Revenant de chercher journaux et cigarettes, je vois une femme rentrer chez elle en tenant un gros et très long chat par les pattes de devant. J'ai revu ce gros collet fourré que portait ma mère autour du cou le dimanche pour être chic and swell à la messe ! Rue Morin, vision nette de ce vieux collet vivant… renard argenté? — avec ce matou gras qui se laisse faire.

Rat musqué et téléscope

Je tente de gonfler de vieux matelas de plage. Je pédale sur une pompe de caoutchouc, en vain. C'est fini, mité, ruiné. J'abandonne ! Je vais me baigner avec un de ces spaghettis de mousse. Le gras rat musqué s'amène, toujours effrontément. Je n'existe pas. Il a la gueule pleine de branchettes feuillues (du saule) et disparaît sous notre quai-radeau. Un nid ?

Le soir, je sors le téléscope acheté cet hiver du beau-frère Albert. Josée et moi, nous tentons de capter une étoile solitaire au nord-ouest. En vain. Il faudra donc que je lise le… manuel ? Tripotage de lentilles et hourra, on l'a ? On voit la carapace de cette étoile, croit-on. C'est comme pour l'astronaute marchant sur la Lune : texture de gruyère. Quand on vise le restaurant de l'hôtel d'en face, les mêmes cratères. Déception des astronomes ! Rentrons ! Les chauves-souris vont sortir.

Hier soir, fête extérieure, des boum, crac, boum… Ma chanson préférée à la télé, la formidable *Labrador* de Claude Dubois, bien envoyée par son auteur. Dehors, plus fort, crac, crac, boum ! Je hausse le son. Cette chanson m'émeut. Sa petite musique de guitare sèche m'envoûte. Il est question de glace, de nord, du frère isolé, perdu de solitude, du père et de ses chiens, d'enfants qui ont besoin de chaleur… En surimpression, évocation touchante, images de Riopelle, si vieilli, puis tout jeune ensuite, des oies, des glaciers pour illustrer la nature qu'il aimait tant.

Dehors : pif, paf, pouf! Les feux de nos artificiers bénévoles. Ça commence, mais je sortirai quand Dubois — devant 200 000 fans du parc Maisonneuve — aura terminé.

Nous sortons. Aile, invitée à descendre le grand escalier, reste sur la galerie. Je descends seul au bord de l'eau. Herbe mouillée, sandales trempées. L'eau du lac multiplie les effets d'or, de rouge, d'argent et de citron, les collines décuplent les éclats. Ça grouille dans les bosquets de myric baumier. Loups-garous, elfes, satyres ?

Au ciel, toujours les mêmes étoiles, les mêmes éclats, les mêmes queues de comètes sifflantes, pétards, baguettes magiques, mêmes paons dispersés, mêmes chevelures de fées, mais, enfant éternel, on admire, la bouche ouverte.

Revenus au salon, c'est la fougueuse vieille Nanette Workman. Louisianaise intégrée à nous, et une jolie, très jeune Haïtienne, talentueuse, Mélanie Renaud. En chorus, un cantique laïque inoubliable : « Je vous entends jaser sur les perrons… ces portes… piailleries d'école… » Fameux moment.

La frousse

Dans le dernier numéro de *L'Action nationale*, une tendance à dénigrer la langue populaire des nôtres. Des puristes s'énervent. Réactionnaires, nostalgiques, froussards. Une langue peut survivre à beaucoup de coups, de chocs, Dieu merci ! Le jeune prof d'université, Larose, le vieux pédant élitiste, J.-M. Léger, ils imaginent un sombre complot masochiste, de la complaisance à parler mal. Des linguistes — trop laxistes — veulent notre mort langagière, complotent pour l'agonie du français ici, son étranglement. Salut à vous, paranos !

Cette névrose dure depuis les campagnes de 1930 en faveur du bon perler. On fesse sur des effets — notre langue bin maganée — en ignorant les causes. Un vieux débat futile. Feu Georges Dor adoptait, hélas, le camp des Pinsons et abandonnait le camp des Moénaux. Snobisme : les instruits lèvent le nez sur des inventions (syntaxiques parfois, il est vrai) d'un peuple dominé, diminué, infériorisé, moqué, bafoué, en un mot colonisé depuis longtemps. La prolétarisation totale des nôtres — arrivant en ville avec l'industrialisation galopante — est la cause de ces effets, de cette langue si maganée. Point final.

Envie de rétorquer, mais *L'Action* accepterait-elle mon point de vue ? J'en doute tant on accorde de pages à ces fines bouches, à ces nez délicats qui font fi de notre histoire.

Trop tard

On me la ramenait encore: «Pourquoi tant désirer inscrire tes jours en ce journal?» Répondre encore: je sens, je sais le temps qui passe, qu'il ne m'en reste pas tellement. Je ne peux plus construire un gros ouvrage. Mon rêve de jeunesse: une sculpture d'extérieur plus forte que du Henry Moore. Trop tard. Sans être désespéré, me dépêcher d'inscrire des marques, mes mains chaque jour, ou presque, sur des murs de grottes modestes. Mettre ma griffe sur des éphémérides juste par plaisir, espérer de petits plaisirs chez ceux qui me lisent.

Un hebdo régional, *Accès*, surprend souvent. Une Frédérique David — un Nadeau aussi, un Desjardins — y cogne très dur sur la corruption des favoris des régimes en place. Rare vent frais dans ce monde des hebdos qui sont le plus souvent des encarts de publicité locale. *Accès* offre même de l'espace au prof Lauzon de l'UQAM, ce merveilleux don quichotte antiexploiteurs.

À bas les privilèges

Cinq cents millions de dollars pour deux petits jours de palabres dans les Rocheuses. Pourquoi pas un tel caucus — de 48 heures — dans un grand hôtel bien organisé du centre-ville à Toronto ou à Vancouver, à Montréal ou à Halifax? Sans ces bataclans ruineurs, soldatesque déployée, Gendarmerie royale partout et barrages multiples. Sordide entreprise, gaspillage effarant pour discuter de la pauvreté en Afrique! On se moque des gens.

Polar oublié

Vu un documentaire étonnant sur Salamanque, ville universitaire fameuse. Place publique régénérée, fêtes commémoratives à l'espagnole, joyeuses. Des fous du roi partout dans les rues. Ce fut un centre du monde du temps qu'il y avait trois universités : Sorbonne, Bologna et Salamanque. Bibliothèque étonnante. Architecture de toute beauté. Échanges d'étudiants de toute l'Europe et d'ailleurs aussi. Jadis une capitale européenne comme Bruges en Belgique. Quand je vois des films de cette sorte, il me prend des envies de tout vendre et de partir à l'aventure avec Aile.

Petite panique

Tantôt, un coup de fil de Francine Ladouceur. Ne lui ai pas dit que je suis insatisfait de mes premiers barbouillages, faut pas énerver le bénévolat. Dieux des peinturlureurs, descendez sur moi !

Destins

Une question l'autre jour : Que devient donc X, ex-vedette de télé un temps ? Réponse : « Il joue au bridge. » Pour un autre, j'entendrai : « Il ne pense plus qu'à la pêche. » Pour un autre encore : « Le golf est devenu son unique passion ! » « Destin — chantait le cher Tino Rossi à maman — lorsque ta main frappe à ma porte, destin ! »

À 18 heures, mon éditeur trois-pistolien jasera à ARTV. J'irai le regarder. Demain, l'équipe de ARTV sera ici. Ils viennent pré-voir l'écrivain qui barbouille. Le journal tenu? Rien, on n'en parlera pas. Pas assez visuel, c'est ça? Désormais, l'image primera, partout, toujours, que des images et un grand silence, ou bien des commentaires chétifs, brefs. Le philosophe et prophète Yvon Deschamps: «On veut pas le savoir, on veut l'voir!»

«Encore un peu de temps et vous me verrez, encore un peu de temps et vous ne me verrez plus.» Juin s'en va. J'écris mon journal.

[27 JUIN 2002]

Nervosité

MATIN BRILLANT, sommes donc allés à vélo. Chemin plus beau : des fleurs sauvages partout. Je guette mes balises : la talle de pins, la talle de sapins, celle de mélèzes — près de Val-David —, celle de bouleaux — près de Val-Morin. Ce chemin donc archiconnu du pédaleur, je ne m'en lasse pas.

Au retour, achat de papier à aquarelle, puis achat de fleurs et de terre chez Guy Théoret, qui me taquine encore car, hier, j'ai fabriqué une sorte de petit tertre pour délimiter joliment le parking d'ici. Au travail donc : planter des pétunias… Facile ! Annonce d'orages : je sors du plastique, deux piquets, de la corde et j'installe, vite, vite, une sorte de tente pour ne pas que se déracinent mes jeunes plantes.

J'hésitais tantôt : monter à mon journal ou descendre à l'atelier et trouver des illustrations lapetitepatriesques. Légère nervosité. Le 31, fin de juin et envoi pour saisie aux Trois-Pistoles de ce journal. « Du calme, Cloclo. » Je me dis que juillet et août seront consacrés à mes aquarelles.

Hier, la visite des envoyés de ARTV. Le recherchiste vient du Saguenay, le réalisateur habite rue Des Carrières, dans la Petite Patrie. Il me dit, goguenard : « Un jour, un jeune vous dira : "Bonne idée d'avoir pris le nom d'un quartier pour votre fameux récit d'enfance." » On a ri. Il a raison. Certains jeunes croient que Champlain n'est qu'un nom de pont. Retour avec kodak et micro le 5 juillet. Francine Ladouceur me recontacte : « Ça marche, le riche naturiste Brunet accepte de nous aider et petit signal d'intérêt chez René Angélil, espoir aussi de subvention pour les Jean Coutu, Jean Campeau, *Saint-Hubert BBQ*, etc. » Je lui rappelle de contacter Curzi, le président de l'UDA, Franco Nuovo et le caricaturiste Chapleau pour ses promotions. Cette Francine se démène. Elle le veut son centre culturel, me vante encore sa rue Liège. Une dynamo. Je lui dis : « Je me jette dans mes illustrations tout l'été. Prévoyez un encadreur-souteneur. » Elle a ça, me dit-elle.

J'ai dit me retenir souvent de commenter les nouvelles du jour, mais j'en peux plus cette fois et j'y fonce.

A) On sait que la célèbre reporter Oriana Fallaci a publié une terrible charge — *La Rage et l'Orgueil* (traduit, un million d'exemplaires vendus) farouchement antimusulmane, cela après le 11 septembre. Eh bien, la voilà poursuivie par des mouvements antiracistes. « Semeuse de haine raciale », gueulent les protestataires. On veut faire interdire la diffusion du livre. Ce qui serait bien mieux : un livre pour se porter à la défense des musulmans, contredire l'auteure contestée. Moi, les censures…

B) Foglia cogne sur son collègue Nuovo, avançant que Franco a frappé le premier et qu'il s'était mépris sur le fond de sa chronique à lui. Ce matin, mon brillant Rital surdoué de *La Presse* le classe : « Nuovo, un nul ! » Je n'en reviens pas. Impossible, critique d'art à *La Presse*, de m'imaginer classant un autre critique, disons Laurent Lamy du *Devoir*, comme un nul. Il faut du toupet. Foglia en W. Bush ! « Lalalalalaire ! C'est moi le meilleur, le plusse bon. Je vais vous dire, moi, ce que valent mes collègues ! »

C) Falardeau, pas du tout languedeboisé, cogne sur le prochain défilé du premier juillet, appuie Bégin et le MNLQ, où l'on se propose de manifester durant la parade des fédérats, très subventionnée — 20 000 $ sur un budget de 30 000 $ — par les dilueurs patentés, Ottawa. Mon avis : Tout le monde, même les fédérastes, a le droit de marcher dans nos rues. Or, on parle de 40 chars symboliques de la rue Peel au Dominion Square — tiens, jamais dans l'Est ? de 25 fanfares et aussi de 20 groupes d'artistes « ethniques ». Cela m'attriste. On va donc encore se servir des émigrants — qui acceptent les tatas — pour illustrer le pays multimachin. Ces communautés — autoghettoïsées ? — ethniques devraient refuser de servir de caution morale aux négateurs de notre nation. C'est un piège sordide qui nuira aux émigrants québécois tôt ou tard. En passant, le cinéaste Falardeau dit à Lamia Gritli, de *La Presse* : « Je manifesterais avec Jean Charest s'il devenait indépendantiste. » J'ai dit longtemps la même chose. C'est après l'indépendance que l'on pourra se diviser normalement, gauche, droite, centre. Pas avant ! Aussi je condamne les énervés, manière Paul Cliche dans Mercier, qui fessent sur le seul parti — et gouvernement — indépendantiste.

Les cons. Sur le Plateau, la chapelle des impatients incurables, incapables de stratégie intelligente, a fait cadeau à nos adversaires d'une députée fédérate de plus à Québec. Point final.

D) Bonheur : Pierre Delage et Gaétan Tremblay mettent le nez de Pratte (Pinocchio menteur de *La Presse*) dans son pipi. Pratte vient de publier (pour illustrer et défendre sa liberté éditoriale) : « Principe à *La Presse* : voir à la prospérité du Québec au sein d'une confédération canadienne moderne et souple ». Pauvre coco ! Tu vas l'attendre jusqu'à la Saint-Glinglin, quand les poules auront des dents. Bref, il a montré sa patte blanche à celui qui le nourrit. Delage lui dit qu'il n'est plus crédible puisque les souverainistes ne comptent pas rue Saint-Jacques. Bang ! Tremblay, lui : « 58% des francophones (ils lisent le journal de Pratte, Roy et cie) sont discrédités ! Il n'y a pas d'éthique chez les proprios des grands conglomérats (voir Canwest où critiquer Chréchien est interdit). » Que j'aime les tribunes libres.

E) Ce matin, un sociologue de Laval, Lux, se porte à la défense du Pie XII. Le film *Amen* est mal fait, selon lui, mensonger, trompeur. Costa-Gavras reste tendancieusement silencieux sur les efforts du Pie — hélas pas assez pie bavarde face à l'horreur hitlérienne. Ce mondain Pie, de très noble extraction, ex-ambassadeur du Vatican en Allemagne, où, hélas, il fit s'abolir le grand parti politique catholique de centre-gauche. Le pontife aurait dû crier, fuir à New York, Londres ou Montréal, s'offrir sur l'autel de la vérité, révéler l'indicible massacre qu'il connaissait des Israélites de l'Europe.

Ce pieux Lux de Laval juge un simple film de 90 minutes. Qui n'est pas parfait, c'est certain. Il y a eu d'autres documents. Il y en aura encore. Mossieu Lux sera-t-il fait chevalier de Malte ou du Saint-Sépulcre ? Sa charge anti-Costa-Gavras, anti-*Amen*, pour redorer un misérable piètre successeur — vicaire — du Christ ne contribue en rien à la polémique en cours depuis des décennies. Des archives restent bloquées aux chercheurs, aujourd'hui même, dans les caves du Vatican. Rien à cacher ?

F) La Lysiane G. de Gesca-Power et cie menace Mario Dumont de l'associer au duplessisme. Elle le veut plus franc fédéraste. Sinon, gare… Elle sort le duo d'antan : nationaleux et nationalistes. Les premiers, sous sa loupe, sont de tristes charognes mal refroidies. Les autres, de vaillants protecteurs de nos droits. Évidemment, les indépendentistes sont tous des nationaleux froussards, conservateurs, droitiers. Quand elle militait (avant de défroquer) avec son ex-mari, le brillant André D'Allemagne, elle voyait bien le gauchisme du RIN, non ? Le socialisme d'une majorité des militants, non ? Sacrée oublieuse, va ! Elle laisse entendre, pour l'effaroucher, que Mario Dumont est la fille de Duplessis ! Me Paul Desmarais et son fils, le gendre de Chréchien, lisent et posent une belle étoile en or dans le cahier de la petite vire-capot Gagnon.

G) Pour en finir avec les actualités. Au grand caucus des 8, dans les belles *Canadian Rockies*, regardons les photos de ce matin dans les quotidiens. C'est clair et net. Il y a là, non pas un groupe de chefs d'États, compagnons unis pour tenter de résoudre les problèmes du monde, non, non, il y a là le chef (élu faiblement aux USA) de la plus grande puissance matérielle de la planète. Il sourit. Il est de bonne humeur. Il règne. Il le sait. Il est seul de sa catégorie à lui. Il y a le Britannique (l'axe des anglos), le Français, l'Allemand, l'Espagnol et l'Italien, pis quoi? Une souris verte… «Et une police montée», dirait Queneau. Ces autres? Ne parlons pas de Chréchien, il fait trop pitié. Il l'a dit: «Je n'ai pas de point de vue spécifique.» Le Canada ridiculisé. «Que la montagne est belle!», chantait Ferrat. Édifiant faux manège. Les sept petits chevaux de bois ne sont pas farouches. Ils tournent docilement autour de lui, celui qui vient de Washington, la capitale de l'Univers uniformisé.

H) Un dernier fion? *Le Devoir* offre de l'espace à Lafrance, de la SRC, qui publie que Jean Larose a été congédié des ondes, soit, mais qu'il n'a pas le droit (le samedi 22 juin) d'annoncer qu'après lui ce sera le déluge à la radio culturelle. Le Lafrance vice-président a une dent raide. Il lui dit carrément: «Menteur, professeur Larose! Énerveur intéressé! Déçu diffameur.»

Culture toujours: Nat Pétro varge fort sur le frais démissionnaire de son propre journal, Péan. Elle termine sa vendetta par: «Foglia, Claude Gingras, Louise Cousineau, s'il y avait censure à *La Presse*… (comme a dit Péan à Homier-Roy et à CKAC), est-ce que *La Presse* les garderait sur son payroll?» Cela, en d'autres mots.

En d'autres mots, chère Nathalie talentueuse, la musique (Gingras), la télé (Cousineau) et les cancans, vélo, fromages rares et chattes en chaleur (Foglia) ne sont pas les mamelles de la liberté de presse! Les éditorialistes — même les jeunes nouveaux *columnists* pigistes —, à moins d'être protégés syndicalement et jusqu'aux yeux comme son trio, peuvent-ils publier un seul article en faveur de l'indépendance?

Dans un canard, Stanley Péan attaque le Renaud-Bray (ramené à la vie par l'argent des contribuables). Foglia, hérissé, dit que non, jamais, au grand jamais, l'argent n'aide en rien chez Renard-Bray. Nathalie Petrowski : le Péan ose pisser sur le dernier roman de Bombardier, débordement de vase de *La Presse*. Censure et Péan dehors ! Bizarre d'histoire, non ? Où lire ce papier interdit de Péan ?

Pétro conclut : Banal de démolir Denise B., facile, à la mode, un sport national. J'ai toujours trouvé cette manie d'une niaiserie totale. Mâchouillant mon smoked-meat, je l'avais interrogée. D'où pouvait venir tant d'animosité à son égard chez certains intellos d'ici. M'a répondu : « Envie, mesquinerie, je dis des vérités gênantes, alors… rancune ? » Denise Bombardier n'a pas une langue de bois mort ! Péan aurait publié (Nat a-t-elle lu l'article censuré?) : « Une moraliste à l'ego aussi fragile que démesuré, auteure de médiocres arlequinades. » Oh !

Nous partons pour le restaurant de Claude le Provençal, beau, bon et pas cher ! Sur notre terrasse, Jean-Guy Groulx, à l'aide d'un haut rasoir étonnant, échasse au bec pointu, a fait une tonte énorme de la cédraie. Pour davantage de soleil aux petits déjeuners extérieurs. Aile plutôt inquiète : « Un rase-bol ! » Je dis : « Bof, ça repousse. Tout repousse, pas vrai ? »

Partons… le lac est beau, une brise forte fait remuer mon fleurdelisé sur le rivage, il lève sa jupe, soulève sa robe. J'entendrais : « Ah si mon moine voulait danser. » Nationaleux ou nationaliste, je suis, madame Gagnon ?

[Vendredi 28 juin 2002]

La belle journée

Avec du vent fort comme j'aime. Un peu honte de me munir d'un saucisson de mousse quand je vais au large me baigner. Peureux ? Bin oui. À mon âge, s'il fallait… une attaque… Que deviendrait Aile sans moi ? L'eau ? Bonne. Mon Atwood pas loin, l'ai pas continué, trop belle nature, trop beau temps où je préfère ne rien faire comme jeter des perchaudes noyées au loin, découvrir des nénuphars nouveaux… Chaque début d'été, Aile et moi, un rituel, on part en pédalo faire le tour du lac. Une sorte de tournée d'inspection. Des enfants se tiraillent sur le quai des Ferron, Jean-Paul, zen, est couché sur le dur du bois de son quai. Pauline hésite à se tremper. Un rameur solitaire, un pêcheur patient, un kayak file, un marathonien nage avec sa bouée nouée à une cheville. Chez Laniel, une fillette joue avec son chien noir. À Villa Machin, des installés sur un radeau énorme…

Pas beaucoup de monde aux chalets cossus, c'est classique. Beaux sites qui dorment, leurs proprios richards partis en Italie, crésus en Grèce ? La petite plage publique fréquentée, elle. La paix. La beauté de cette saison, la plus stimulante. Dehors, sur le gazon, j'ai installé une table pour dessiner mais… Paresseux, va !

Le journal ? Parfait pour se corriger : l'acteur se nomme Harvey Kettel, non Keitel comme j'ai marqué, et Marlowe s'écrit avec un e, je parle du détective de Chandler.

Les cons

Le dîner de cons avec Villeret m'avait fait me tordre de rire. Il y en a d'autres. Ainsi, *Un week-end à Gosford Park* est un dîner de cons, signé Altmann. Il se rapproche d'un polar de feue Agatha Christie. Altmann illustre une société décadente, un monde en apparence riche mais d'une pauvreté totale. Une jet-set *very British*. Sa caricature est bonne. *Conspiration* est lui aussi un dîner de cons. Oh ! le bon film efficace ! On y voit un réunion (encore un repas plantureux) avec d'horribles dignitaires nazis dans un pavillon de luxe de la campagne berlinoise. Ce film donne froid dans le dos.

Le petit dico *Les mots sauvages* (Larousse) est une mine de plaisirs pour un amateur de mots audacieux. Merci, monsieur Reims, de l'Académie. Les énervés à la Larose et Léger en tomberaient malades. Ces mots sauvages, pourtant, font voir comment il ne faut jamais craindre de revirer les mots à l'envers, brutaliser la bonne vieille maman ma langue ! Triste de voir un Jean-Marc Léger qui, vieilli, guette les fautes sur les ondes publiques, crayon à la main.

Pivoines

Ce matin, j'ai transporté l'immense tas de branches coupées vers le foyer au milieu du terrain. C'est le temps des ouf. Au pied du grand escalier, beaux gros boutons ronds partout, ça va péter au soleil bientôt, si jolies fleurs qui vont éclore. Nos pivoines vont embaumer la maison. La fleur préférée d'Édouard Manet, premier peintre moderne.

Hier, Aile épluchant chronique des morts sursaute: «Suzanne Bédard est morte.» Elle avait mon âge, 71 ans. Une morte inconnue du grand public. Une de plus. Pourtant, une femme hors du commun. Courageuse, toujours sereine, capable de garder le cap dans des tourmentes difficiles. Parler d'un disparu, c'est le faire revivre un peu, non? Suzanne Charbonneau-Bédard venait d'Ottawa, comme son mari (décédé lui aussi, tout le monde meurt, merde!). Son Louis mit en orbite hertzienne, avec un jeune débutant, Marc Labrèche, mes 78 textes de *Boogie-woogie*, en 1980 et 1981. Suzanne était fière d'être une parente de ce Mgr Charbonneau que Duplessis fit exiler aux rivages de l'océan Pacifique pour le punir d'avoir appuyé les travailleurs en grève d'un Québec socialement mûr enfin pour le réveil. Suzanne était une de ces épouses solides capables d'élever sept enfants: rare fait dans les années 60 et 70. Paix à ses cendres!

Liberté chérie!

L'ami André Dubois au téléphone ce matin: «Le 21 juillet, gros pow-wow dans ma cour, tiens-toi libre. Je te reviens!» Je donne ma parole. Aile, retour de courses:

«Hen, quoi? Le 21? T'as oublié. On a Monique (Miller) ici, avec nous. C'est arrangé depuis un bon moment, tu devrais le savoir. Vite, appelle André!» Faudrait me décider à posséder un agenda comme les importants.

Appel de Sylvain, mon neveu: «Gardez-vous libres, fête anniversaire de mariage chez moi, à Saint-Eustache, pour mes parents...» Je me garderai libre. Ma petite sœur Nicole — boulottant chez *Épic* — ne sait rien de cette célébration.

La belle falaise dans le roc dans le parking du vidéo-club du boulevard Sainte-Adèle. Je voudrais y peindre un œil, des dents, pas grand-chose... J'en parle à Aile. Elle dit: «T'aimes ça hen, mettre ta griffe un peu partout!» À qui demander la permission?

Je vais y voir. De si belles murailles. Il n'y manque qu'un bouddha géant... à ne pas dynamiter!

[Samedi 29 juin 2002]

Jardineries

Mon tertre à pétunias (Saint-Joseph pas chers) pas beau. Têtes penchées. Rabougries. « Séraphin Jasmin aurait trop ménagé sur les sacs de terre ? »

Annonce de pluie jeudi de Miss Pronostics : de la schnoutte. Il fait beau soleil encore ce samedi. Avec du vent, youpie ! Le jardinier du voisin s'amène chez le juge et… vroum, bizz… crounch, crouch… alors, je me dis : l'accompagner ? Nous petit-déjeunons — épais *Devoi*r et *Presse* du samedi étalés — sur la terrasse donnant dans la rue. Aile : « Regarde de l'autre côté, des coupeurs de pelouse. Va les voir. Ne te fatigue pas, c'est trop dur pour toi, Clo. » « Non, que je lui dis. » « Exercice, exercice », ont dit le Dr Singer et sa doctoresse (en menus) Parker. J'y vais.

C'est fait, bien fait et vite. « Trop vite », grogne Aile. Sueurs. Je nage dedans. Voilà que mon petit radeau dérive au loin. J'y avais ancré un demi-bloc de ciment. Je nage, le ramène et lui accroche un autre demi-bloc. Bouge pus !

Le sandwich à la dinde me colle à l'estomac. Si je pouvais arriver à manger lentement ! Je suis toujours pressé. Depuis que je suis petit. Il y avait tant de batailles à livrer dans ma ruelle. Un cow-boy ne mange pas lentement. Plus tard, il y avait tant de belles filles à fleureter dans les rues de Villeray. Plus tard, il y avait tant de choses à voir, à faire, à installer entre deux romans ou deux décors. Et organiser des jeux pour deux beaux enfants que j'aimais.

Je me jure de ralentir. Sinon, un jour, je me frapperai à… Je ne sais trop quoi, mais ce sera fatal. « Ralentir, travaux », disent des enseignes de rue. Chaises à matelas jaunes. Repos mérité. Aile lit les journaux du jour et moi je termine ce *Tueur aveugle* d'Atwood. C'est bon. J'ai aimé. J'ai pris grand plaisir à mieux connaître ce milieu anglo-protestant, un monde de crésus de Toronto dans les années 30.

Atwood, fille d'un savant prof de Toronto, a peint en noir, très noir, ces gens de la haute commerciale. Un mari diabolique. Hélas, ce n'est qu'en fin de roman que tout éclate, que tout s'explique. Pas du tout certain que ce truc soit le bon. Apprenant enfin les fils tordus des manigances, je regrettais de n'avoir rien su tout au long de cette méticuleuse et lourde (600 pages) description des us et coutumes d'Ontariens vénaux dénués de toute conscience. Son choix. Un risque. Une écriture bien organisée. Chapeau à elle ! Aile, sans cesse ces derniers jours : « Chut, tais-toi, je le lirai. » Je me taisais donc, à regret tant ce long récit suscitait des surprises chez moi.

La musique

Ce journal, depuis six ou sept mois, m'a apporté un tas de bonheurs. Des fidèles surgissaient au courrier et commentaient. Il y a, en particulier, ce Daniel Marleau de Longueuil. Dans son savoureux dernier message, il me nomme « Monsieur du pinceau », ou « Monsieur du saucisson de mousse ». Je rigole. Marleau écoute du Fauré, du violoncelle de David Darling. Comme je reste pris avec ce chagrin : être ignare en musique « seurieuse » ! Chez moi, enfant, que des chansons populaires et, plus tard, ado, du boogie woogie. Plus tard, chansons encore seulement : Brel, Ferré, Léveillée, Vigneault. Des airs d'opéra populaires. Ils sont grands et forts, mais je sais que je passe à côté de sons importants en ignorant Bach, Mozart…

Ce matin, j'ai lu l'article censuré de Stanley Péan — Foglia assomme le démissionnaire de son canard avec raideur. Capable de mesquinerie à l'occasion, le surdoué vélocipède du Vermont (attraction étatsunienne fatale pour nos émigrants ?) laisse croire que Péan entrera sous peu au *Devoir*, où l'on défend Bombardier « puisqu'elle y est chroniqueure ». Foutaise foglienne car le Péan est bien méchant envers la dame. Trop. Pourquoi son attaque féroce, quand il y a tant de livres qui se publient ? Ainsi, jadis, un Stéphane Lépine, intello pur et dur — congédié récemment des ondes culturelles de la SRC — me fessait. On cogne sur une notoriété et ainsi on est certain d'avoir beaucoup de monde à son écrit. C'est classique. Le mépris du personnage trop connu s'y déploie.

Péan, que j'aimais bien en intelligent et généreux chroniqueur de jeunes auteurs, se fit piéger. Cette incursion (inhabituelle chez lui) chez « une vieille » détestable (à ses yeux) l'a perdu. Bin bon pour toi, Stanley!

Une pétition d'artistes (dont mon amie dame Faucher) s'insurge devant un tas de remplacés sur CBF-FM-Culture. On refuse tous ces changements pour la saison qui vient. Or, on peut mettre *X* à la place de *Y* et *Z* à la place de *A*, cette radio pour petit public averti gardera son auditoire confidentiel. Le grave problème, c'est que cette section de la SRC n'arrive pas à bien communiquer les divins fruits d'une élite déconnectée du public. Une radio publique doit savoir répandre la culture, initier efficacement, se sortir du cercle des aficionados. Ce groupuscule a accès aux meilleurs livres, aux meilleurs concerts, mais reste impuissant à bien communiquer. Chez ces gens-là, chère Françoise, « vulgariser » est un mot cochon!

Denise Filliatreault (qui dansait divinement le jitterbug à Pointe-Calumet en 1946) voit son film se faire démolir allégrement. Elle doit croiser les doigts. Si le bouche à oreille est bon, si son film remplit les salles, elle va se déchaîner. Ou se taire comme font les responsables de la série *Les Boys*. Entendre : Les cinéphiles sont tous des cornichons ; le bon peuple, lui, en redemande. Vous bourrez votre affiche de vedettes populaires de la télé, vous pondez une histoire molle, abracadabrante et la sauce risque de prendre. Démagogie ? Certainement.

[Dimanche 30 juin 2002]

En guise d'épilogue?

Juillet demain. Congé de journal ? On verra.

Ils sont venus. Mon Daniel toujours fier de sa neuve fausse-jeep, le beau Thomas, et Lynn la noiraude espiègle. Du Sommet (pas si bleu), Paul et Carole, sœur de ma bru — ma dépanneuse émérite en ordi —, descendaient aussi vers notre rivage. Deux petites cabotes, Lili et Zoé, se tiraillaient un bout de bois, ououf, ououf! Baignades à répétition. Jasettes et puis trempette (aux légumes crus) offerte par l'experte Aile. Bière et limonade. Le papi bienheureux en oubliait volontiers le beau papier à aquarelle qui l'attendait pas loin. La sainte paix dominicale. L'été bien installé enfin.

Bing bang!

Un zigue étonnant, un certain G. Tod, me tient au courant de ses activités poétiques. Un anarchiste ? Un jeune ermite grouillant en quête de combats gauchistes ? Je ne sais trop encore. Il est de Concord, USA. Il aime le Québec. Il vient parfois réciter des strophes chez *L'inspecteur Épingle* devant un parterre d'ivrognes. Il semble bien connaître nos ébats littéraires et débats politiques. L'ordinateur nous amène ainsi de ces correspondants hors du commun.

Hawking me taraude avec ses calculs renversants. Son histoire des jumeaux dont celui, installé sur une haute montagne, ne vieillissant pas aussi vite que son frère ! J'en reste baba ! Il m'a fait voyager entre Big Bang et le grand Crush ! Des Jésuites savants l'invitèrent (lui et d'autres astrophysiciens) à jaser cosmos avec le pape à Rome. Le Vatican, si content depuis que les physiciens acceptent l'idée d'un début, d'un commencement de l'Univers. La *Bible* le disait bien ! « Il y a eu un commencement… une création du monde. » Fin de l'obscurantisme catholique enfin ? Pas de Galilée n° 2 ? Non, plus jamais. Stephen Hawking, la langue dans la joue, laisse entendre qu'il n'a pas voulu provoquer une polémique, mais oui, il a certains doutes. Ainsi, cette expansion dure peut-être depuis toujours sans qu'il y ait eu un départ.

« Go ! Partez, galaxies ! »

Là-haut, faut filer à 500 km/h pour ne pas tomber ! Le Newton à la pomme qui tombe l'a dit : Tout est sujet de gravité. C'est 720 km/h. Ou 12 km/h à la seconde ! Moi, le zéro en maths au collège, avec ces explosions d'étoiles, ces trous noirs — des trous rouges, devrait-on dire selon Hawking, ce « tout n'est que gaz » d'abord, ces nutrinos, ces photons, ces très invisibles à nos yeux… mes synapses se débattaient.

Nous ne serions que carbone et oxygène ? L'entropie est vicieuse : nécessité de se multiplier dans le chaos total. La surfusion et l'eau qui ne gèle pas même sous le zéro ! Pas facile à saisir.

Je naviguais du mieux que je pouvais entre Euclide et Hubble, l'essentiel chercheur. Hawking songe : « Pas de début et pas de fin. » Et il continue de chercher. Le principe d'incertitude de la nouvelle physique (la quantique) change tout désormais. Il y n'y aurait plus une mais trois flèches du temps : la thermo, la psycho et la cosmologique. Aïe ! La mémoire humaine, on ne sait trop comment elle fonctionne, la mémoire des puissants ordinateurs, elle, on peut la comprendre, la démonter, l'examiner. Ouen !

Un Québécois travaille avec Hawking (le Einstein d'aujourd'hui). Raymond Laflamme, son nom. Fierté soudain, car ce Laflamme fait se corriger le maître à propos de l'effondrement de l'Univers, le Big Crunch envisagé. Il n'y aurait pas inversion des flèches du temps lors de la contraction des trous noirs. Hawking, modeste génie, admet son erreur, puis raconte l'erreur du grand Einstein quand il voulut, un temps, « installer un modèle statique d'Univers ». « La plus grande erreur de ma vie », aurait déclaré Einstein.

Tout ne serait qu'ondes en fin de compte ! Donc lumière ? Ce besoin de comprendre l'Univers est formidable. Nous autres, écrivains, philosophes, psychologues, on tente de comprendre son frère, ses amis, les humains modernes, la nature environnante. Ces chercheurs embrasent l'espace tout entier.

Einstein, qui ne croyait pas au terrible Yaveh de ses compatriotes, à la fin lutta pour le sionisme, la patrie à reconquérir. Ardent militant pacifiste à Berlin, il est conspué et interdit de voyager. Pire, les USA refusent d'abord son visa de simple visiteur. « Jérusalem, l'an prochain ? »

Nous voilà plongés dans l'actualité chaude du jour, hein ? On tenta de l'assassiner. Arrestation d'un tueur. Amende : six dollars ! Pétition contre lui. En 1933, Hitler est au pouvoir et Einstein, alors en Amérique, déclare qu'il ne rentrera pas dans son pays. À Berlin, on publie : « Bonne nouvelle : il ne reviendra pas ! »

On sait la suite. La lettre du génie à Truman. La bombe atomique. Ses remords. En 1952, on lui offre rien de moins que la présidence d'Israël ! Il refusera, se disant un naïf en politique. Il dira : « La politique c'est le présent. Une équation à trouver est quelque chose d'éternel. »

Se souvenir: notre mission

Je lisais avant-hier sur un bonhomme qui a quitté librement les actualités. Il disait qu'il voulait être hors de ce présent qui rapetisse. J'ai réfléchi longtemps là-dessus, journal sur les genoux, nez en l'air, regardant un goéland voltiger sur le petit lac Rond en cherchant un poisson à engloutir. Une perte de temps, ce fatras des nouvelles, des batailles politiques, ici ou à l'étranger ? Je ne savais plus. Il me reste 10 ou 20 ans ! Si on pouvait savoir… Moi qui aime tant la vie, j'en suis devenu tout fébrile. Ne plus perdre mon temps. Comment ? J'ai eu la tentation d'imiter ce personnage. Que cela serait libérant, que cela me donnerait du temps pour… la création. Créer pour qui ? Pourquoi ?

Le lendemain, je me colle le nez de nouveau aux manchettes. Une sale voix me murmurait: «Trop con, trop petit, pas assez fort, hein?» Je fis taire cette voix embarrassante. Tous, nous devons vivre ici et maintenant et nous ne sommes pas des Hawking. Au diable ces trous noirs ou rouges, il y a des images à faire naître à propos de mes chers souvenirs d'antan: le guenillou, le vendeur de glace, les cordes à linge de ma ruelle. Je le ferai juste pour donner raison à cette voix d'Henry Miller — dans *Paris est une fête* — qui répétait sans cesse: «La mission de l'homme sur terre est de se souvenir.»

Hamburgers

Il est tard. J'écris tout ceci. Je suis très énervé (excité aussi, amusé) de devoir fermer ma baraque aux mots pour un temps. Vaniteux: vouloir terminer ce six mois d'entrées diverses de façon captivante. Mon vieux souci: ne pas ennuyer les gens. À sept ans — avec Devault, Malbeuf, et Moéneau —, j'avais déjà si peur d'ennuyer, dans la cour, avec nos séances dramatiques improvisées.

M'amuser d'un éditorial de Saskatoon dans lequel un compère, anglo pure laine?, recommande de nous «voler» de nouveau. Oui, dit-il, comme nous les Canadians nous ont volé le mot Canada, l'hymne national — oui, nous voler la fête du 24 juin, qu'il trouve «la seule réussie à travers le Canada». Il n'y aurait qu'à allonger cette fête du Canada (demain), publie-t-il, mais oui la prolonger en incluant ce maudit 24 juin. Dont il est jaloux, il l'admet volontiers.

La vie ordinaire c'est aussi, ce midi, vite, vite, aller acheter un bidon de gaz propane pour qu'Aile puisse faire rôtir ses 12 bons hamburgers. Ils furent succulents. Vin rouge, fraises et glace à la vanille… la vie ordinaire, bonne.

Je veux lire, de Julien Fortin, *Chien levé en beau fusil* (chez Triptyque). Je veux tout lire. Écrire et lire, mes deux passions. Et beurrer du papier aquarelle ? Ma tristesse de nous savoir si peu nombreux fous de lecture. Je questionnais mon beau jeune Thomas là-dessus au bord du lac. « Toi qui lisais tant jeune… pourquoi ? » Réponses vagues. Ai cru comprendre : « Papi, trop de lectures obligatoires au collège ! » Je crains tant qu'il passe à côté de plaisirs si féconds. Je l'aime tant.

J'avais voulu à Val-David organiser l'expo annuelle de poteries. Un grand moment : montrer les céramiques naïves de papa. L'été prochain. Promesse de paresseux ? Mon ex-camarade, illustrateur et graphiste à la SRC, René Derouin, sur son domaine de Val-David, en août, fera voir des installations. Derouin prône la venue de liens entre les trois Amériques comme si des liens valables pouvaient se tisser avec l'éléphant du groupe, les USA. Il s'est souvent vanté d'avoir coupé avec l'Europe, la France. Le vieux rêve des muralistes célèbres (Rivera, Orozco, Siqueiros) quand ils jouèrent des cartes truquées en tentant d'assimiler l'art candide des Indiens, les seuls vrais indigènes des Amériques du Sud. Un échec forcément.

Ah, ces Blancs torturés, gênés de descendre des Blancs d'Europe ! Je n'y crois pas. Le vieux complexe des colonisateurs (nous) refusant de continuer les liens normaux avec d'où nous venons quand nous avons émigré sur les terres des Sauvages. Aucune confiance dans ces tentatives folichonnes, artificielles, de jouer les nouveaux Sauvages. Un leurre.

Il y a un axe tout-puissant chez les anglos. On refuse de tenter de fortifier un axe francophone. Danger : la langue est le sang de la pensée créatrice. La culture véritable en découle.

Les musiciens ou les peintres, eux aussi, ne peuvent se dissocier de ce fait têtu, la langue. L'axe espagnol (et portugais ?) des lointains voisins du Sud est valable pour les usagers de ces langues, l'espagnole avant tout. Comme les Noirs du nord ont des liens à se forger avec l'Afrique, leur patrie ancestrale lointaine.

Derouin rêve de connivences artificielles. Hors langue. Laissons-le rêver, il ne fait de mal à personne. Gaspillage d'énergie tout de même et de subventions peut-être, notre argent ? Il y aura, sur ses terres boisées de Val-David, entre des poissons d'argile multinationaux, les poèmes de Lapointe et les installations intellos symboliques, aussi quelques marcheurs pour rêver avec lui.

I am Sam. Cette fin heureuse, inattendue certes, a chagriné tant de critiques et me fait songer que la gent intellectuelle déteste le bonheur. On veut du tragique, c'est plus sérieux ! Jeune, j'étais de ce lot dramatiseur à souhait. Mon Daniel : « J'aime bien le bonheur ! » Bravo, fils ! Pas un garçon bien élevé, ça ?

Tenir à dire que j'aime les intellectuels, que j'en suis un autodidactement et fier de l'être, que j'ai le droit de dénoncer les illusions, les marottes, les lubies funestes de mon monde.

Je songe à mon Marco gendre et à ma fille Éliane, roulant vers l'océan Atlantique du New Jersey et je suis jaloux. Ça persiste. J'espère que l'ami Dubois dénichera une piaule pour une quinzaine au Maine en août.

Mythes bien-aimés

Vient de mourir l'acteur fabuleux des *Nuits de Cabiria* de Fellini, où il fut un extraordinaire souteneur, veule, lâche, salaud. François Perrier est décédé à 81 ans. J'aimais sa bouille de chien battu. Sa tête de serviteur dévoué dans le *Orphée* de Cocteau quand il jouait cet ange Hurtebise sorti des enfers, échappant à Cerbère, nageant à contre-courant pour l'Eurydice émergeant du Styx.

Je me laisserai aller davantage en accidents visuels et je parviendrai à produire une bonne série d'aquarelles sur les mythes fondateurs de tant d'écrits littéraires ou psychanalytiques.

Meyssan, parano de complots, se ferait déboulonner déjà. Pour l'auteur, le 11 septembre, les quatre avions à kamikazes, c'était le fait de méchants conspirateurs du puissant complexe militaro-industriel. Ils avaient tout organisé pour qu'enfin un grave conflit armé éclate et que le pognon puisse rouler dans leurs poches. Deux Français, en 125 pages, lui fermeraient le bec. Il reste à attendre un film de Stone, grand amateur du genre FBI-CIA, des pourris alliés à des pourris ! Le manichéisme pour les foules crédules est payant, on ne le sait que trop. Internet serait rempli de ces déboussolés.

Snobisme étonnant

Coup de fil — appareil cellulaire béni — de ma fille qui roulait vers la frontière Canada-USA. Coupures de son. On s'y fait mal. Aile ne supporte pas ce gadget. Je la sens légèrement inquiète : ses deux grands (18 et 20 ans) seront seuls au foyer. J'ai du respect pour ces mamans vieillies qui jamais ne sont tranquilles d'esprit quand elles s'éloignent du phare, de l'abri, du port d'attache. Je trouve ça touchant. J'ai mal quand je songe à tous ces jeunes pris par leur job d'été, à David, sauveteur à la géante piscine de Sophie-Barat, à Laurent, surveillant aux parcs de *La Ronde*, à Simon, gardien à la plage Doré. Un été chez le diable, non? Je viens de raconter ces boulots ingrats dans *Pour l'argent et la gloire* en quelques lamentos lyriques et fondés.

Souvenir

J'ai 16, 17 ans? Maman lisant sa chère Colette (*Le courrier du cœur*) sur le balcon d'en avant. Je sors avec mon vélo. «Où vas-tu encore trotter, là, mon garçon?» Moi, exaspéré: «M'man, je t'en prie, j'ai plus 10 ans!» Elle: «Si tu veux te faire une blonde, j'suis pas folle, va donc pédaler vers Ahuntsic. C'est du monde de notre genre, de notre classe.» Snob, la tite fille de Pointe-Saint-Charles, non? Elle n'aimait pas trop que je fréquente une mignonne noiraude de la rue Villeneuve sur le Plateau.

Un jour, j'apprends que Michel Tremblay — je veux lire son dernier: *Bonbons assortis*, même si on doit écrire *«bonbons variés»*, signale Chartand, pion au *Devoir* — avait une mère qui disait: «Restez sur le Plateau, ne descendez jamais en bas de Sherbrooke, c'est pas de notre monde!» Mon ex-éditeur, Yves Dubé (frère de Marcel), me racontait — il était du Faubourg à mélasse, rue Logan — que sa mère disait aussi: «Ne traversez jamais Dorchester, évitez le Faubourg Saint-Laurent (où est Radio-Canada), c'est du monde cheap.»

Snobisme inouï allant du nord vers le sud, vers le bas ! Le romancier André Langevin (que devient-il, lui, si doué?) y habitait dans ce faubourg mal aimé — lire *Une chaîne dans le parc*. Mère snob aussi ? Non. Impossible. Rien à faire : il n'y avait pas plus bas, c'était le fleuve, que le port, la brasserie Molson.

Nés égaux?

Les cailloux de Mars ? Il faudrait à la NASA deux milliards de fonds publics pour aller en cueillir. Y a-t-il traces d'eau, traces de vie ? La grande question ! Ce sera pour 2014, la réponse. Et c'est pas sûr. *Patientia*!

Dans quatre jours, se rappeler du fondateur républicain des naissantes provinces unies d'Amérique, Jefferson, le : « Tous, nous sommes nés égaux, doués par le Créateur de droits inaliénables : la vie, la liberté, la recherche du bonheur… »

La quête du bonheur depuis Platon et même avant. En 1776, ce terrible virage définitif, antimonarchiste, moins de 15 ans avant la Révolution française qui utilisera les mêmes termes. Son successeur actuel, Double-V, utilisant la peur, tente de mettre la police partout, partout. Avec prime aux délateurs qui verront un saboteur dans chaque dissident, parmi les contestataires les plus pacifiques. Jefferson, au secours !

En ce temps-là, même aux portes de nos églises de village, placardage bostonnais : « Canadiens français, joignez-vous à nous, à bas la monarchie ! »

Du bon peuple et nos petits curés favorables. Mais… la hiérarchie cléricale, déjà collaboratrice, excommuniait les libertaires qui osaient souhaiter que nous joignions les voisins décolonisés. Les occupants anglos satisfaits, contents de ces valets en soutanes rouges ! Par frousse, par intérêt, on nous accordera bientôt un faux gouvernement représentatif. Une assemblée truquée. Surveillée.

Ensuite, Louis-Joseph Papineau tentera de réformer ce leurre. Ça va coûter cher aux Patriotes de 1837-1838. Le feu partout, des pendus et des exilés en Australie. Vive le 4 juillet !

Bush à son sifflet

Laporte parlait avant-hier (*La Presse*) avec son ironie décapante des tricheurs initiés dans les bureaux capitonnés des énormes firmes américaines. Scandale sur scandale. On gonfle les profits. On attire des investisseurs candides. Le ballon prêt de péter, on vend vite ses parts de p.-d.g. et ensuite seulement on déclare faillite.

Un observateur dit : « Quand il n'y a plus de police, les voleurs s'épivardent. » Les vérificateurs sont bafoués, moqués, trompés, éloignés... pas assez nombreux, mal équipés. Et vlan ! les spéculateurs modestes ont le bec à l'eau. Les employés de ces bandits — en *grey flanel suit* — deviennent chômeurs. Aile en profite pour répéter : « Il n'y a plus de rigueur nulle part, il n'y a plus de conscience, plus d'honneur. Partout qu'égoïsme et jouisseurs pressés. » Elle a raison, ma belle pessimiste, et moi, tête heureuse, je le reconnais volontiers, optimiste à tout crin, je m'imagine toujours que le balancier du bon sens va se rétablir.

Aile dit souvent : « Voilà où nous conduit l'immoralisme ambiant actuel, constitué de prédateurs pressés, d'égocentriques.» Bush, venu de ce monde des rapaces, joue le râleur indigné, semble siffler la fin de la récréation des irresponsables en finances: «Suffit! On va y voir!» Quand ça?

Yves Boisvert, chroniqueur à *La Presse,* a une plume vigoureuse, brillante. Son allégorie récente entre ces terribles poissons rampants qui voyagent à travers les étangs pour les vider de toute vie aquatique et le jeune chef de la droite, Mario Dumont, était une chronique géniale.

On fesse et puis on vante *La Presse,* mon Ti-Quelaude? Bien comprendre: je cogne sur les éditos soumis au boss, mais des reporters y sont souvent fameux. Ainsi, à *The Gazette*, le quotidien raciste, francophobe malade, que je fustige, les reporters sont souvent très compétents. Il faut faire la différence entre les journalistes (syndiqués souvent) qui donnent les nouvelles, fouillent les actualités et honorent le métier et les chefs soumis, les petits chefs dociles et les sous-chefs accroupis sous les patrons. Le boss — derrière le proprio — stipendié, déshonoré, qui a vendu cher sa liberté, tels tous les Pratte, Mario Roy et Cie.

Hors du dumping américain: rien

Un calmar d'une tonne est exposé à New York. L'article fait rêver aux lectures de jeunesse des gens de ma génération, à Hugo et sa pieuvre effrayante, Jules Verne et son calmar inimaginable au fond des mers!

Autre article et autre sujet de rêverie pour les pauvres, les démunis: on oublie de l'argent dans des banques.

Cela forme 180 millions en argent américain! Personne ne réclame ces magots! Mystère!

Rêvons encore: le Mexique produit des tas de feuilletons télévisés. Une vaste industrie. Des gros mélos pour la plupart. Il doit bien y avoir au moins un ou deux téléromans valables dans le lot. Pourquoi ne pas en voir un peu? Pourquoi seulement le dumping américain? Même le Japon (Chine, Corée) achète de ces *telenovellas*… pas chers forcément. Colonialisme à plat ventriste étatsunien accepté. Quelle station de télé brisera le moule? Les Québécois apprécieraient le meilleur de cette industrie mexicaine… ou indienne. Nous ne sommes pas imperméables — comme le public chauvin des USA — aux cultures étrangères. Les Québécois aiment découvrir des cultures autres, c'est reconnu.

Cercle vicieux

À Saint-Jérôme, annonce d'une vaste expo de tableaux. Bel édifice retapé que je connais. Pas 5 ou 10 peinturlureurs, non, 30 peintres! Je lis la liste: 90 % d'inconnus! Toute cette activité et si peu de connaissance de ces manieurs de pinceaux. Aucune information valable. En médias, silence, place surtout aux imitateurs rockeurs USA. Il y a là un mystère opaque, non? «Pas de public intéressé», répondent les gras p.-d.g. des chaînes. Moins tu en parles, moins on s'y intéresse. Cercle vicieux qui va en s'agrandissant d'année en année. Brisez les moules, le carcan, la prison.

Le Diable devenu vieux se fit ermite? Un compagnon d'armes du révolté et célèbre Che Guevara, l'intello Régis Debray, révèle à Robitaille (*Le Devoir*) que la politique — il fut, une fois libéré de prison en Bolivie, un conseiller de Mitterrand — c'est terminé pour lui. Il est plongé, dit-il, dans l'étude des religions. C'est à lui que je faisais allusion plus haut en parlant de décrocher des actualités. Le bonhomme semble épaté par une connaissance (De Chayssac) qui a abandonné la France et, volontiers, le français, vit à New York, ne parle plus que l'américain et recommence sa vie là. Il dit qu'il est logique. Que Washington, c'est Rome. Que tous les De Chayssac, exilés à jamais, sont logiques. Exactement ses mots ! Qu'à Rome, on parlait deux langues, le latin et le grec. Pas chez les esclaves, chez les béotiens, seulement chez les richards au pouvoir. Debray ne croit donc plus à l'avenir de son pays. Tristesse. Défaitisme bourgeois.

Il s'est englouti dans les vieux manuels d'histoire des religions. Qu'en penser ? Plus aucun espoir ? Il plaint nos luttes « admirables » au Québec, rappelle que les Français à l'ONU (New York) rédigent les rapports en... américain — comme font tant d'hommes de science en France ! Debray lance le gant. Il fuit. S'exile. De tout.

Écoutez bien cela : « Oh, horreur, nous allons devenir un grand Québec ! » Un auteur a dit cela, le Français Jean-Claude Barreau. Ça donne un sacré choc !

Debray avance que lorsqu'il y a un vide, un empire s'y installe. Il n'y a pas sombre complot américain, plutôt une loi physique incontournable. Or, dit-il, les gens d'Europe refusent de combler cet espace disponible. Il dit que très peu de monde chez lui croit vraiment à une Europe forte. Alors ? Le trou, le vide. Et l'empire s'avance.

Résultat: l'américanisation volontaire partout là-bas. Debray m'a captivé en disant que la quête de puissance, de pouvoir, a conduit deux fois aux massacres horribles: 1914-1918 et 1939-1945. Cela pourrait expliquer la méfiance et le désintérêt des Européens en face du pouvoir, de la puissance.

Un grand distrait, moi

Une chute, ce n'est pas un polar. Une conclusion? Ce n'est pas un essai. La vie va continuer, fascinante et parfois décevante. Le journal c'est la vie. Les actualités m'intéresseront toujours. Demain, je lirai encore mes gazettes, et, encore, j'aurai envie de chicaner, de rédiger des pamphlets…

Rien à faire, je reste curieux comme une belette, accroché à tout, donc éparpillé, distrait et, de cette façon, comment me cultiver à fond à propos d'un seul art, d'une seule discipline? Car la culture véritable, c'est cela, foin de l'érudition puisque je ne veux pas briller dans les salons littéraires ou autres. J'étais le grand distrait à l'école, au collège. Je le reste. Je m'intéresse à tout. Un peu. Comme tout le monde.

Aile, je la vois de la fenêtre de ma chambre à écrire, s'est plongée dans *Le Tueur aveugle*. Ensuite, on va pouvoir en jaser longuement. Aujourd'hui, le ciel très lumineux est tout de même recouvert d'une sorte de brume. Humidité lourde. Au bord du lac, il y a un bon vent. Mon drapeau tremble énormément, «fasaille» même. À partir de demain, je me le jure, sœur Gagnon sera fière de moi, je me jette dans les aquarelles que je lui ai promises. Je veux que son œuvre progresse.

Demain, je me trouve un autre bon livre à lire, pour les soirs quand la télé est trop insignifiante ou qu'il n'y a pas de bon film au vidéo-club du bas de la côte Morin.

Et puis quoi ?

Léo Ferré : « On s'aimera, on s'aimera. »

Juillet 2002

[Samedi 6 juillet 2002]

Une journée de canicule

La chaleur ne lâchait pas. Canicule terrible ! Adieu journal ! Aujourd'hui, comme hier, temps un peu plus frais. Je grimpe à ma chambre pour écrire vers 17 heures. Un lecteur m'interroge, étonné par le succès durable des auteurs américains de l'avant-guerre et de l'après-guerre. Réal Perrault aimerait savoir aussi où cesse la frontière entre l'écrivain et l'homme. Caldwell semble l'avoir déçu. Je l'avais tant aimé, plus jeune. Il me changeait des proses intellectuelles des Français aimés (Camus, Sartre et Malraux). Son monde sudiste pauvre me ramenait aux gens du peuple.

Ma fille et mon Marco gendre (on dit bien narcotrafiquant !) sont revenus en catastrophe du New Jersey. Vacances stoppées brutalement. Mon Éliane ne va pas bien du tout. Canicule terrible là-bas, camping abandonné. Motel climatisé loué. Me voilà anxieux. Éliane, si solide enfant ! Le vieux papa angoisse.

Quatre jeunes font un documentaire sur le peintre Serge Lemoyne, mort il y a peu d'années. Bombardé de questions, je me suis vu revenu dans les années 60 quand Lemoyne, ici, installait des manières de pop art: happenings et cie. J'ai accepté de participer gratuitement à ce film. Ils avaient des copies de mes critiques du temps de *La Presse*. J'avais 35 ans et Lemoyne, 25.

Ils sont enthousiastes, font plaisir à voir. Ont confiance en leur projet.

Hier, journée (payée cette fois) de tournage avec une équipe préparant des segments culturels pour ARTV. Une série titrée: *Tableaux*.

J'ai sorti pinceaux, papier, encre de Chine et plumes sur la pelouse. Du vent dans les branches des arbres! Silence, Éole, on tourne! J'ai jasé sur les merveilleux démons me poussant à fabriquer des images colorées, à jouer au surréaliste, à l'exploiteur de taches. J'avais enfilé ma salopette. Nathalie tenait des micros, André-Paul une caméra moderne, Sophie assistait et Bernard (La Frenière) réalisait. Après une longue séance de barbouillages bien trempés, lunch avec Aile chez notre Denise du coin de la rue Chantecler (*Chez Dinos*). Aile adore jacasser avec ces jeunes du milieu. Elle est intriguée (comme moi) par les nouvelles façons de faire. Tous sont des «à contrat».

Retour et décrochage de tableaux des murs du chalet. Fouille de deux cartables. Vieux dessins du bonhomme: images de poissons, oiseaux, acrobates et bedaines de Miami! Voilà mes vieilles et récentes pontes, dont mes premiers essais maladroits pour le projet d'expo et d'album sur la Petite Patrie. Dure journée. Nous nous garrochons ensuite vers le lac et la baignade.

Mordecaï, le baveux

Lundi dernier, à Radio-Canada, un documentaire sur Mordecaï Richler, le baveux baveur d'idioties infâmes sur les nôtres. Complaisance. Pas un mot de travers sur ce néanmoins brillant romancier qui avait pour *side line* bien rémunéré de nous diffamer. À Londres comme à New York, Richler se répandait en proses dégueulasses : nous ne serions qu'une tribu de racistes anglophobes ! Quelle tristesse, ce mensonge. Le silence face aux téléspectateurs à propos de ce volet humain sinistre du fameux auteur, exilé longtemps à Londres. L'imposture était signée Marc Coiteux. Qui est ce mercenaire qui cache les faits ? Au nom d'un bonententisme douteux, on a pu entendre une série de témoins (anglos baragouinant le français) qui ne cessaient de vanter le Québec moderne, le Montréal d'aujourd'hui, pas en hommage à notre culture bien vivante, non, mais au bonheur de vivre en un site si « cosmopolite ». La noyade de notre culture. La dilution organisée.

L'un dit que nous irons chez les théâtreux anglos si c'est bon ; il ne dit pas que les anglos iront à nos théâtres qui sont souvent fameux ! J'enrageais. Un défilé grotesque, masqué, hypocrite. Avec nos zélés collabos de service. On souhaitait une culture anglo-montréalaise plus vigoureuse. La farce quand on sait que nos voisins (275 millions d'anglos, non ?) offrent la même poutine (même langue et même culture au fond). Si Paris, la France, étaient à nos portes, vous pouvez parier que nous n'aurions pas du tout cette vigueur actuelle. Fatalité pour ces descendants de loyalistes monarchistes se sauvant des patriotes décolonisés (les libertaires des jeunes USA) en 1775.

Quelle fumisterie, cette affaire du péril anglo au Québec ! C'est à se tordre de rire d'entendre l'angoisse de nos Blokes : *Goddam loi 101*, l'anglais en danger ! Nous sommes un tout petit 2 % de francos en Amérique du Nord et ces résistants à l'intégration gueulent que nous sommes des ogres, des fanatiques, des misérables racistes ! Compatissant, je prie tous les soirs la Providence de sauver l'anglais, cette langue si fragile, n'est-ce pas ?

Ces lamentations ne font que camoufler une réalité : la nation ici, 84% du peuple, ils n'en veulent rien savoir. Quelques exceptions merveilleuses n'empêchent pas de constater leur racisme.

Le Foglia de *The Gazette* (*Fresh, Freech*) est d'un borné, déclarant que ce sont les péquistes qui ont inventé cela : « Les anglos ». Un fou ? Avec l'ONF, la SRC a concocté ce tissu de faussetés qui relève de l'imposture. Salut, télé-*propaganda* ! « Salut à toi, dame bêtise, dont le règne est infini », chantait Léo Ferré.

Encore un film !

Conseillé par un voisin ami, Paul Pastakis, Aile et moi avons visionné *La Mandoline*, film signé John Madden, tiré d'un roman de Louis de Bernière. Cet acteur aimé qu'est Cage n'y est pas bien fort. Une belle île, Cephallonia. La guerre de 1939-1945. Les soldats de Mussolini dans cette île aux us et coutumes anciens. Les nazis très insatisfaits des Ritals trop mous. L'amour entre un soldat envahisseur (et sa mandoline) et une indigène. La Résistance. Des morts et une fin heureuse. Tout le monde jase en français (postsynchro) comme tout le monde parlait américain en copie originale : Grecs, Italiens, Allemands !

En 2002, c'est insupportable. Défense de sous-titrer, n'est-ce pas ? Alors cela sonne faux.

La canicule sévissait mardi comme jamais. J'ai sorti le ventilateur très silencieux pour le dodo. Le jour : ne pas trop remuer. Lire à l'ombre. Au téléphone, ARTV s'annonce pour vendredi. J'apprends que Nicole Leblanc peint elle aussi, encouragée par Pierre Gauvreau. J'ai vu Michel Tremblay et un de ses tableaux. Ducharme fait dans le recyclage-sculpture. Il y a Diane Dufresne, initiée par le frère Jérôme. Il y avait, aquarelliste, Henry Muller. Combien d'autres ?

Twin Peak de Lars Van Trier, *Le Royaume*. Il y aura 11 épisodes. Un hôpital-asile. Des malades inquiétants, mais moins que les médecins ! On y joue des cartes rares : parapsychologie, télépathie… Ça promet.

Ce matin, pas la moindre brise et, au diable le permis, je fais un feu tant il traîne de branches (cèdres émondés) et je m'allonge. Soudain, bzz, bzz, bzz ! Les pompiers ! Bottés, casqués, imperméabilisés. Aile ricaneuse sur la galerie, la démone ! Ma honte. « Vous n'avez pas le droit. Vite, éteignez ! » Penaud, je cours chercher le tuyau d'arrosage. Pas assez long ! Je trouve des chaudières de plastique. Nous voilà à trois dans le lac, moi ni botte ni casque ! L'un rédige son rapport et me dit : « Pour cette fois, il n'y aura pas de frais, mais, s'il vous plaît, ne faites plus cela. On est en période de sécheresse ! » Ils s'en vont, gentils, affables, polis ! Ouf !

Le soir venu, je téléphone aux « orphelins » Laurent et David : « Soyez des hommes, les gars. Vos parents partis, faut pas que la maison se change en soue à cochons. Promis ? Papi pourrait descendre en ville et aller inspecter les lieux. » Laurent rigole et promet !

Visions du Cachemire à RDI

Documentaire bien fait. Fin totale du tourisme — ressource essentielle — avec cette guerre civile et religieuse. Malheur partout. Pauvreté grandissante. Tueries fréquentes. Le fanatisme connu. Images des marinas jadis florissantes devenues désertes! Trois guerres en 55 ans. La division diplomatique du pays n'a fait qu'agrandir les disputes. Un partage flou entre l'Inde et le Pakistan. Des musulmans répandus un peu partout. Cachettes. Guérilla. Frontières surarmées. Le président pakistanais fera naître, par son double jeu, des milices clandestines. Le terrorisme s'installera rapidement. Le yable est aux vaches et c'est à suivre.

L'Algérie de 1960! Guerre et torture. L'horreur à la française. Documentaire rare. On voit Malraux enjoignant les militaires de «faire cesser cela». De Gaulle, à son tour, gueule: «Fini les tortures!» Désobéissance à Alger: «Paris ne comprendra jamais rien!» Des témoins parlent. Accablés de remords. Trop tard! Un savant dit: «La torture par des officiers français? Leur surmoi n'était pas assez fort!» Ce surmoi (sauver les apparences, bien paraître) a donc son utilité? Oui. Un autre logue patenté: «Ni la religion (tous de bons chrétiens) ni la culture ne peuvent servir de frein à ce sadisme militaire!» Eh ben! Un baptisé cultivé sortait donc les fils électriques (électrodes) et faisait crier l'Algérien indépendantiste, des adolescents innocents souvent, pour qu'ils dénoncent les pères clandestins.

Douce France!

Le 3 juillet 1962: fin. L'indépendance. Les collabos, les Harkis, abandonnés. L'exil en vitesse. Régime militaire qui s'installe. Il y est toujours. Adieu, démocratie promise.

Un castrisme algérien, quoi ! Hier, aux nouvelles : Tueries nouvelles en Algérie ! Allah ou Akbar ! Le sadique est toujours (encore) religieux ? Fanatique intégrisme !

Le soir, magnéto béni, un film de guerre à Historia. Visions funestes de prisonniers anglais et américains à Changi, près de Singapour : *Le caïd*, signé B. Forbs, tiré d'un roman de James Clavell. Aile se dit fascinée de découvrir les astuces des démunis, la débrouillardise de l'être humain. Sa force d'imagination afin de conserver la vie. Récit illustrant des gens perdus qui vont s'en sortir. Vols, rapines, trahisons. Plus question de la moralité ordinaire. Édifiant ? Non, réaliste.

Jeudi : sueur sans cesse. Un M. Charron me raconte la Saint-Jean sur le parvis de l'église Saint-Vincent-Ferrié : « Vous nous aviez distribué du gâteau aux raisins après les célébrations que vous animiez ! » Il semble un peu surpris que je ne les reconnaisse pas, lui et sa dame. Je n'en reviens jamais. Certaines personnes nous imaginent avec une mémoire miraculeuse !

Le soir, 4 juillet, avec Carole et Paul le Grec, bouffe en terrasse *Chez Pep*, réouvert dans la côte Morin. Nostalgie des rib steaks d'antan. Le bœuf est boudé dorénavant. Y revenir m'a plongé dans des souvenirs de jeunesse quand le steak était si fréquent aux tables du midi, avec sauce Worcestershire. Causerie croisée jusqu'à tard dans la nuit. Ciel qui se remplit de noirs nuages. Orage enfin ? On rentre. Quatre gouttes d'eau et puis plus rien. Que la chaleur !

On a écouté la confession de Sharon Stone à l'émission de James Lipton. Aile déçue. L'actrice nous a paru hypocrite, calculatrice dans ses reparties, tricheuse même. Lipton, lui, poli, à genoux devant la fatale hollywoodienne. Cucul !

[Mardi 16 juillet 2002]

La dépendance

Ça ne pouvait durer? Cinq ou six jours de bel été. Ce matin : fin de la récréation solaire. Ciel bouché. Météo prometteuse et nous partions pour Val-David à vélo, mais aller-retour dans un camaïeux de gris.

Bof! Presque 20 kilomètres à observer une nature en pleine maturité déjà avec des couleurs vraies puisque le soleil n'est pas là pour fausser en ombres fortes les lumières et donc tricher. On m'a dit que photographes, comme cinéastes, en fin de compte, préfèrent ce temps gris pour justement obtenir les couleurs franches.

Dépendance affective totale ? Hier soir, au ciné, entendant mal, je vais m'installer en avant de la salle. Après 20 minutes de solitude, suis revenu près d'Aile avec ma boîte de Glosette aux raisins ! *Chemin de perdition* forme un récit filmique parfait, très pro, signé Mendes. Richard Johnson en est l'extraordinaire directeur artistique. Que de bonnes séquences dans des lumières glauques.

Et on aime tant Tom Hanks depuis *Forest Gump*, *Il faut sauver le soldat Ryan*, d'autres…

Au lit je dis : « Un bon film, oui, mais au fond une niaiserie. Encore la vie d'un modeste salaud, collecteur et tueur pour (Paul Newman) un chef pégrieux des années 1930. Ce patron irlandais a un fils idiot, une tête brûlée. Jaloux de l'affection de son papa pour Tom H, il va tenter de le faire assassiner. Échouant, ce fils, vite sur la gâchette, tuera l'épouse et un des deux fils de Tom. Débute alors l'illustration sanglante d'une vengeance. Classique récit des westerns et des films sur la pègre. Le célèbre Al Capone tire toutes les ficelles, commande les marionnettes. Fin. »

Aile est d'accord : « On devrait éviter de perdre notre temps à ces bluettes rouges d'hémoglobine, non ? » La famille Molson (son livre actuel) gagne.

Tantôt Annabelle de TVA au téléphone. Le camion micro-ondes s'en vient. Sujet proposé : le sort fait aux vieux. Je vais en profiter pour me défouler un brin. Je souhaitais tant, devenu un aîné, jouer au sage que des jeunes consultent. Nenni ! Nos expériences — tant d'erreurs ! — ne servent à rien. Ça va barder chez Pierre Bruneau. Aile : « Cloclo ! Du calme. Pas de criage hein ? » Ma chère boussole !

Lucidité grognonne

Avant-hier, dimanche, on s'amène au lac Marois chez les Faucher. Pastis sur la galerie. Large tricolore fixé à l'escalier. Vive le 14 juillet ! Solange Lévesque (du *Devoir*) nous parle de spectacles vus récemment : Nicole Leblanc, Hughette Oligny au *Caveau* de mon éditeur de Trois-

Pistoles, une reprise de *Encore une fois, si vous me permettez* avec Louison Danis en mamma de Tremblay à Beaumont. Une gentille bretonnante, sa filleule, rigole de nous entendre ferrailler Jean et moi. Bonne bouffe, revue des fleurs sauvages partout, les bons soins de Françoise.

La veille, à cinq rues de la belle vieille église des Patriotes de Saint-Eustache, garden-party pour célébrer les 40 ans de mariage de ma sœur Nicole et de son Louis, imprimeur retraité. L'hôtesse, Marie-Hélène, a deux jolies fillettes. L'aînée, Aude, se laisse apprivoiser, mais l'autre, une petite Fanny adorable de quatre ans, résiste farouchement à mes avances! Mon neveu Sylvain va s'amuser de mes efforts. À la fin de la fête, Fanny est sur mes genoux et me fait voir son ruban doré entortillé à son index. Je lui parle de fonte et d'une bague de princesse à fabriquer! Je l'ai eue.

Louis veut connaître mon truc. Facile: ne jamais prendre le rétif de front. Passer par un objet. Faire focus sur cet objet lui appartenant. Vont défiler alors les dessins, les peluches, etc. L'enfant timide refuse d'être sondé, d'être le sujet, mais si vous lui parlez de ses petites affaires, il ne tarira plus.

Je pense à ces *Souvenirs d'un ronchon* de Jacques Henripin, 200 pages remplies de graves regrets, de critiques acerbes, de vivifiants rechignages. Très souvent, je me suis senti solidaire de ses condamnations des temps actuels. Il est mon aîné de cinq ans. Ce garçon pauvre, presque misérable — je n'ai pourtant jamais manqué de rien —, venu de Lachine, aspirant curé dans un pensionnat de Chambly (les Oblats de Marie-Immaculée), courageux, très jeune travailleur pour gagner ses études, s'inquiète du laxisme dans les écoles et collèges, dans les familles aussi. Henripin épingle cruellement jusqu'aux universitaires, se moque des colloques, des séminaires, de ces «futiles voyages payés». Sa lucidité grognonne fait plaisir à lire.

Il finira pas être fort bien coté comme expert démographe. Solides contrats, très en demande à Ottawa et passages fréquents dans les médias. Retraité de l'université, il grogne — avec raison, l'âge venu, il devrait être encore meilleur — qu'on l'invite moins désormais.

Des chapitres entiers illustrent ses recherches, ses travaux, ses publications fréquentes. Peu à peu, il m'a déçu. Choqué. Le voilà traitant la nation québécoise de «tribu» de râleurs! Il se dit de *Cité libre*, revue fédéraste crasse. Il finit son livre en militant anti-nationaliste furibond et content! Nous ne sommes, les indépendantistes, que «tribalisme», gens de courte vue. Des imbéciles, quoi.

Hélas, son livre reste muet sur sa vie intime. Il est difficile d'estimer un bonhomme qui ne parle que sur son métier, qui passe sous silence tant d'aspects d'une existence qui font un être vraiment humain. Que cache cette si énorme discrétion?

Dimanche chez les Faucher, voyant à la télé Chirac menacé, j'ai songé à *Conversation* (Plon éditeur), de son épouse, lu récemment. J'ai aimé les parties de son bouquin où elle raconte ses déambulations nocturnes dans le vieux château de Napoléon le Petit. Le livre montre une femme de la bonne bourgeoisie française (moins gaullienne cependant que celle de son époux), un vaste monde séparant ces gens du commun. J'ai pris conscience que cette classe sociale (en France) vit dans une sorte d'immense vase clos! Les valeurs de Bernadette et de Jacques n'ont rien à voir avec les foules françaises, paysannes ou ouvrières. Pourtant, cette catégorie de citoyens jouit d'une sorte de ferveur. Ils sont (les Chirac en sont la pointe) l'équivalent de la monarchie britannique. *Paris-Match* les illustre régulièrement.

Ce pays de «la» Révolution a gardé la nostalgie des temps anciens. En cela, nous sommes vraiment des Nords-Américains.

Le temps passe

Vendredi, aller-retour en ville. Ramassé notre courrier, des factures surtout. Quelques chèques utiles aussi! Dernière livraison du *Couac* plus solide que d'habitude. Moins de faciles facéties iconoclastes bien estudiantines. Un bon article de Nadeau sur un Pierre Vallière devenu comme fou, gravement malade, qu'il fera hospitaliser (à Saint-Luc). Des révélations étonnantes sur un ex-aspirant-capucin qui vire révolté, entre en FLQ, fera de la prison, imagine des complots invraisemblables, renie ce qu'il adorait, part pour la Bosnie en fin de parcours (on songe à Malraux, vieux, malade, voulant aller au combat politique armé). Triste itinéraire.

Normand Baillargeon (alias Raymond la science) raconte deux expériences américaines. Des tests effroyables. Manipulation de type behaviouriste. Démonstration horrible. Des individus finissent par obéir à des ordres si on sait les conditionner. À lire absolument au domaine de la psychologie sociale. N'importe qui peut devenir un tortionnaire sadique en toute bonne conscience. Cela rejoint ces bons jeunes soldats chrétiens de France torturant volontiers des Algériens indépendantistes en 1960.

Un très bon *Couac*. Je me sens parfois isolé. Des livres m'excitent qui sont introuvables ici. Des spectacles m'attirent, mais descendre en ville… Fâcheux sentiment de passer à côté de ce qui se fait. Demeurer urbain, montréalais ne ferait-il pas que j'irais voir ce film à la Cinémathèque ou à *Ex-Centris,* ce spectacle à tel festival, ce brillant humoriste hors du lot commun ?

Il y a quelques années, je suis allé me stationner près de la prison de Vallières (Bordeaux) en face d'un coquet logis habité pendant quinze ans. Je rêvassais. Dans un champ immense d'Hydro jouaient mes deux jeunes enfants innocents. Plus de deux décennies d'un bonheur relatif. Le temps passé. On a coupé nos bouleaux, le grand sapin, pourquoi ? Ce logis où une épouse, la mienne, excellente maman, les enfants partis, le mari aussi (moi), tomba dans la dépression et finit par s'enlever la vie en février 1983. Le drame d'il y a déjà bien longtemps. Cicatrices refermées.

J'éprouve ce même frisson mélancolique — temps qui file trop vite — quand je repasse rue Querbes. Treize ans là ! On a coupé les lilas, les bosquets aux perles blanches. Ou repassant devant le 551 de la rue Cherrier, 7 ans au centre-ville suractif. Voisins : Miron, Langevin, Plume Latraverse. Même nostalgie fugace en passant devant le 10210 de la rue Sacré-Cœur où je n'ai vécu que 2 ans (j'avais 29 ans et j'ai gagné le très convoité prix du Cercle du livre de France avec *La corde au cou.* J'en fus longtemps stimulé ! La vie, la vie…

Lucie et Toumaï

Elle a de deux à trois millions d'années. Lui, trouvé au Tchad hier, entre six et huit. Des squelettes importants. *Homo erectus*? Macaque ou humain véritable? On cherche. La *Bible* parlait de 20 000 ans comme début de l'humanité et le génial Stephen Hawking, le fameux astrophysicien, dit que la marge n'était pas trop mal puisque, eux, les savants, jugent que cette humanité débutait vers 40 000 avant Jésus-Christ. J'ai été un peu trop vite en parlant de l'Ancien Testament comme d'un tissu de guerres horribles. Il y a de tout dans le livre, fureur et sagesse, mais aussi de la poésie. Voir *Le Cantique des cantiques*. Les intégrismes issus des liseurs de la *Bible* en sont un avatar. J'étais enragé par le petit manuel de l'Histoire sainte des révérends frères, où il n'y a qu'un défilé pressé des guerres de tribus juives et des alentours. Le livre n'en est pas responsable.

«Dieu prit un peu de limon de la terre et souffla dessus.»

On lit cela et on rêve. «Si c'était vrai», chantait Brel. Du Mont Ararat, en Arménie actuelle, ce Noé qui appareilla et mit le compteur humanité à zéro à la recommandation de Yaveh. Si c'était vrai…

Vendredi dernier, randonnée à vélo et des marguerites partout (pâquerettes), les collines plus rondes, grasses des feuillus en pleine maturité. La beauté.

Documentaire (Canal D) sur la succursale (à Morin Heights) de l'horrible secte de l'OTS. L'excellent acteur Godin en piètre animateur. Une tuerie affreuse qu'on découvrait dans des chalets en octobre 1994. Nous étions allés voir ce site funeste, Aile et moi. Morbide attirance?

Curiosité des faits divers sanglants comme tout le monde ? Horribles aussi ces émissions avec leurs niaises reconstitutions-bidons. Si amateur. Démagogie visuelle infantile.

Le soleil éclabousse tout le terrain et le lac aussi. Fainéantise ces jours derniers. Le paradis perdu (encore la *Bible*) retrouvé. Repos total. Ne rien faire, pas même lire. Regarder et se taire. Baignades fréquentes.

Un soir, à TV-5, documentaire sur l'étang de Berre, de Marseille, « la petite mer ». Pollution. Centrale nucléaire pas loin. Pétrochimie. Raffineries. Hydroélectricité sauvage. Une merde colossale ! Rejets nocifs. Cris des riverains. Mort de la pêche bientôt. Sursaut. Révolte. Le reportage faisait voir le redressement. Et ce matin, manchette des gazettes : ici, des rivières harnachées un peu partout, des petites centrales électriques. Beauté des sites à vendre. Par qui ? Si on décide de saccager les cascades de la rivière du Nord un jour, on me trouvera en farouche guerrier. Promis ! On saura qui exactement veut acheter (profiter) et pour vendre combien et à qui ? On saura tout.

Samedi matin, un simple odeur de rôties et me voilà salivant. C'est ainsi depuis l'enfance. Une odeur ordinaire, ancienne et c'est la joie des papilles. Un bien grand rôle pour deux petites tranches de pain dans le toaster, non ?

Chez Lipton, vu la Susan Sarandon. Quelle actrice brillante ! Quel plaisir de l'entendre converser sur son métier et aussi sur sa vie intime ! Ai revu *La Beauté du Diable*. Bien bon, Michel Simon en satanique Méphisto. Gérard Philippe, lui, toujours envoûtant. Vieux film avec des séquences modernes.

Mon fidèle Marleau (Daniel) me revient, pas moins taquin. Il me propose des titres pour mon journal: *Romanceries au saucisson de mousse* et *Écrivain chassant aussi le bébé écureuil*. Une lectrice, Manon A., y va généreusement. Je retiens *Dans le nid d'Aile*. *Rien à cacher*, me plaît bien aussi. Un lecteur, surnommé «le frileux» par moi, me propose, un tantinet méchant: *Mégalomane*, *Défroqué*, aussi: *Si mes jours étaient contés*.

G. Tod Slone me parle du neuf journal pro-indépendantiste *Le Québécois.* Il est d'accord que le Festival de Jazz c'est USA au boutte, me dit qu'il est aussi bédéiste, signant P. Maudit. Le meilleur? Pour un petit 300 000 $, l'île Sottise en face de Grosse-Île est à vendre. Un canular de ce G. Tod? Michelle T. elle, me suggère: *Le Capteur de temps*. J'aime bien. C'est une de mes héroïnes préférées car elle tient à élever ses deux filles à la maison. Abandon donc de début de carrière en radio-télé. Lourd sacrifice. Deux filles heureuses qui s'épanouiront cependant. Pas de clé au cou!

Une cousine ronchonneuse d'Aile, Mimi, me dit: «Oui, canicule et puis temps froid, c'est ça notre beau Québec, Claude!» Comme si aux USA (qu'elle affectionne tant) il n'y avait pas de canicule! Elle m'enrage.

Je lis sur Yourcenar (*Le Devoir*) et l'on parle de son tout dévoué Yvon Bernier, un Québécois cultivé. On trouve souvent des nôtres auprès des sommités. Gérald Robitaille, à Paris, a servi dévotement longtemps son illustre maître Henry Miller. Il y en a eu d'autres. Bizarre! De nos illustres inconnus se font admettre auprès des grands noms. Étranges valets surcultivés que des notoires accueillent volontiers. Miller a eu des éloges HÉNAURMES pour ce Robitaille, mort récemment.

Miller publiant qu'il connaissait « un Canadien français étonnant capable de démonter symboliquement l'agneau pascal », etc.

Un jour, Aile et moi, on veut visiter le modeste domaine de la Marguerite à Mount Desert, dans le Maine. Nous avions pris le traversier à Yarmouth, en Nouvelle-Écosse, arrivant à Bar Harbor, pause d'une nuit. Le lendemain, filant vers notre cher Ogunquit, demande de visite chez Yourcenar. Au téléphone, une voix : « Ah, regrets, Monsieur Bernier n'est pas disponible. Il faudra réserver plus tard ! » Dépit à l'époque. Françoise Faucher l'a mieux connue (pour *Femmes d'aujourd'hui*), allant parfois l'interviewer, mais elle m'a prié de ne pas révéler ses amusantes observations face à l'écologisme tout relatif de Madame, dont on a dit qu'elle avait un style « très enveloppé ». Je me tais donc, chère Françoise, mais j'avais ri.

Je l'avais rencontrée au Salon du livre de Hull en avril. Elle parlait toute seule face à son café du matin à l'hôtel de Hull. Je l'avais abordée. J'aime les gens qui marmonnent pour eux-mêmes. Frêle femme, poète ayant publié. Des japonaiseries tendres, parfois. Un être délicat, prof de français près de sa retraite à Carleton University. Son nom : Evelyne Voldeng. Paix à ses cendres. Nous devions nous revoir. Ce sera donc dans l'éther… l'éternité.

Article sur la peintre étatsunienne Joan Mitchell, longtemps la maîtresse (à Paris) du « taureau impétueux orignal », disait Breton le pape ; Riopelle l'aurait malmenée, disait la rumeur. Le catalogue de Mitchell mépriserait Riopelle copieusement. Justice ? Non. Vengeance à l'amerloque. Pénible.

[Mercredi 18 juillet 2002]

Improviser!

Au lever, ciel gris. À midi, beau soleil, nuage épars. Hier, séance d'aquarellisme. Pas fort fort. Vendeur de glace, de légumes, enfants avec bolo, toupie (nos moines à pine de cognac), bilboquet. Doigts tachés de couleurs. Ouen! Je dois me trouver une manière, un style. C'est trop ordinaire. Je m'énerve et déçu, je sors tondre le gazon — «la largeur de ma langue». La Fontaine. Deux pauses obligées: je vieillis!

Le soir venu, film loué par Aile sur ma recommandation: *Histoires à raconter*, écrit et réalisé par Tadd Solandz, qui a du talent. Son deuxième récit est plus solide (plus long aussi, plus étoffé), racontant la vie d'une famille de banlieusards bourgeois du New Jersey. Un album de famille effrayant, comique aussi, satirique et à l'occasion fort cruel.

Après ce film terrifiant et drôle à la fois, l'improvisation. Belgique versus Canada. Des platitudes. Je n'ai jamais aimé ce faux théâtre fondé par Gravel. De rares grands moments, mais devoir supporter les facéties vides des improvisateurs rarement talentueux m'assomme.

Hier midi, CKAC m'invitait à toposévir par téléphone sur les vieux qu'on jette. Coup de fil du vieux Jacques Fauteux. Vétéran des ondes en forme et inemployé, lui aussi, il rage. Il me félicite chaudement de mes condamnations. Je parle pour les autres puisqu'un écrivain ne retraite jamais (pas plus qu'un peintre ou un musicien). L'auteur est toujours actif, se donne lui-même de l'ouvrage (mon journal, mes barbouillages). Aile, chanceuse, a pu décrocher en douceur puisque, retraitée, la section dramatique de la SRC l'employa durant des années comme coach des jeunes réalisateurs et comme lectrice de projets.

Ri comme un môme encore mardi en observant la Sylvie Moreau incarner avec tant de talent une idiote niaise, *Catherine*. Des folichons l'entourent efficacement, dont l'étonnante vieille Dodo ! C'est léger, vite fait, une récréation bienvenue à l'heure d'Allah ou d'Akbar !

Téléphone du pistolet trois-pistolien, Victor : « Le titre de ton journal ? » *À cœur ouvert* (que j'avais mis en titre de travail) serait le bon selon lui. Voilà une chose de réglée. Il me dit : « Tu sais que ton journal de six mois va me faire un bouquin de 800 pages ? » Fierté. J'aime la grosse brique à l'occasion.

Il m'invite à monter chez lui pour une causerie (« J'offre le motel, Claude ») et surtout pour un bien-cuit en l'honneur de son ami Stanké, dimanche en huit. Pour les belles sculptures sur bois de Stanké, je dis oui. Mais Aile me prévient, l'agenda sorti : venue de la tribu au chalet ce dimanche-là. Je n'irai donc pas voir la mer troispistolienne!

Vu mardi *Entre l'arbre et l'écorce*, un très bon film. Un publicitaire à grosses gages s'écarte dans l'immense parc de sa ville (Central Park). Des punks (noirs et blancs) s'emparent du chic monsieur, veulent son argent, sa montre en or! Il se sauve et, désespéré, grimpe dans un arbre géant. Va débuter une paniquante séance aux cruautés sadiques. Révélations sur les jeunes bandits et aussi sur ce créatif. Peu à peu, on saura tout et sur lui, infidèle mari juché dans son arbre, et sur eux, en bas, combinant des plans diaboliques pour sa mort prochaine, vagabonds dans la fleur de l'âge, paumés issus de familles dysfonctionnelles, etc. Un film aux péripéties étonnantes. Écrit (bien) et réalisé (bien) par William Philipps.

Guy Sorman

Même soir, Stéphan Bureau (du *Point*) conversait intelligemment avec Guy Sorman, économiste néolibéral et sociologue, un réactionnaire étonnant. Plaisir d'entendre un questionneur habile, brillant. Ce jeune Bureau est un phénomène ici, il faut le louer. Sorman, les allures d'une religieuse travestie, sourires de jocrisse malin, refuse le titre de provocateur. Je l'ai jugé (j'avais lu un ou deux livres de lui) nécessaire. Il fait réfléchir. Il étonne, étant pro-OGM, pro-cloning, anti-Kyoto, etc. Son dernier livre *Le Progrès et ses Ennemis*, veut illustrer «la haine des intellos du monde face aux technologies progressistes», selon Sorman. Il dira à Bureau: «Tous ces gens, les écolos à gogo, Bové et Cie, manipulant les médias, ne veulent que faire peur sans fonder solidement les objets des craintes. Ils veulent quoi? Comme toujours, les pouvoirs, dont le pouvoir intellectuel.»

Sorman souhaite la controverse, la polémique, regrette le silence des scientifiques: «Ils ne parlent pas, jamais.» Comment ne pas être d'accord avec lui? Oui, partout, on craint les nécessaires engueulades, confrontations. Oui, nous manquons de tribunes libres. Il dira: «Il y a trop peu de sources fiables pour les informations. C'est dommage.» De la bonne télé minée avec des publicités assommantes. Sorman affirme que la sublimation actuelle du fait nature est un paganisme. Il dit que la méfiance des intellos et des écolos envers le progrès est un funeste péril. «Ils se disent tous anti-mondialistes, de la *Résistance*, titre aguicheur s'il en est, prétend-il. C'est trop facile. Résistance aux progrès, oui.»

L'écoutant au *Point*, on voudrait protester, l'interroger sur les méfaits connus du progrès. Ce qui compte? Qu'un Sorman secoue nos confortables certitudes.

On jongle à ses propos: Il n'y a que les gros bourgeois de gauche pour tant s'énerver du progrès des scientifiques. Le coton et le riz génétiques sauveraient de graves famines. Un magazine comme *Nature* ose entretenir des inventions Bonhomme Sept Heures déconnectées des sciences. On répand des mythes, des bobards, des a priori nébuleux. Les tant détestés OGM pourraient secourir les pays pauvres, Inde, Afrique, s'il n'y avait pas cette résistance des nantis. Le clonage humain «pas avant des décennies» ne conduit pas à la réplique parfaite, mais plutôt à la venue de simples jumeaux. Le protocole de Kyoto (« qu'aucun pays n'a encore ratifié », dit-il) et son projet de freinage énergétique retarderaient les pays sous-développés, la Chine et l'Inde aussi.

Courtepointe

Hier midi, visite annoncée au chalet d'un retraité de l'enseignement, Jacques. Fernande, son épouse, est sauvée d'un cancer. Médicaments efficaces cette fois. Rémission réussie. Aile heureuse. J'écoute, ravi, la narration descriptive de toutes les boutiques du temps de leur rue Rachel.

Découverte d'un site le long de la piste cyclable. À l'ouest de Val-Morin, avant d'arriver à Val-David. Qui a installé une foule de mini-dolmens ? Pierres sur pierres et toutes dorées ! J'aime. Nous songeons à ces dolmens improvisés entre Mingan et Natasquan. Formidable installation naturaliste.

Lu tantôt, durant le lunch du midi — au bord de l'eau — une invitation à un pique-nique des Écrivains des Laurentides ! Sur presque une centaine de membres, cinq ou six seulement ont eu assez d'activités littéraires pour se faire une petite notoriété. Mes doutes sur l'utilité d'une telle association quand l'UNEQ, si vaste, ne me sert à rien. Va-t-on bientôt vouloir encore des subventions arrachées aux contribuables ? J'en ai peur. On verra bien. J'ai été un syndicaliste militant jadis, comme scénographe et journaliste, mais l'associativité à tout crin, très peu pour moi !

Demain, anniversaire de ma fille. Cadeau posté. Éliane a été une petite fille merveilleuse. Elle aimait accompagner mon père quand il semait tout ce qu'il pouvait. Je la voyais en botanique un jour. Non, elle sera brièvement institutrice, puis les enfants sont venus. Fin du boulot pour elle. Les enfants grandis, elle étudie l'aquarelle — la vraie, pas les accidents tachistes du vieux papa, hein. Je l'aime. Je n'arrive pas à croire qu'elle aura 50 ans bientôt. Elle reste ma petite fille.

Le terrorisme

Kamikazes palestiniens de nouveau. Des civils morts. Chars d'assaut israéliens partout. Folie ! Inutilité. Des terroristes, c'est imprévisible. L'armée de Trudeau-Bourassa à Montréal en octobre 1970. Folie ! Faire peur au monde, tactique politique. Aux États-Unis, même bêtise. Des terroristes, cela ne se coince pas. Ce qu'il faut : endiguer, changer les choses, stopper les motifs de cette haine, de cette révolte. Sinon, gaspillage de temps, d'argent, d'hommes. Aussi : intérêt d'entretenir la peur avec lois nouvelles, surveillance de tous les dissidents, et le fric, beaucoup de fric, pour les intéressés ; militarisme ambiant enrichissant les vendeurs de bombes, de chars, de systèmes d'alarme, de milices excitées, de gardiennage, d'écoute. La belle pagaille !

Dans le monde de la finance, des faiseurs de conglomérats commerciaux, on va installer des vérificateurs pour surveiller les vérificateurs ! Et qui va surveiller les vérificateurs des vérificateurs ? Grand guignol quand la cupidité est aux trousses de ce monde-là.

Le parti rouge ramasse du fric. Paul Martin (prononcer : « Paool Martinnn ») se démène. Abattre le chef actuel. Promesses d'indépendance aux Amérindiens, hier. Chez les chrétiennistes, le slogan : « Fierté d'être canadien ? Donnez de votre argent aux libéraux. » Suis-je fier, moi, d'être québécois ? Oh ! oui ! Fier de notre longue histoire de résistance inouïe en ce vaste continent totalement anglo-saxon. Un phénomène unique au monde. Le sait-on assez ? Si j'avais vécu en France ? Bonheur des stimulations incessantes là-bas pour un tempérament comme le mien. Pourtant, ça vient ici, j'aime que ça pousse de plus en plus au domaine des idées, j'aime qu'il y ait un Jean Larose et un Falardeau, un J.-M. Léger et un Bourgault, un Michel Chartrand et un jeune conservateur, Mario Dumont, un Martineau et une Pétrovsky, un Foglia et une Lysiane Gagnon. L'unanimisme est un fléau.

Le Cauchon d'Ottawa fuma, jeune, un peu de pot. Ottawa songe à légaliser cette drogue. Des chercheurs se contredisent. Pour l'un, il y a destruction des neurones. Pour l'autre, il n'y a rien là. Ça sentait fort dans mon sous-sol de Bordeaux un temps, le buveur de Campari découvrait une jeunesse au tabac un peu fort ! Souvenir : vacances à la mer, l'ami Ubaldo, Ocean City. Il sait où s'en procurer dans un parking d'Atlantic City. Au chalet, essai. Aucun effet. Je préférais le pastis, aux effets plus clairs et plus rapides sur le plan de l'euphorie. Quand je feins les rires prévus et la mascarade du gars parti, Ubaldo ne rigole pas, déçu par ma non-perméabilité à la belle marijuana.

L'on bafoue, dans nos écoles secondaires, la minorité d'ados au bord d'assumer leur homosexualité. On va y voir. Des affiches sont imprimées : tolérance pour ceux qui sont de futurs invertis. Nous savons la cruauté des masses, nous connaissons tous d'atroces souvenirs liés au sort des différents. L'instinct grégaire, propre à la jeunesse, a un lourd dossier. Ça rouspète dans certaines écoles. On veut pas de ça ! On ignore qu'une affiche de plus ou de moins sur les murs tapissés ça ne changera absolument rien. Cachez ce sein…? Sois comme tout le monde ou cache-toi, quoi! Vieille imbécile loi d'airain.

Débat actuel

Fallait-il aller en prison ou se sauver du temps de l'URSS partout? À Prague, Milan Kundera s'est sauvé. Le dramaturge de l'absurde (héritier des Beckett et des Ionesco) Vaclav Havel — président de Tchéquie — alla en prison. Il y eut polémique entre eux un temps. Le clandestin parle d'illusion quand il nomme le printemps de Prague massacré par les chars russes. Bientôt retraité, malade, il ira vivre au Portugal.

Exil tardif. Un seul exemple? Les Haïtiens devaient combattre chez eux les deux Doc, Papa et Bébé, ou bien s'enfuir à Miami, à New York et à Montréal. Les Cubains, les… il y a en tant. Je ne sais quoi dire, n'ayant jamais été menacé d'incarcération pour mes idées. Aussi je me tais.

Le bon vieux frère Untel, ce matin, louange un vieux conseiller, Naud, un prêtre de Saint-Sulpice. Son mentor à l'entendre quand Desbiens bossait en haut fonctionnaire de l'Éducation. Il nous ressort son anti-syndicalisme chevillé à son âme de brave frère mariste, aussi sa notion bien à lui de race, mot magique à ses yeux. Invité au Salon du livre du Saguenay, je l'avais croisé et avais lunché avec lui dans la vieille gare de Québec. J'avais gardé un profil bas, ne souhaitant pas le faire enrager: respect de son grand âge même s'il m'avait semblé en parfaite forme physique. J'aurais dû mieux l'agacer, l'étriver même un tantinet. Nous aurions pu assister à une belle querelle idéologique, lui comme son irlandophile sur le tard, compère correspondant aussi réactionnaire que lui, Jean O'Neil, qui moque sans cesse les indépendantistes de ma sorte !

Le soleil brille dehors. Aile lit sur ses Molson — elle aime moins maintenant, « trop de monde, trop d'héritiers » — et, malgré le temps frais, j'oserai aller nager, je me le jure.

[Lundi 22 juillet 2002]

Rester optimiste, oui!

Bel après-midi. Prélassement total, chaises longues matelassées, baignade, lecture du *Nouvel Obs* sur la vérité et les mensonges dans la *Bible*. Aile lit *L'Express*. Je repars nager vers le radeau et, coucou, passage du rat musqué familier. Au large, un canard solitaire. Poissons rouges énormes (venus de bocal renversé?), carpes capables de s'adapter au lac d'ici donc ? Mon ignorance. Soudain, adieu soleil, adieu chaleur, le ciel virant au gris sombre, vent plus violent, on monte vitement vers la maison.

Tout un week-end passé avec une terrible pie bavarde dans mon genre, la comédienne émérite Monique Miller. Elle et son fils Patrice (Gascon) sont repartis ce midi. Taquinage dès son arrivée avec cette nouvelle officière de l'Ordre du Canada. Elle ira bientôt chercher sa médaille, logée nourrie à Vancouver, billets d'avion payés ! Je lui ai répété qu'elle devait dire : « J'accepte cet honneur d'un pays étranger mais néanmoins ami. » « Laisse-moi tranquille, on a pas le droit de parler, OK? » Comment ça se fait qu'à moi, Ottawa offre jamais rien, ni médaille ni ruban? Monique: « Pis j'suis plus séparatiste, Jasmin! Depuis tu sais quand. »

Lu le prof, auteur et éditeur Brochu dans la une du *Devoir*. Il narre avec cruauté l'état piteux de l'idée nationaliste de nos jours. Oh là là! L'académicien y va d'une lucidité remarquable mais atroce. Le lot des déçus, des découragés grossit vite, ma foi du Diable! Je serais le dernier à lutter pour notre indépendance, je continuerais à la proclamer. Toujours. Jusqu'à ma mort. Nos compatriotes (4 sur 10), pour des raisons connues, craignent le changement. Ce fait têtu ne change pas une conviction, il me semble. Je reste optimiste.

Dimanche, visite avec nos deux invités à Val-David pour les « 1001 pots de céramique ». La qualité baisse. Vaste fourre-tout d'argiles diverses bien démocratique, mais, déception légère de tous. À l'aller, vision sur la 117 de troupes assemblées. Police, ralentissement. Val-Morin reçoit pour un cérémonial de type indien mais nous ne savons pas de quoi il retourne. Ce matin, nous apprenons qu'il s'agissait d'un vaste pow-wow religieux tamoul. Ça ne devait pas trop causer en français!

Un bonhomme installé longtemps aux USA revient tout heureux à Montréal. Il vante la place. Ça fait chaud au cœur de lire son grand plaisir. Dira-t-il qu'il veut s'intégrer à nous, qu'il avait besoin de nous? Pas du tout. Il ne vante que l'aspect cosmopolite de Montréal. Pour lui, c'est le suc de l'existence. Les 84 % des nôtres le laissent de glace. Il dit qu'à Montréal il ne perçoit pas l'homogénéité raciale qu'il devait endurer à Atlanta! Ils sont nombreux ces zigues, dont certains des nôtres. Le Québec, ils s'en crissent! Notre culture, nos us et coutumes, notre histoire, notre avenir incertain, nos combats de résistance (2% au milieu de la vastitude anglo-saxonne), c'est de la schnoutte! Ils n'aiment que la mosaïque de ghettos du centre-ville. Une sorte de racisme. C'est bien clair.

Tout autour de ce centre-ville à ethnies variables (tant s'exilent vers Toronto tôt ou tard), vivent les nôtres, à Longueuil comme à Laval, à Saint-Hubert, à Saint-Jean comme à Sainte-Thérèse et à Saint-Eustache, des millions des nôtres. Rien à faire. Ces foules ne comptent pas. Ce qui est estimé, c'est le carnaval des ethnies. Racisme, oui.

Le tonnerre gronde. On passe de la grisaille à l'ardoise dehors. Le vent a viré de l'ouest vers un nordet énervant. Ça sent l'eau qui va tomber en trombes. Monique nous a beaucoup parlé de sa tournée en Europe avec *Je suis une Mouette*, le captivant spectacle monté par Denoncourt. Un franc succès à Marseille, à Berlin, à Munich, etc. Cette fille possède une énergie renversante. Je ne me voyais pas trop, on a à peu près le même âge, dans mes valises, changeant d'avion, de train, de ville. Monique, elle, voit tout cela comme une expédition agréable. C'est qu'elle adore son métier, je suppose.

Aile semble essoufflée d'avoir vu encore cet engin inouï, Monique, qui cause, qui brille, qui se souvient de tout, de tous, qui est une mémoire absolument prodigieuse. Je lui dis: «Tu ne veux pas que je te rédige un bouquin? Tout ce que tu sais, ça pourrait se perdre, non?» Elle rit, me fait comprendre qu'elle se sent encore trop jeune pour se mettre au livre de ses souvenirs.

Rêve de vendredi

Un cauchemar. Des enfants sadiques, avec des poignards, qui cherchent dans nos rues des victimes. Je me cache comme tout le monde face à ces petits sorciers, bandits, qui règlent je ne sais trop quels comptes ! Des amis sont blessés et râlent. Je reconnais des camarades de travail de jadis (Roussel, Picard, Valade). Puis, il y aune réunion. Salle vaste. Un gymnase ? Des moniteurs nous conseillent. Un caucus savant, bavard, futile. Je me sauve. Aile me retient : « Il en va de notre survie ! » Je sors, je me moque. Plus une seule voiture en ville. Les jeunes rôdeurs sont disparus. Méfiance face à cette accalmie. Une sorte d'Harry Potter pleure, seul, assis dans un caniveau. Je me sauve. La peur. Je me réveille.

D'où ça peut venir ? À la télé, des enfants installant une machine pour faire dérailler un train, les 118 assassinats du sordide docteur en Angleterre. J'ai songé à ma bande dans *Enfant de Villeray*, martyrisant les chats de ruelle. Mystère des songes noirs.

Jeudi soir, film loué, bien fait : *The Hart's War*. Un Bruce Willis solide. Un camp de prisonniers au nord de l'Allemagne. Même ambiance que dans *Le Caïd*, autre film bien fait mais se déroulant dans un camp tenu par des Japonais. Gregory Hoblit est un réalisateur compétent.

Actualités

Une parodie du mariage ? Deux homos et 29 ans de vie commune harmonieuse. Désir tenace d'une union officielle. Rien des homos à sauna pour secousses anonymes et brèves. Un beau couple, cela est évident. Trouver un nom nouveau pour ce type d'union maritale ? Aile enfin consentante, je dois dénicher un papier attestant que je suis bien un veuf et le curé du village, Michel Forget, dit qu'il nous organisera un mariage. À trois coins de rue d'ici. Régler cela pour septembre. Fin du concubinage. Ce mot ! Vendredi, voyage-éclair en ville. Courrier, Aile pour son cher poulet mariné du *Adonis,* rue Sauvé. Entrer-sortir quoi. Vendre ce minicondo en ville, non ? Aile, desperados espagnolisante : « Non, non, Clo. S'il fallait que l'un de nous deux tombe gravement malade, nous vois-tu voyager pour les visites à l'hôpital à Montréal ? » Bon.

Record Guinness ? J'ai touché 8 dollars US de droits d'auteur pour mon *Total Chaos*. Eh ! Je reçois parfois un chèque de 8 $ ou de 13 $ pour un vieux livre publié qui trouve quelques lecteurs. Pour un livre nouveau, ça fait mal, ça stimule pas une miette. G. Tob avance que si un littérateur critique trop fort, ne respecte pas les tabous, il aura droit à un enterrement rapide.

Téléphone du popa. Ma fille a reçu mon cadeau. Elle devra rencontrer bientôt deux ou trois médecins. Spécialiste de ceci et de cela. Ma peine. Elle qui fut si forte, si en bonne santé ! J'invoque mes chers défunts à son sujet : que la santé lui soit rendue.

Ça brasse

Les spéculateurs se méfient. Les mensonges aux boursificateurs des patrons. La cupidité rongeuse de confiance. La Bourse en alarme. Crise. Congédiements en cascade. L'économie américaine est chambranlante. Dans un magazine de Paris, prévision de catastrophes aux

États-Unis. L'euro grimpe. Des jargonneurs s'en mêlent. Pour l'un, rien à craindre ; pour l'autre, un tremblement de terre économique chez nos gras voisins. Qui croire ? Nortel valait 120 $ l'action. Chute vertigineuse et c'est 2 $ maintenant. Du chinois pour moi. Manchettes au téléjournal. Aile : « Desjardins m'a prévenu pour mes REERS. Je vais perdre dans les 3 000 $. Et toi ? » « Moi ? Je lis pas ces paperasses codées de chez Desjardins. »

Petit écran, petit écran, que vois-tu venir ? Misère en Angola. Guerres civiles. Du sang en Israël. Du feu, des inondations. Le sida ravage. Et, enfin, le pape dans son avion jaune et blanc, surgira à Toronto et des foules jeunes attendent ce petit vieux malade, tremblant, étonnant pontife d'une religion à laquelle la même jeunesse ne souscrit en rien !

Ce pape veut mourir à l'ouvrage, en pèlerin. Mort d'un commis-voyageur évangéliste ! À Toronto peut-être ? Au Mexique, où il s'en va après ? Monique Miller : « Comme Molière, il veut mourir en action ! »

Fête de l'amie Mimi Dubois dimanche. Promesse d'un petit mot. Courriel au mari organisateur de la cérémonie, l'ami André Dubois. Pendant qu'au jardin, on festoyait (40 invités !) nous, ici, nous bavardions à perdre haleine, conversations à bâtons cassés sur les faits divers en colonie artistique. Revue générale des gens de la balle !

J'ai repris mes pinceaux vendredi. Essais, essais ! Marchand de glace et de charbon. Vieux à la pipe sur le balcon. Une mouman et ses quatre fillettes au panier de tomates… Au bord du découragement ? Oui et non. Je me dis que je trouverai la bonne veine et que paf ! ça va jaillir, couler comme source. Tête heureuse, va !

Vendredi soir, entretien télévisé à *Inside Actor's studio* avec Kim Basinger. Agréable télévision. De la bonne franchise, des aveux frais, de l'expérience offerte généreusement aux élèves de l'école de New York et à tout le monde aux écrans.

Oh ! l'agréable rencontre chez Claude, vendredi soir, rue du Chantecler, où l'on bouffe trop gras mais quelle formidable régalante bouffe ! À une table voisine, une directrice adjointe aux dramatiques de la SRC, Claudine Cyr. Je suis ravi car voilà qu'elle offre à Aile de donner un cours « sur l'image » à l'*Alma mater*. Aile refuse, mais, rendue à la maison : « N'empêche que ça fait du bien. On me veut, on pense encore à moi. On a toujours confiance en moi. C'est vitalisant. » Moi, fier d'elle.

Un groupe de soldats en Israël refuse d'aller servir dans les territoires occupés. Ils iront en prison. Honorable incarcération. L'honneur de ce pays est sauvé par eux. Beau courage. Ces objecteurs de conscience d'aujourd'hui sont la nécessaire réparation d'une réputation maganée là-bas. État menacé certes, mais qui doit comprendre qu'il faut aussi un pays aux Palestiniens. Sinon, sang versé de civils innocents et pour longtemps encore.

Un lecteur laurentien s'insurge avec raison dans l'hebdo *Succès*. COGECO(comme à Montréal ?) n'offre pas la télé française de l'Ontario, TFO. C'est scandaleux. Sylvio LeBlanc est révolté, clame qu'il se fiche carrément du gros paquet de chaînes USA offertes gratuitement. Il y a si peu de chaînes francophones. Comme LeBlanc, je voudrais bien obtenir TFO au plus sacrant. Je dois trouver un moyen de dénoncer ce COGECO aux mains pleines d'amériquétaineries ! Ça suffit !

Je viens de lire le courriel d'un jeune (Robert Mercier) qui est monteur pour l'entrevue accordée récemment ici. Il me remercie pour mes propos. Rares compliments chez un technicien. Le monde change, les temps changent. Il m'a accordé sa confiance. On se jette à l'eau face à la caméra, on ne sait pas trop si notre baratin a de la gueule ou si c'est du vasage, et voilà qu'un modeste monteur vous dit: «C'était bon, merci. Propos riches.» Merci, jeune homme!

Si jamais mon fils ou ma fille décidait de rédiger un bouquin sur moi en père, que dire? que faire? Dangereux. La fille du très célèbre ermite de Cornisch, New Hampshire, J. D. Salinger, auteur de *L'attrape-cœur* — livre culte, roman d'initiation relu récemment —, fait éditer *L'attrape-rêves*: 512 pages. *Nihil obstat*? Margaret Salinger étale la vie secrète de son papa, un illuminé qui navigue de religion en religion, parle des langues issues de l'au-delà, boit sa pisse... Est-il vraiment sénile? Si oui, vite «le manteau de Noé», madame. Sinon, quoi? Pour du fric? Par besoin de casser une camisole qui l'a fait souffrir? Mon Dieu, la vie, la vie à l'ombre des gloires littéraires *made in USA*!

Normand Rousseau explique clairement aux lecteurs de *La Presse* que c'est une fausseté de répandre qu'au Québec le citoyen croule sous les taxes et impôts. Aux États-Unis, où tout doit se payer, le coût de la vie est autrement plus élevé. Y vivre peut être la ruine en cas de malheur (de santé entre autres). Ces bobards servent à diffamer le Québec un peu social-démocrate. Ils sont repris par les bons valets John Charest ou Mario Dumont: «On va couper tout cela et vous débourserez de votre poche si vous tombez malade.» Une mode dangereuse s'annonce.

La vogue néolibéraliste (sauce Reagan, Thatcher, Harris et Ontario) est dénoncée. Il était temps! Pendant ce temps, des affairistes, se coulissent chez l'ADQ dumontiste! Eh!

Dame Clarkson — la femme à Saül et notre vice-de-la-reine — dans *L'actualité* dit que la CBC engage souvent des francophones mais, hélas, que le réseau français de Radio-Canada oublie ses chers pauvres petits anglos. Niaiseuse, va! Les nôtres sont toujours les seuls bilingues, voilà pourquoi ils peuvent bosser à CBC ou ailleurs et pas les anglos, toujours unilingues anglais, eux. Non mais quelle sotte vice-royaliste! Comme d'habitude, l'interviewer ne réplique rien. Faut être poli face à la *General Governor*? Hon... pas de médaille jamais pour moi, ça, c'est certain.

Napoléon et les autres

Je lis sur Napoléon Bonaparte: «Il a fait un pays de veuves et d'orphelins.» J'applaudis et tant pis pour les cocos à la Ben Weider, ces idolâtres du «petit caïd des banquiers» (Guillemin).

Mon éditeur, bon ami du Ben Weider, racontera *L'homme fort du Québec* par excellence, le jadis très célèbre Louis Cyr. En six épisodes, Beaulieu montrera que le leveur de poids prodigieux, connu dans toute l'Amérique du Nord, était aussi danseur et musicien, et politisé à fond! Hâte de voir cela.

Robitaille, qui vit à Paris, dit qu'il a étudié les augustes de l'Académie «comme une tribu d'Amazonie».

Il publie en septembre *Le Salon des Immortels*. Médiocrité depuis qu'on n'y trouve plus Bossuet, Racine, La Fontaine, Valéry, Péguy, Mauriac. Robitaille avance que cette institution anachronique sert de compensation subconsciente depuis que l'on a osé trancher la tête du cou du gras roi Louis XVI. Lecture amusante (Denoël éditeur) bientôt.

Monique Miller a eu l'occasion (chanceuse!) de voir le transformiste italien Brachetti. Elle ne tarit pas d'éloges, certaine qu'il va triompher aux USA. Aile et moi avons raté son spectacle.

Nous tous, via notre Caisse publique (des dépôts), soutenons Péladeau fils, qui énerve bien du monde par ses achats audacieux. Quebecor Media, c'est quoi? C'est 180 journaux désormais, de tailles diverses certes, dont le *Journal de Montréal*. C'est Vidéotron: un million et demi d'abonnés. C'est TVA et LCN. C'est Canoé et Netgraphe. C'est 170 magasins Super Club, des magazines *People* et des hebdos pop. Un empire. Un colosse *made* in Québec! Nos économies à tous sont-elles bien à l'abri de magouilles style Enron, Nortel et cie? Touchons du bois.

Francophobie qui pointe aux USA. La France serait un terreau d'«antisémitisme virulent»! Un ambassadeur rétorque dans le *Washington Post*. Titre: «*La France calomniée.*» Bujon L'Estang contre-attaque: «Les USA ont rejeté Lieberman comme candidat». En France, Blum et Mendès-France, juifs, furent élus. Les actes antijuifs sont le fait d'une jeunesse nord-africaine mal intégrée. Il n'y aurait jamais eu de Ku Klux Klan anti-Noirs en France. Depuis, un certain silence se serait installé au sud de Lacolle!

La presse canadienne s'ouvre: dépenses royales des politichiens fédéraux aux Olympiques chez les Mormons! Une fédération de jeunes sportifs à Salt Lake City recevait 15 000 $ pour s'exercer. Madame drapeau Copps payait 3 475 $ pour chaque nuit à son chic hôtel! La ministre de la Culture *canadian* a acheté pour 57 000 $ de billets de faveur. Elle a versé 60 000 $ pour des babioles et du beau linge unifoliant et, pour des petits fours et du vin mousseux de l'Ontario, 14 000 $.

Les politichiens avaient le gros du fric et des pinottes pour les jeunesses sportives. Apprenant tout cela, on entend: «Ça me dégoûte», déclaration d'une skieuse, Sara Renner. Pas seulement vous, mademoiselle!

[Vendredi 26 juillet 2002]

La passion du canot

Ce matin, un ciel lacté. Rubans de jaune, d'orangé. Hier, rôties et café sur la terrasse, ensoleillée depuis l'émondage des grands cèdres. Aile toute retournée: « Si tu avais vu cela! Ce matin, à l'aube, c'était le rare spectacle de la brume mobile sur le lac et, en face, le haut des collines illuminées en rose tendre sortant de l'ombre tout doucement. La beauté, Clo! » J'ai déjà vu ce spectacle. On dirait d'antiques gravures japonaises, ces photos d'antan qui montraient les brumes en Scandinavie, le long des fjords.

Jeudi de bonheur. Mon fils s'amène après le lunch avec sa si jolie Lynn et les deux beaux ados, Simon et Thomas. Ils ont leur baladeur à portée de main, mais ne s'en serviront pas. Je fournis des vers et deux lignes à pêcher « de 1900 », longues cannes de bois à poignée de liège, trouvées aux rebuts, rue Morin. On ne sortira que cinq crapets-soleil et pas de truite, pas d'achigan, hélas! Les parents avaient le canot blanc sur le toit de leur voiture et s'absenteront deux heures. Voguer sur un lac au nord-ouest. Ils canotent depuis très longtemps. Ma fille et mon Marco gendre devaient venir aussi. Viendront pas, hélas! Il y a tant de cantonniers — réparations sur la 15. Au lieu de 45 minutes, il en faut 95 pour monter ici. Éliane abandonne l'idée de se joindre à nous.

Alors qu'Aile bossait encore avec ses chers Jean-Louis Millette — elle avait dîné avec lui quelques jours avant qu'il ne s'écrase sur un trottoir du Vieux-Montréal près de chez lui — et Monique Miller (fin de *Montréal P.Q.*), Daniel était venu me chercher pour m'initier à sa passion du canot. Ensemble, nous avironnions sur la Rouge, entre les îles du Saint-Laurent (vers Sorel), sur la rivière L'Assomption aussi un jour. On se retrouve alors hors du trafic des humains. C'est inoubliable.

Plongeons et concours du meilleur souffle sur le radeau quand ils reviennent de leur excursion. La joie! Souper — la maman de ma bru, la veuve en santé, Denise, nous arrive de Saint-Sauveur. Jambon à la Aile sur la longue galerie. Le crépuscule nous éclabousse tant qu'il faut installer le rideau de bambou. La joie toujours. Je fais voir un trésor précieux car j'ai fait un tri des plus jolies roches chanceuses que me rapportaient les petits-fils jadis quand ils pensaient à moi, le collectionneur de ces roches brillantes. On dirait des agates souvent! Fabuleux trésor.

J'ai fait voir, inquiet, ma vingtaine d'aquarelles pour l'album en vue et l'expo d'octobre. Daniel — généreux — me rassure et élit d'emblée une bonne douzaine de ces essais graphiques. Un regard extérieur, neuf, ainsi me rend comme plus indulgent envers ma ponte. Eux en allés, Aile, plus sévère, réduit les élus à neuf.

Des éléments de certaines illustrations, me dit-elle, sont à conserver. Je me reprendrai donc. Il y a *Le Guenil-lou*, mon plus récent petit ouvrage, dont je suis très content et qui a rallié tout le monde. Aller vers cette manière de faire.

Avant de m'endormir, j'ai remercié la Providence et tous mes défunts chers d'avoir ces descendants en bonne santé, pleins de vie vive. J'ai prié encore pour que ma fille retrouve sa santé amochée.

Sous le sable de François Ozon nous hante encore. Aile surtout, qui m'aime tant ! Cette épouse, si bien jouée par Charlotte Rampling, absolument inconsolable du mari (Bruno Cremer) disparu en mer — mystère du film — sur une plage des Landes, était d'une tristesse effrayante. Elle en est devenue comme folle et le voit partout, dans ses vains efforts pour lui survivre.

La Palestine

Horrifié, un chef palestinien appelle l'ONU comme Arafat. De toute urgence. Des Casques bleus bientôt en Israël, pays démocratique et souverain ? Pas question, n'est-ce pas, ni en Tchétchénie indépendantiste où les patriotes veulent voir leur pays sortir de la fédération russe ? Un Palestinien dit : « Ce qui est inconcevable, c'est l'indifférence totale de nos frères, ceux de tous les pays arabes. » Ignore-t-il que l'Égypte comme la Syrie, l'Arabie saoudite comme la Jordanie, ne sont pas libres d'agir face à Israël, allié chouchou, petit protégé de Washington ? Encore moins l'Iran (détesté par Bush) et encore beaucoup moins l'Irak (honni par Bush fils). Ne parlons pas de la Libye, hein ?

Qu'arriverait-il si une bombe d'Égypte ou de Syrie tombait sur le quartier général de Tsahal ? La guerre totale le lendemain et Bush grimpé sur ses grands chevaux militaristes — installations militaires américaines, sous-marins nucléaires,paquebots bourrés de G.I. — partout aux alentours. Prétexte noble enfin, le président américain volerait à la rescousse de son cher allié.

Plus capable d'entendre cette Danièle Levasseur postée à Washington pour Radio-Canada. Cet accent bizarre, ce langage déformé, non mais !...

Mercredi, autre séance à l'atelier du sous-sol. Sœur Madeleine Gagnon me regarde barbouiller, alors je me force. L'eau colorée et l'encre de Chine revolent partout. Un gamin joue au drapeau ou au cow-boy, une fillette lèche son cornet à quatre boules ou sa pomme de tire rouge. Je me creuse les méninges. Ah ! quatre bambins passent l'Halloween dans de vieux draps blancs percés de trous pour les yeux.

Jeudi matin, vélo

Deux crêpes avec trop de sirop à Val-David ! Lecture du *Journal de Montréal* offert aux clients. Tabloïd chétif, bourré de pleines pages de pub ! Nuovo — le crétin de Foglia — voyage d'un sujet ultra léger à un gravissime et fait voir son bon sens habituel, que j'estime, moi.

Au retour, ce jour-là, tondeuse puis natation. Je suis content de moi. J'y vais sans la nouille de plastique désormais et j'apprécie la liberté de mouvement rendue. C'est une sorte de rein, ce saucisson, mister Marleau !

Hier, mon fils ramassait nos restes de jambon dans les assiettes et en remplissait un petit sac pour Zoé restée *at home*. «Je suis sensible au règne animal, moi. On sait bien, pour toi, papa, c'est du très inférieur et il y a nous, les humains, trônant au-dessus de tous les règnes sur Terre, c'est bien ça?» Discussion là-dessus. Il admettra le ridicule des visionnaires intégristes chez les écolos, mais tient à espérer les hommes plus capables de savoir que les bêtes ont des émotions et peuvent souffrir terriblement de leur sujétion, de leur domestication. «Nous devons être responsables.» Quand je suggère un effet de ses lectures bouddhiques, il se cabre: «Ne crains pas de me voir embrigadé dans une religion. Le bouddhisme me sert comme philosophie avant tout.»

Je lui parle de Somerset Maugham (*Un gentleman en Asie*) que je lis et qui, justement, avance que le Bienheureux ne souhaitait pas une religion, qu'il faisait de la métaphysique et que ce sont ses disciples qui dressèrent une théologie tatillonne à partir de ses réflexions philosophiques avant tout. Ainsi de Jésus le Galiléen? Que de pépères de l'Église pour greffer à son évangile des discours à charnières concoctés pour étiqueter en commandements, préceptes innombrables et péchés multiples le «Aime-toi et aime ton prochain». Je sais bien qu'il doit y avoir un vaste équilibre entre les règnes (animal, végétal, minéral), qu'il en va de notre survie. Il me dit: «En traitant mieux poulets, cochons et vaches, il y aura un prix à payer. La viande se vendra plus cher, car c'est toujours la seule et unique motivation fondamentale de tous ces marchands: produire plus et vendre moins cher.» J'oublie de lui rétorquer que déjà les tiers-mondes ne peuvent pas même se payer les denrées pas chérantes ! « Vaste débat », dirait De Gaulle.

Mon Maugham est à Bangkok et il ose dire que toutes ces villes d'Asie n'ont pas, comme en Europe, de références pour le voyageur. Qu'à Venise ou à Prague, il y a les littérateurs pour nous enrichir lorsque nous visitons églises, musées, monuments, places publiques. Sacré Londonien de 1923, va ! Il y a que les poètes et les musiciens de ces lointaines contrées étaient et sont encore inconnus des Occidentaux, non ? Je ne sais trop. Maugham semble déplorer que ces pays asiatiques n'aient aucune culture écrite, gravée, sculptée, publiée. Il apprécie les couleurs des costumes des gens, les pagodes, les temples (teck laqué, pierreries, bouddhas de bronze). Émerveillé parfois, il décrit habilement des chatoiements multicolores dans les ruelles et les venelles de Bangkok, ces villages sur pilotis, ces marchés sur radeaux, ces cités lacustres du Siam. Je voyage avec lui sans les files d'attente aux aéroports et les mille désagréments des touristes en voyage organisé.

À 19 h, vu du stock de *Victo Story* avec de jeunes fringants aux imaginations farfelues. Piètre pâté. Encore Avanti qui signe cette recherche (hum !) de nouveauté abrutissante (comme pour le Gildor Roy botché), avec son Luc Wiseman au gouvernail. Aile tout autant que moi déçue. Nous aimerions découvrir de jeunes nouveaux talents. Solides. C'est cheap. Production bâclée, amateurisme, insignifiance toujours quand on exagère dans l'humour gros et gras. Plate, quoi !

Aperçue chez *Martineau et cie*, Raphaella Anderson, qui publie *Hard*. Habile questionneur, audacieux souvent, le Martineau la tasse. Elle se défend plus ou moins selon les agressions du bonhomme. « Oui, je fais forcément partie prenante du système de cul et fric. » La belle franchise ! Excuse ? « Je gagne ma vie ! » Elle parle de survivre, de subsister. Sans cette veine (porno *hard*), elle devrait aller en usine ? Tristesse profonde. Si jeune ! Un moment, l'Anderson paraît une petite conne finie, un autre, une lucide froide. Le féminisme, c'est fini. Le lesbianisme, c'est sa tasse de thé. Les gars, tous des dégueus.

« Baise-moi », de son sérail, est une réalité incontournable. Soudain : « Je dois me défendre, je n'ai pas à défendre les autres ! » Elle dit que l'industrie de la porno est exploiteuse, que ses acteurs sont mal payés. « Un projet ? » l'interroge Martineau. « Oui, avec pédophilie et inceste. » Beau programme ! Soudain vertueuse : « Il y a là des victimes et je veux dénoncer les salauds qui les exploitent. » On la sent futée et on la sait capable d'exploiter les filons. Je répète (après Ferrat) : « Y a d'la place en usine, pauvre petite conne. »

Un film bien façonné

John Q., signé Cassavettes fils. Les chialeurs québécois (« On a trop de *welfare* providence par icitte ») y trouveraient un bon motif de se la fermer. Un ouvrier métallurgiste noir (brillant Washington) découvre que, faute d'assurances et donc d'argent, on va renvoyer chez lui son fils condamné à mort (cœur de bœuf). Il décide de prendre en otage le chirurgien affairiste. Chaos dans l'hôpital et police partout. Négociateur ratoureux (Duvall, excellent). Un bon suspens à imposer aux John Charest et Mario Dumont que gêne tant la même médecine pour tous, pauvres ou riches. Hilary Clinton est montrée à la fin, elle qui dut vite battre en retraite à ce sujet face au dur et chic lobby médical tout-puissant ici comme aux États-Unis. Ces jours-ci (raisonnable loi Legault), on en voit pas mal qui ne comprendront jamais — ces culs-ronds de bourgeois — que la médecine ne peut pas être un simple business, qu'il faudrait détruire les odieux quotas, le contingentement (corporatisme !) scandaleux dans les facultés universitaires ; que les actuels prêteurs de serment à Hyppocrate jouent honteusement les entrepreneurs autonomes libres. Deux belles lettres de lecteurs de *La Presse* s'insurgent face à ces « médecins-businessmen ». Voir *John Q.*, malgré son *happy end* hollywoodien facile fera réfléchir. Aux USA, le docteur dit : « T'es pauvre ? Va chier. » John Q., un film certainement pas produit et réalisé par des républicains mais par des démocrates convaincus.

Aux funérailles du syndicaliste Louis Laberge, on a entendu, à la fin de la cérémonie, la chanson de Sinatra : *My way*. Connerie ! Encore l'ignorance ! Cette chanson est du Français Claude François. *My way* s'intitulait *Comme d'habitude*, un grand succès. Sinatra, ébloui par l'habile ritournelle, l'avait achetée. Les aînés ont l'habitude maintenant d'entendre sans cesse de ces niaiseries en médias, la plate plaine des courtes mémoires. Le jeune contingent des nouveaux venus pourrait un peu mieux se documenter, non ?

Patrice Chéreau, metteur en scène coté au théâtre (Nanterre surtout), fait maintenant du cinéma (*La Reine Margot*, *Ceux qui m'aiment*, *Intimité 2000*, etc.), et l'acteur d'occasion y brillait de tous les feux de la rampe, réalisé par Philippe Azoulay. Rationnel, souvent cartésien même, Chéreau expliquait son métier de chef de troupe à un Bernard Rapp débordé par sa faconde.

Tournant souvent à Londres — il songe à Pacino pour son projet sur Napoléon dans l'île Sainte-Hélène —, il ose: « Les Anglais sont meilleurs acteurs que les Français. » Silence lourd dans la salle pleine d'étudiants français. Festival de Cannes? Il dira: « Nous, cinéastes français, nous traversons prudemment sur les clous, les Américains eux foncent dans le trafic. » Ce matin, le gros Depardieu cogne très dur sur le cinéma américain, disant que les Américains contrôlent la distribution des films partout!

Vu le vieillard étonnant Henri Salvador au *Point* hier soir. Quatre-vingt-cinq ans! Plus vieux que le pape, qui retrouve du tonus face aux centaines de milliers de jeunes à Toronto. Rigolard, en forme splendide, Salvador dira: « Le trou s'approche », en parlant des morts dans ses alentours. C'est un autre Trenet qui ressuscite.

Tel l'Adamo revenu à la vie active après une pub de lait dans nos enceintes nationales! Que de revenants! Il y a deux ans ou presque, le vieil Henri a pondu un disque sans y croire, *Chambre avec vue*, succès inattendu, et le voilà dans nos murs!

Suicide d'un magouilleur horrible. Un de moins d'un trio de fripouilles. Un autre est en prison, l'autre servira de témoin à charge. Une congrégation religieuse de Québec avait un sacré magot: 80 millions de belles piastres! Viande à chien! Ça laisse rêveur. Un démarcheur frauduleux — le suicidé — a enjôlé les pieuses dames. Comment? L'histoire ne le dit pas. Les dévotes richardes se sont embarquées aveuglément dans une supposée juteuse affaire. On songeait non pas à une cathédrale ni à un orphelinat, mais à transformer les terrains au nord-est de la rue Crémazie en un marché général lucratif.

Dieu, ou l'Immaculée Conception, injuste si souvent, a permis que les braves nonnes virées en spéculatrices immobilières à la vue plus grande que la panse se retrouvent le cul sur la paille comme Jésus dans sa crèche. Le fric des nonnes, détourné, se fit laver au paradis des fraudeurs : j'ai nommé la Suisse !

Rideau

Hier, l'expert au tir de pigeonnes d'argile, chasseur touriste assidu de la Colombie, sainte contrée s'il en est, tournait sa chic carabine contre sa tête de tricheur. Miséricordieuses, les religieuses affairistes de Québec vont-elles prier pour le repos de l'âme de leur bandit, détrousseur de grand chemin Crémazie, devenu boulevard autoroute 40?

Hier, vieillesse à table, vin rouge coulant généreusement. Lynn et Daniel parlent d'un miroir cruel dans un motel de Sherbrooke ce printemps. Plus vraiment des jeunes ! Aile racontait un incident similaire dans une loge d'artistes. J'avais découvert un midi, soudainement, la vieillesse de papa. Il ne me voyait pas. Il sortait, seul, du marché Bourdon, près de la *Casa Italia*. Il poussait son caddy à emplettes lentement. Grimaçait. Sa vieille casquette sur le front. Son pas laborieux. Je le percevais enfin comme ce qu'il était : un petit vieux ! Ça me faisait mal. Daniel m'entendant m'avoue : « Moi, aussi, un jour j'ai découvert que tu étais vieux. Rue Garnier, je t'avais prêté un vélo et tu pédalais lentement vers le Parc Lafontaine. Je te voyais en vieux pour la première fois de ma vie.»

Daniel, encouragé par le bon succès de l'un de ses jeux de société *Bagou* — «Je viens d'en vendre un millier et demi de plus en France» — est en train de créer *Bagou 2*. — «Moins facile que le premier à installer car je dois dénicher des difficultés du français qui sont nouvelles par rapport à *Bagou 1*, mais bon, j'y arrive.» — Le père bien fier du fils!

Quand l'intelligente Lysiane Gagnon quitte son air antipatriotisme, elle vise bien parfois. Son papier sur Dutoit (chef d'orchestre) et Boilard (juge des motards Hells) qu'on jette vitement est de solide farine. Elle termine sa colonne en parlant de notre grande peur des polémiques. Avec raison, elle souligne qu'en médias électroniques, on glisse sans cesse vers le mou. On évite les confrontations; surtout, dit-elle dans le sérail des universitaires *canadians*. À la fin, elle fionne: «Canada, gentil Canada, gentille Alouette.»

Boilard? Trop de tempérament: dehors! Dutoit, idem, ouste, la porte! Gagnon dit de quitter la cour si on ne supporte pas les remontrances d'un juge fougueux. Bravo! De quitter un orchestre si on n'endure pas la critique du chef. Bravo! Elle reprend justement l'adage: *Si vous êtes incapable de supporter la chaleur, sortez de la cuisine*. Bien dit.

Ce n'est pas un nationaliste étroit qui parle, c'est l'ONU. Rapport tout récent intitulé *Rapport-2002* clamant: «Le contrôle des médias par de grandes entreprises menace la liberté d'expression dans le monde.» Il faut mettre le monde des informations, dit le rapport, à l'abri des sociétés gigantesques et des États. Vaste programme encore une fois! La droite institut Fraser rétorque: «N'ayons pas peur des grosses compagnies, les sources d'infos varient tellement à notre époque.» Les cons!

Je suis toujours étonné de certaines révélations. Exemple: Un gars jouait au TNM dans *Equus*. Après, il fit du théâtre de quartier dans Villeray. Trois décennies passent. En 1986, il incarnait Ignace Bourget, évêque de Montréal. Robert Gendreau a maintenant 53 ans. Un jour, le Sacré-Cœur lui est apparu! Six mois plus tard, raconte Perrault dans *La Presse*, le comédien va à la messe, rue Mont-Royal, et se confesse. En cachette de son milieu, il va à la messe durant trois mois et c'est l'appel. La vocation. Curé à Toronto, il organise *La voie de la Croix*, un spectacle pour les jeunes festivaliers catholiques de Toronto. À la fin de l'interview, Gendreau dit: «Les jeunes cherchent un modèle, une force. Ils ont vécu les divorces des parents, connaissent un suicidé proche, l'échec…»

Ce théâtreux catho parle du 97% de pratiquants au Québec quand il était tout jeune! «Du jamais vu et ça ne se verra jamais plus», dit-il.

Les journalistes Cormier (*Le Devoir*) et Brunet (*La Presse*) acceptent de n'être que les courroies dociles des Américains — et affiliés et assimilés — en info-spectacle, musique, etc. Ces minables valets soumis du petit monde riche anglo-saxon. Et voilà mon cher comique du sport-spectacle Jean Dion qui nous livre ses sources. De moult pays? Non. «*Sports Illustrated, The San Jose News, Roanoke Times, Virginian Pilot, Birmingham News, Charlotte*

Observer, Greenville News, Chronicle of H.E.» Édifiant, hein?

Les Québécois aiment le vaste monde, on dit qu'ils sont accueillants et généreusement ouverts aux autres civilisations. En témoignent parfois des visiteurs de tant de pays étrangers. Or, toute cette valetaille de nos médias n'en a que pour les USA. Pleines pages (souvent payées par les producteurs) consacrées aux activités du puissant voisin. Cinéma compris bien entendu. Jamais d'échos ni surtout de reportages substantiels sur les héros — vedettes ou nouvelles étoiles — de l'Espagne ou du Mexique, de la Scandinavie ou de Hollande, de l'Italie, de la Grèce ou de l'Allemagne. Rien. Une bande de colonisés contents.

Ce matin, rue Laurier, la petite et grouillante librairie Hermès ferme. La libraire, Marchildon, était sympathique. Impossible de survivre. Il y a les chaînes, il y a Cosco-Club Price, là où on vend presque au prix coûtant les nouveautés, littéraires ou non. Quebecor-livres congédie 16 personnes! Oh! ma belle bru qui y travaille? Peur! Le progrès ça, madame! Mon cher quincaillier Théoret finira-t-il par baisser lui aussi les bras?

Rue Bleury, Rima Elkouri est allée confesser Thérèse O'Reilly: on ferme la très antique boutique Bellefontaine! Souvenir: Papa finit enfin par fermer son petit restaurant. Maman contente. Il doit avoir 65 ans. Il ira travailler chez Bellefontaine, étalagiste autodidacte. Il ira faire l'étalagiste naïf chez L. N. Messier après, rue Mont-Royal. Il ira jardiner aux Serres Notre-Dame. À la cantine de l'Oratoire, il jouera les cooks d'occasion! Il sera aussi gardien au parc Laurier, au parc Maisonneuve, chaque été, au Square Dominion (devenu Dorchester), où il y avait expo de plein air et guinguette à touristes.

À la fin, longtemps, au petit musée-galerie sur le mont Royal, il fut heureux, se prenant pour un galeriste, un guide indispensable. Un vrai *Jack of all trades*! Un jour, il avait quoi, 72 ans, on lui dit: «On ferme la galerie municipale.» Alors, lui qui avait toujours aimé dessiner et peindre, il se métamorphose en céramiste primitif dans le salon double des enfants partis depuis longtemps.

Le Lard bleu

Hier, il m'est venu une intrigue pas piquée des vers et l'envie de raconter cela ici. Parfois le *Voir*, qui ne coûte rien, fonce (Olivier Lalande en courroie) lui aussi dans la propagande commerciale à sens unique: USA. C'est cela jouer les courroies de transmission dociles. Un tout petit coin pour raconter que Sorokine — romancier Russe né en 1955 et très connu là-bas — a pondu un roman *Le Lard bleu* dans lequel Staline et Khroutchev sont pédés. Procès. Amende et risque de deux ans de tôle! L'ex-coco voulait «tester les limites du Kremlin». Finesse du raisonnement!

À la mi-juillet, le vétéran-reporter Gérald LeBlanc (natif de l'Acadie) faisait ses adieux au métier sur cinq colonnes. Hélas, LeBlanc parlait de notre indifférence au sort fragile de ses frères acadiens. Doit-on sauver aussi la Louisiane? Quel dadais, quel grand tarlais, quel innocent! Il faut militer sans cesse pour sauver un Québec que tant d'adversaires voudraient diluer en melting-pot sauce mosaïque multiethnique (et cela avec les millions d'Ottawa pour la dilution organisée).

LeBlanc, un jour nationaliste prudent (comme Cormier jadis à *La Presse*), un jour trembleur devant le patron Desmarais, le gendre de Jean Chréchien, André. Je l'observais. Il naviguait à vue. Il calculait. Une sortie audacieuse un matin, un retraite de pleutre. Au service des infos (et des affaires publiques), il y eut longtemps plein de ces patriotes sous surveillance (un Jean Lebel par exemple). Une émission bravait l'establishment d'en haut lui-même sous haute surveillance du siège à Ottawa ; une autre émission le rassurait.

J'ai observé ce cirque de ma table à dessin durant 30 ans. Nous nous amusions, à gauche et indépendantistes, à commenter ce jeu de bascule radio-canadien. Balançoire lancinante. Le petit boss montréalais, Marc Thibault, masqué en Salomon tiraillé entre ses serments à la reine (une tradition longtemps quand on entrait à la CBC) et ses convictions cachées. Lui aussi, le poète-bureaucrate, Paul-Marie Lapointe, veillait au grain. À coup de mémos sinistres, tous ces pions fonctionnarisés souvent à bout de nerfs. La peur des vases chinois, la peur de Trudeau. Une vraie farce. Alors, tannés de calculer, de veiller à ne pas trop écœurer les fédérats dans la place, quand un Bourdon ou un Gérald Godin alla trop loin pour tester les limites, ce fut : « La porte ! » Bourdon et Godin se firent députés péquistes.

C'est plaisant d'être vieux, on peut en raconter des affaires (publiques).

Pluie fine, quasi invisible. Aile, débrouillarde, a pris sur elle d'acheter un machin de plastique et, ainsi, de remplacer un tirette brisée pour la cuvette des toilettes. Je la félicite chaudement, c'est bien fini l'homme à tout faire, le seul capable, en matière de plomberie. Les temps changent.

[DIMANCHE 28 JUILLET 2002]

Le pape

EFFONDRÉ, LE DIARISTE. Quatre heures de clavier chez le diable. J'ai perdu une dizaine d'entrées! Je rage. Daniel: «Je te l'ai dit souvent, papa, tu *saves* pas.» Misérable père distrait! J'en bave. Courage et ne fuyons pas.

Un dimanche, matin de brume. L'impression, au lever du lit, de vivre sur une île! Le terrain émerge mais tout autour ce sfumato blanc! Une petite planète. Aucune perspective. Pas de haut ni de bas, une verticalité étonnante. Blanche.

Corrections: *Silence on court* est un titre générique à T.Q. pour toute une série et pas celui du film si amateur vu vendredi soir à ARTV. L'orthographe, mon démon maudit. Juste un peu moins pire qu'au collège quand on me fichait (ma détresse) des 0/20 à cause de l'orthographe, à moi le gnochon qui aimais tant déjà composer de belles rédactions françaises. Paresseux vicieux, va!

Ces JMJ papistes à Toronto. Aile ma belle pleureuse braille soudain. Ce vieux papa malade la bouleverse. Moi ? Aussi ému en fin de compte. Une idole. Paganisme involontaire. Un seul Dieu tu aimeras. C'est lui la personnalité au charisme indéniable qui aimante tant de foules, lui seul. Le vieux Polonais mort, y aura-t-il pareils rassemblements ? Permis d'en douter. Et aussi mon scepticisme sur un catholicisme vraiment renouvelé. La curaille (en violet, en mauve, ceinturons variés), en profite, installe des confessionnaux, ouvre le catéchisme vulgarisé. En vain ? On verra bien si dimanche prochain nos églises catholiques seront remplies de jeunesses !

Nous aurions eu une belle photo du pape polonais, à Paris en 1980. Aile à l'appareil photo, moi dans le bon angle sur un boulevard aux passants disséminés. Il s'en venait pas loin, saluant la toute petite foule. Je me disais : « C'est mon pieux papa qui va être content. Son fils défroqué salué par le pontife de Rome ! » Patatra ! Aile, démone, avait mal chargé la pellicule. Donc, pas de photo historique !

Aile cherche des fraises, mais il n'y a plus que des framboises. Elle se ramène avec des fleurs pour me consoler, moi qui suis fou de sa succulente confiture maison. Je l'aime. Je n'ai pas osé lui raconter ce rêve fou, d'un érotisme curieux, où deux beautés lascives, dénudées, se collaient, frénétiques. Silence !

Voyant un Jésus très efféminé, puceau glabre doucereux dans une gazette, je veux faire des aquarelles sur la religion de ma jeunesse en vue de cet album petite-patriesque illustré (Édition Ville-Marie, 2003). À une vente de garage, proche de Lachute, je vois un Christ sanguinolent à l'espagnole jésuitique. Je dis à la vendeuse :

«Combien pour ce cadre?» Elle dit: «Deux piastres», puis arrache la gravure sanglante, la froisse, certaine que je ne voulais que le cadre et sa vitre. Je saute sur la pieuse image, la défroisse, peiné. Elle est étonnée. Ce barbu aime Jésus? J'ai encore cette image de sang et de sueur. Elle va m'inspirer. Je barbouillerai une Fête-Dieu et quoi encore? Une procession de la Saint-Antoine devant l'église *Santa Madona della difesia*, voisine de chez nous. J'ai hâte.

À la radio du samedi matin, Jean Bissonnette, retraité, gérant des *Bye Bye* audacieux. Ça ne serait plus faisable maintenant. Il y a tant de pression (le puissant lobby droitiste, les marchands). Un de RBO ensuite: «Impossible en 2002. Nos charges féroces sur des publicités quétaines. Non, il y aurait un veto, c'est certain.» C'est beau le progrès, hein?

Gnochonneries étatsuniennes

Aile et moi délibérément francophones. Nous ignorons complètement la culture pop des Amerloques. Trop des nôtres s'y collent en colonisés inconscients. Une Monique Miller, l'autre soir, comparait les mérites des Jay Leno et des Letterman. On ne les a jamais vus, les connaît pas! Elle en est étonnée, nous regarde de travers un peu. Lussier dans *La Presse* recommande souvent des shows made in USA. Les fans du way of life USA n'attendent pas son choix quotidien. Ils s'y plongent en petits toutous fascinés par les gros Crésus de l'entertainment. Pourquoi jouer ce jeu? La mère Cousineau s'y complaît bien moins.

Le milieu des artistes est farci de ces candides nationalistes : ils gueulent pour les différences culturelles et se vautrent néanmoins dans les gnochonneries étatsuniennes. Attraction fatale et, hélas, mondiale.

On nous sert : « Tas de bas de laine ! » ou : « Gang de ceintures fléchées ! » Erreur. Combien sommes-nous qui souhaitons voir les meilleures émissions de Chine ou du Japon ? Du Brésil ou du Mexique, nos voisins continentaux ? Ce serait vraiment international. Mais le dumping USA, c'est pas cher, les amortissements se font vite chez les plus de 200 millions de consommateurs de ce gras show-business outre-quarante-cinquième. On obtient la mélasse pour des pinottes et on fonce dans le rétrécissement culturel chez les programmeurs télé. Horizon culturel *one track*.

Nous regardons les nôtres, aussi, très souvent, TV-5 pour la Suisse, la Belgique et la France. Il faudrait des chaînes diverses. COGECO nous offre un florilège touffu de canaux de produits américains.

J'ai rédigé, hier, ma lettre mensuelle en écho à celle de ma quasi-jumelle, Marielle. Bulletin de nouvelles du clan. Actualités de la tribu. Une coutume chérie. Par écrit, c'est merveilleux, tellement mieux qu'au téléphone.

Tiraillement samedi soir entre Fellini de Rome et Jean-Paul à Toronto. Aile, envoûtée par ce vieillard charismatique. Avec raison mais… mon cher Fellini ! Nous voguons entre *Juliette des esprits* et le festival jeunesse torontois : même ambiance visuelle ! Notre stupeur. Même atmosphère : grilles métalliques, réflecteurs puissants, foule en ombres chinoises.

Molson

La saga des Molson : 1790, 20 ans après l'abandon de la France, toute prise qu'elle était par sa guerre sur son continent. John Molson, orphelin, a pris un vieux bateau dangereux et débarqué à 19 ans avec un petit pécule. La nuit, alors qu'il est enfin parvenu sur le Saint-Laurent, des canots surgissent dans la nuit. Cris des Sauvages… allôôô, en guise de salutations sonores dans la totale obscurité.

Sachant les rudiments du métier, le voilà au pied du courant Sainte-Marie, installant une malterie pionnière. John initiait ainsi une future famille au houblon, à la levure, au brassage de l'orge canadien. Son client principal : les occupants armés qui nous surveillent encore et qui watchent les Patriotes des jeunes USA libérés de Londres monarchiste depuis 15 ans et zieutant le Canada à avaler.

La soldatesque (mercenaires compris) a droit à ses six pintes par jour ! Rue Notre-Dame, hors les fortifications donc, le fermier Monarque (seul Canadien français mentionné) vend ses terres peu à peu car Molson s'agrandit. Ce débrouillard industriel sera aussi marchand de bois, hôtelier, proprio de bateaux à vapeur et même banquier. Je poursuis cette lecture et je redécouvre qu'avec 10 % de la population les Blokes (Écossais surtout) détiennent 50 % et plus des richesses montréalaises ! Dire qu'un jeune con d'historien affirmait chez Claude Charron (à Historia) que la Défaite aurait été bénéfique aux nôtres ! Malade !

Au resto, Aile me parle longuement de son papa mort d'un cancer de la gorge à 64 ans. Son gros chagrin de ne pas l'avoir mieux aimé, écouté, interrogé: «On est imbéciles quand on est jeune, non?» J'ai aussi d'immenses regrets de n'avoir pas mieux fréquenté mon vieux papa. Jeune, on est tout pogné par nos propres intérêts. Je lis les regrets de cette même sorte chez la célèbre actrice Jane Fonda, qui, vieillie, se reproche de n'avoir vu qu'à sa carrière et pas assez aux siens. Enfants négligés, vieille histoire classique?

Je n'ose écrire que je fus plus attentif. À cela, seuls peuvent répondre adéquatement mes deux enfants, n'est-ce pas?

Baignades fréquentes. Avec moi, au rivage, le Molson (1890) du temps des lampes à l'huile de baleine, empuanteuses, des égouts à l'air libre, du quai quémandé en vain, de l'eau potable vendue à la criée, des malades partout, des morts d'enfants sans cesse, des rares bourgeois (tous anglos ou presque) en calèches sur des rues mal pavées, et mon confort moderne.

Monique et son fils nous vantaient le four à microondes. Je balance. Aile n'en veut pas. Pas davantage du cellulaire. M. Molson, lui, aurait dit oui à tout cela je suppose, car il part pour Londres acheter les derniers modèles d'outils pour sa jeune brasserie, des moteurs modernes pour ses deux barques de luxe qui font Montréal-Québec en 23 heures!

Giuletta Massina, si vraie, fameuse en épouse cocue dans *Juliette des esprits*, est délivrée par son papi athée et on voit aussitôt une séance niaise de chants avec chorégraphettes insipides sur l'estrade, gestuelle désincarnée qui m'assomme chaque fois. Se continuait ainsi (avec Fellini moqueur) une religiosité soi-disant spectaculaire et très navrante. Tel ce Chemin de croix de Gendreau dans les rues torontoises. Images d'Épinal navrantes. Un Jésus en hippie, bel adonis, un Acadien aux allures Woodstock ?

Mépris ou démagogie ? On a eu peur de faire entendre à cette jeunesse la si remuante musique grégorienne ? Ouen, on préfère les battements de mains à la sauce néoafricaine des pasteurs évangéliques du Sud des USA. «*Oh Lord, oh Lord! Alleluia, amen!*» Ce mot *Lord* que je honnis, faisant des fidèles des quoi ? des domestiques ? des cerfs dociles ? Un esclavagiste, Jésus en bon maître, missieu ! Vaste case d'*Uncle Tom* ?

La Presse, encore!

Coupures gazettières en vrac. La Ouimet encourage le ministre Cauchon d'Ottawa à avoir le courage d'imiter la Hollande et le Québec et de légaliser le mariage des homos. Parodie des hétéros ? Contrat légal entre conjoints de fait homos ou non, d'accord, mais cérémonie nuptiale loufoque, non. Ce petit et actif lobby, devenu puissant, sert bien la rectitude politique. Cette minorité accapare la une des journaux. La marginalité fait vendre de la copie, meuble les petits écrans, mais rien ne changera la réalité qui a fait dire à l'animateur Pinard que jeune, il se serait empressé d'avaler un comprimé, s'il avait existé, pour quitter son état d'homo.

Dix images comme une bande dessinée illustrent la gestuelle Hells et cie. Cocasse. Gestes clandestins pour voler, ou drogues en vue, surveiller, messe-caucus, police pas loin, pour un kilo de coke, pour tuer ! Omerta sinistre alors !

Le Cassivi (*La Presse*), lui, avec raison, fesse sur les organisateurs de spectacles qui gardent les bons billets pour la chapelle intime, la coterie, les VIP, le gang de bons amis. Il dénonce ce favoritisme. Au Festival du film (1968?), je vois une rangée de fauteuils libres, je m'y installe. Des gorilles surgissent: «Quittez vite, ces places sont pour Monsieur Péladeau et ses invités.» Mon refus. Gérant accouru, les baguettes en l'air. Je ne bouge pas. Raminagrobis, P. s'amène. Je dis: «Bonsoir, je voulais absolument être à vos côtés.» Il rigole et me serre la main. Exit énervés *men in black*.

Souvenir encore: Pellan qui rebondit sur le terrain paternel à Pointe-Calumet, arrivant de son Sainte-Rose (devenu Auteuil depuis), le crayon rouge aux doigts. Il veut nuancer ses propos. Je dis: «C'est trop tard, c'est publié» (son interview par moi le 14 juillet 1962). Lui: «Non, non. En cas, pour plus tard.» Sacré Pellan! Son art surchargé de signaux visuels chambranlait face au triomphe de l'abstraction lyrique. L'art tachiste incandescent de Riopelle régnait, Borduas et ses avatars aussi. Borduas, rival que Pellan détestait vu son antidogmatisme total. Pellan aurait pu mieux utiliser sa veine primitiviste, naïve, être notre Chagall. Il a brossé des tas de tableaux étonnants, des éclatements très graphiques, chaudement colorés, uniques.

Un farouche athée, Réjean Bergeron, y va d'un long papier anti-JMC à Toronto. Pour lui, c'est un carnaval pitoyable, des dévotionnettes lamentables à un humain hors du commun. Vedettariat risible. Croyant, je ne suis pas choqué. Vive la liberté de parole! Je suis agnostique. Je crois pas à un «notre Père», celui de la belle prière rédigée (texte apocryphe ?) par des évangélistes zélotes. Je crois à une lumière éternelle pour les esprits (âmes si on veut) puisque l'esprit est indestructible, imputrescible, comme les ondes (Stephen Hawking dirait aussi cela). Nous nous retrouverons, tous ceux qui ont vécu un peu en humanistes, après la mort physique de nos carcasses, dans cette lumière paradisiaque et j'invoque tous mes défunts chaque fois que l'angoisse métaphysique me hante. Non, les êtres humains, monsieur Bergeron, ne sont pas seuls.

Sur quatre longues colonnes, *La Presse* étale les orientations de la série *Sex and the City*, mais on s'en sacre-ti ? Un chef de pupitre participe ainsi à davantage de colonialisme USA.

Vincent Arseneau, dans l'excellente page *À votre tour*, du quotidien dominical de la rue Saint-Jacques, s'insurge avec raison contre les appels en soirée des téléphoneuses du télémarketing. Le plus souvent, comme lui, je les envoie paître. Parfois, je songe que les jobs sont rares, qu'il faut bien gagner sa vie. Aussi, il m'arrive de jouer l'amusant interlocuteur et, pour distraire un peu ces filles enchaînées, je blague. Récréation ? Complaisance nigaude ? Certaines me remercient de mes blagues.

Les touristes des USA (marché de 265 millions), sans devoir prendre l'avion, pourraient découvrir un pays différent, le Québec. Nos marchands sont trop bêtes pour saisir cette manne commerciale, ou trop racistes ? Ou trop francophobes ? Noms des bars, discos, etc.: *Angels, Bed Room, Blizzarts, Billy Kun, Blue Dog, Bourbon Street West, Club One, Cream Night Club, Funhouse, Groove Society, Hurley's Irish Pub, Llume Room, Jupiter Room, Jingxi, Laika Club, Living, Medley, Pub Sky,*

Rainbows, Sky Club, Square Dorchester, Swimming, Tiffany, Tokyo, The Tunnel, Unity 2, Upstairs. Se tirer dans le pied (à profits commerciaux), c'est cela!

Cinq colonnes — *La Presse* encore — pour nous raconter que la Chine actuelle s'américanise rapidement. Qu'en pense l'auteur, Ludovic H.? Rien. Motte! Aucune opinion. *Facts only*, dicte un vicieux règlement implicite chez American Press. Il y a un *Bourbon Street* en Chine moderne comme à Saint-Sauveur. Le reporter nous jase un brin d'un homo de Montréal (Mark) qui se fait suivre, à Shangaï, d'un aréopage de minets chinois. Mark est le gigolo d'un petit vieux australien. Comme c'est intéressant, hen? Benoit Braud déclare: «Les Chinoises fondent pour les Occidentaux, plus gentils que les Chinois avec les femmes.» Si j'ara su, j'ara venu. Ce journalisme de mémère exilée fait pitié.

Querelle vaine

Sortez les vélos du trafic. L'un dira: «Jeunes et pas riches, on n'a aucun autre moyen de transport.» L'autre: «Toutes des têtes de linotte dangereuses!» Cher vélo de ma jeunesse, rivé à moi pour aller au collège de la lointaine rue Crémazie quand le ticket coûtait trois cennes noires! Quand je promenais la belle Irlandaise, Marion Hall, sous les stalles désertes du marché Jean-Talon ou autour de la gare Jean-Talon, la belle Italienne Angela Capra. Cher vélo inoubliable.

Mort d'Evita en 1952 à 33 ans. Un film pas fort. La vedette: Madonna, en dame péroniste zélée. Charitable, se souvenant d'où elle sortait. Surnommée Evita, elle sera la bien-aimée du populo candide snobé par les élites argentines. Légende vraie d'une jolie pauvresse sauvée par le grand homme, ex-colonel, malin et ambitieux, démagogue, ce Juan Domingo Peron, dictateur soft d'un pays en chicanes civiles perpétuelles. Mort, funérailles nationales. Une belle chanson: *Don't cry for me Argentina*.

[Mardi 30 juillet 2002]

Pour en finir avec Molson

Charriage impétueux de nuages en vrac ! Paquets d'ouate effilochés voguant, voiliers aux formes floues. Beauté sempiternelle dont on ne se lasse pas, même enfant, surtout enfant, pas vrai ? Et du vent bien fort ce matin, mon cher vent. Mon fleurdelisé se retenant de fuir son mât !

À Historia, hier, *Le choix de Sophie* — tiré d'un roman de Styron —, jamais vu encore, un fort film de Pakula (scénario et réalisation), avec une Meryl Streep extraordinaire jouant cette rescapée d'un camp nazi qui, émigrée à Brooklyn, tombe amoureuse d'un dément pathétique. Aile en a été profondément touchée. Moi itou.

Karen (et non Sophie comme j'ai mis) Molson continue de me raconter sa saga familiale. Ces brasseurs fameux : les Molson. Vision unilatérale. *Famiglia* exclusivement ! Vision captive. On sursaute souvent. Par exemple : « L'envoyé de Londres, Lord Durham, a commis une terrible bourde en libérant les Patriotes emprisonnés.» Maudite Karen!

L'historique révolte de 1837-1838, à ses yeux de monographe, ne fut qu'un bref chapitre. Elle lui accorde le même espace que pour une épidémie ou une mauvaise récolte d'orge (bière virtuelle). Ce Montréal des débuts du siècle dernier n'est qu'un terrain pour affaires enrichissant sans cesse la tribu Molson. Yachts luxueux de l'un, riche manoir à Cacouna pour un autre, des étés idylliques quand, pas loin, nos habitants en arrachent de plus en plus. Ils installent des hôpitaux, des temples protestants, une université (McGill), se dévouent pour les leurs avant tout. Un racisme flagrant. La Karen ne s'en rend même pas compte. Amusante lecture de ce point de vue et qui confirme les faits: tous ces loyalistes ont les yeux tournés vers la mère patrie, l'Angleterre. Un Molson fera des pieds et des mains pour obtenir un titre de noblesse. Lecture instructive!

Aile lit *Deux sollicitudes*. C'est son tour d'épier l'étrange couple — Margaret and Victor — un copinage organisé par la radio publique de Rimouski avant publication. Beaulieu, l'autodidacte cultivé de Saint-Jean-de-Dieu et de Montréal-Mort, et la fameuse Margaret Atwood se sondent aimablement les reins et les têtes. J'en ai parlé. Aile comme moi constate beaucoup moins de curiosité, d'ouverture aux confidences, chez Madame Atwood. Beaulieu plus généreux. Deux tempéraments, deux nations!

Monsieur le directeur d'un syndicat de musiciens se fait débarquer par des membres en réunion, malgré l'opposition à ce putsch du siège central aux États. Souvenir: Mon syndicat américain (IATSE) ne nous apporta aucune aide durant la grève des réalisateurs. Pas une cenne! Après le conflit, nous avons décidé d'abandonner ce grand frère amerloque. À cette assemblée, j'avais, face à l'envoyé des USA, cogné très fort sur IATSE. Premier constat pour moi en 1959. Nous étions, les Québécois, seuls. René Lévesque constatait la même situation de solitude en voyant Ottawa tout aussi indifférent. Deux ans plus tard, rencontrant D'Allemagne, je rompais à jamais avec ces prétendus alliés anglos indignes. Le nationalisme nouveau naîtra de cette prise de conscience : Ne plus compter que sur nous-mêmes.

Souvent harcelé sexuellement par deux prêtres de Saint-Sulpice au collège, non, je ne porterai pas plainte. Pourquoi ? Par reconnaissance pour le dévouement formidable de tous les autres moines du collège, les Legault, Amyot, Piquette, Aumont, Filion, etc. Mais si d'autres ex-élèves de tous nos petits séminaires, moins capables de résister, furent d'innocentes victimes, alors, ils doivent se lever et parler. Je suis d'accord qu'il faut dénoncer ces galeux même 30 ou 40 ans après les faits scabreux.

Anne-Marie Dussault à Télé-Québec comme, tous les matins d'été, à CBF-FM: Chus plus capable! Comme pour la Levasseur postée à Washington. Ses fréquentes pannes de voix, drops de son pour parler en technicien, avec ses fins de bien longues questions qui n'aboutissent pas. Non, plus capable!

Foglia et les gazettes

La franchise raide de Foglia. Quatre exemples ce matin :

1) Si c'étaient les stéroïdes qui donnent le cancer (Armstrong), tous les cyclistes (du Tour de France) auraient le cancer ;

2) Oui, lecteurs, on vous prend pour des cons (« un Tour propre, propre ») et souvent à juste raison ;

3) Les filles vont moins vite et c'est un aussi bon spectacle, c'est la compétition qui est valable. On est en train de tuer le Tour ;

4) Pas assez agressifs (la ONCE), on peut pas donner de coups comme au hockey.

Que j'aime ce Foglia-là !

Chanceux, ce Elie Wiesel (un prix Nobel) : sa maison natale (nord de la Roumanie) devient un musée public. Et la mienne ? Souvenir : Comme une cloche, papa le céramiste mort, sous le choc, si peiné, j'avais fait des démarches pour notre maison du 7068 Saint-Denis, à convertir vite en petit musée public. Réponse de Québec : « Installez la chose à vos frais et, plus tard, on vous subventionnera peut-être. » Je n'ai pas du tout la pointure internationale du fabuleux et essentiel chasseur de nazis, Wiesel, prix Nobel de la paix.

J'ai un peu fréquenté Chapleau à TQS. Un cynique. Ce matin, une platitude (cela arrive aux plus doués), gros plan sur une capote usagée pour résumer ce tout de même fabuleux rassemblement de jeunes à Toronto, émules du vieux pape malade, à la fois conservateur rétrograde et courageux leveur de tabous politiques. Une niaiserie graphique très regrettable.

Même gazette : trois choses :

1) Le jeune Pratte, épaté par le vieux chanteur Salvador, enchaîne avec le vieux Wojila à Toronto, défend les anciens qu'on pousse à la retraite, qu'on veut parquer. Les nonagénaires étaient un demi-million en 1991 ; en 2010, ils seront presque un million et demi, souligne-t-il : « Il y aura alors plus de vieux que de poupons ! » Et

Pratte d'inviter la sagesse des vieux à mieux s'exprimer. Je vais lui quémander une colonne quotidienne, tiens ! On va bien voir s'il *met son argent où est sa bouche* (traduction moche de *Put your money where your mouth is*).

2) La petite mère Ouimet contredit sa voisine Lysiane Gagnon : Dutoit et le juge Boilard doivent payer pour leur impérialisme verbal. Elle en a assez de ces tyrans en toge à sale caractère. « Le talent n'excuse pas tout », dit-elle. À ce propos, je m'écoutais palabrer avec Nadeau ce matin à la radio publique, disant que je n'excusais pas les surdoués Riopelle ou Picasso d'avoir été des machos inhumains. Je persiste là-dessus et je signe.

Deux lecteurs s'expriment, l'un, Pierre Meurice, souhaite carrément des médecins-fonctionnaires de l'État — salariés à fond, tous, par une castonguette uniformisée, comme d'ordinaires fonctionnaires. Pas loin, ce matin, la Gagnon semble dire : « Quoi, le populo est en désaccord avec moi ? » Ce populo rétif, « tous des envieux de riches », dit-elle. L'ironiste lui répéterait : « Il faudrait changer de peuple, non ? »

En seulement sept lignes, Yves Deslauriers parle du farouche lobby de marginaux puissants : les homos et lesbiennes aux créneaux. « Fierté gaie, tourisme gai, mariage gai, adoption gaie, paternité gaie, maternité gaie… » On dirait une toune de La Bolduc avec son *Le R-100*. Sifflons : « M'as te changer de nom, Tit-Jean, pis j'vas t'appeler Gay-100. »

Souvenir : Tante Lucienne nous expédiant à Pointe-Calumet son vieux gramophone Victorola et un tas de records, des grandes *plates* lourdes dont un lot de disques de La Bolduc. Nos rires. Cadeau formidable. On crinquait sans cesse la manivelle. Séduisante découverte alors de l'amusante turluteuse. N'ai jamais oublié certaines ritournelles, dont: *Les maringouins*, que j'entonne quand j'ai pris un ballon de rouge de trop!

Les 600 invités du maire Drapeau (été de l'Expo 67) sur sa belle terrasse nobiliaire eurent la baboune, bien grosses moues, venant d'entendre le prestigieux président de la France crier: «Vive le Québec libre!» Une horde de ces pleutres, ces 600 fédérats dans leur fromage infâme. Tous contre la nation. Tous pour la dilution. Une belle bande de traîtres! Le mot *chien* devrait mordre parfois.

Dans le village gay, venant de Newark (New Jersey) deux prêtres organisaient la prostitution de jeunes ados, pour servir des concitoyens amerloques! La honte, en effet, cher vieux pape! Ils sont repartis chez eux avec un petit 1000 piastres de dépôt devant la cour. Ces Giblin (70 ans) et Heyndrieks (50 ans), proxénètes en soutane et collet romain, ont démissionné de leur ministère. L'un des deux souteneurs dirigeait un collège catholique là-bas!

Un jésuite, prof de religion à Atlanta et logue d'Arizona, publie un bouquin, à partir de 400 entrevues, titré: *Passionate Uncertainty*. Le livre qui fait tout un tabac dénonce la culture homosexuelle des séminaires, qui attirent tant les jeunes homos. Enragé, un autre jésuite rétorque: «Livre-foutaise. Les auteurs ont interrogé des défroqués du jésuitisme.» Le livre dit: «Un jésuite pédé sur trois.» Il répond: «On ne fait pas d'enquête sur l'orientation sexuelle.» On devrait.

Le ciel se bleuit davantage. Aller me baigner tantôt. Le Marleau ironique me revient, toujours ravi de me lire, me dit-il. Il fait un peu la révision de mes textes et se chagrine avec raison. J'ai souvent songé à mes brillants réviseurs — engagés par mes éditeurs. Métier terrible, généreux. Boulot bien payé, j'espère. Dans *Les Mots des autres* — un très bon livre —, Victor-Lévy Beaulieu affirme que réviser, c'est voir aux mots des autres et négliger les siens. Daniel Marleau pourrait me surprendre un jour, il peaufine un premier roman qu'il remet trop souvent sur son métier.

Le vent arrive maintenant du nord. Ça ne m'empêchera pas de descendre au rivage pour en finir avec ces Molson, tribaux épousant des cousins, des cousines d'Angleterre, qu'ils font venir (restons purs !) dans leurs beaux bateaux. Consanguins, ils peuvent bien être laids ! Voir les photos du livre. Fallait que le fric Molson reste dans le clan.

Bon. À l'eau, vite, vieux canard encore vert, calvaire !

Août 2002

[Mercredi 1er août 2002]

Trois pipées d'icitte!

Hourra! le beau temps se continue. J'observe de ma fenêtre de chambre les jolies taches de bleu, rouge, jaune sur la rive opposée. Ce sont des pédalos amarrés des condos Villa Major. Hier, on invite ma fille et mon Marco gendre. Marc est déjà de retour à son ministère (Famille) rue Fullum! Ils viendront, promis, samedi. Hâte. Le clan d'Aile, l'autre week-end. Ça ne cesse pas, la belle «vésite» quand on a un chalet dans le Nord, c'est connu. Je nage et le rat musqué (ou bien son frère?) me côtoie, sa branchette dans la gueule, vaillant comme un castor. Des poissons font des sauts étonnants ici et là. Gare à vous, moustiques de toutes sortes! Si chaud que nagettes, nageronnerinettes sans cesse. Nager sur le dos, pour revenir, m'est une joie rare. On est moins lourd. J'y resterais des heures!

Hier, après souper, pour Historia, Lacoursière, «speedé», parle des Pétuns, d'où le mot d'origine amérindienne *pétuner* pour «fumer», dit que des gamins de quatre ans fumaient jadis. On disait: «Pour aller chez Joseph, c'est à trois pipées d'icitte.» Un enfant dès sept ou huit ans devenait un travailleur agricole comme son paternel. Lacoursière, longtemps méprisé par ses collègues, excelle en vulgarisation et est fort bien documenté.

Aile en a fini avec les restes et le lave-vaisselle, et c'est l'heure du film loué. J'aime. *Chambre à louer* est un film drôle et triste à la fois. Il raconte les déboires loufoques d'un jeune et bel auteur inconnu égyptien qui veut devenir scripteur à Hollywood comme tous les exilés rêveurs et colonisés. Cet émigré à Londres est sans visa, sans permis de travail; ses pirouettes se termineront en un fort amusant conte de fées. Scénario d'un Maghrébin et réalisation d'El Hagar fort brillante.

Après? Fin des fées! Aux actualités: une Caisse Desjardins, associée à un bandit, rassemble un lot de cupides (promesse de 50% d'intérêt). Les cocus se font flouer (domaine immobilier) et voilà qu'ils râlent contre leur Caisse! Bin bon pour vous autres, les avides de spéculations faciles!

Un saint mexicain enfin?

Je me souvenais d'un film avec notre François Rozet: *Notre-Dame de la Guadeloupe*, vu en sous-sol d'église à 10 ans. Cette Vierge négroïde fit des signes (lourdiens, fatimatiens) à ce nouveau saint. Il y a controverse sur ce saint-là, menée par une archevêque sceptique. Le pape tranche, «*he is the big boss*»! Un cardinal — *papabile* sur 10 aspirants au Saint-Siège — voulait son saint. Il l'a eu.

Souvent d'antiques sculptures de Marie noircissaient avec les décennies. De là plusieurs Vierges noirâtres.

Ça jase harcèlement moral au *Point*. Je dis à Aile : « Les victimes des patrons sadiques : des fragiles, des mous, non ? » Deux victimes témoignent : une bien molle en effet mais aussi une à forte échine ! Ah bon ! Qui n'a pas connu un petit despote gradé dans ses entourages ? Au réseau français de Radio-Canada, il ne faisait pas long feu : on se regroupait, grogne organisée et vite, dehors ou transmuté à Ottawa.

Essais hier des moinillons en petits saint Antoine rue Dante ; une Fête-Dieu rue De Castelnau ; un christ couronné d'épines, éclabousseur de son sang ; un crucifié géant à Sainte-Cécile au-dessus d'un gamin qui cache son arme, une fronde. Pas mécontent. Je me suis rappelé les aquarelles à châteaux de Hugo vues chez lui à Paris, belle Place des Vosges, au numéro 7. Alors je songe à un fort bancal construit par des garnements avec, au ciel, leur rêve d'un château-donjon-forteresse. Hâte de retourner à mes jus colorés. Ce matin, achat de papier et de blocs de peinture neufs.

Téléphone de la Francine-organisatrice avant-hier : « Tout baigne. L'expo va se faire début octobre. J'ai interrogé gens du Musée. Votre cote serait dans les 1000 $! » Je réponds : « Ne rêvez pas ! Si vous obtenez 500 tomates par aquarelle, ce sera miraculeux ! » Elle proteste : « Vous vous sous-évaluez ! » On a ri. C'est qu'elle a besoin de beaucoup de fric pour ouvrir son centre culturel dans Saint-Arsène, rue Bélanger, angle Christophe-Colomb. Sans oublier une part pour aider *La Maisonnette* de sœur Gagnon, tel que promis.

Soucy, chez Sogides, m'a dit: «D'abord, avant l'encadreur, tu m'apportes tes images pour le *scanning* ici, oublie pas.» Cette *Petite Patrie* illustrée par la main de son auteur sortirait chez Typo dans un an ou deux. *PATIENTIA*!

Hier soir, pizza végétarienne au four chez *Grand'pa*, à Val-David, avec nos voisins. La patronne, une Française installée ici à jamais, «endure» son dernier été: «Très difficile de dénicher du personnel efficace.» C'est vendu. Présentation — un Français aussi — de son acheteur. Bonne bouille: «Craignez pas, je ne changerai rien, ça marche si bien.» Jasette en quatuor: nos anciens voyagements. Pauline et Jean-Paul sont allés un peu partout plus jeunes. Tiraillement. Sédentaire, on a la paix. Partir pour des aînés, c'est les attentes, les délais, l'impatience, les risques de déception, etc.

Avant qu'elle redevienne si populaire, Françoise Faucher… et moi, on imaginait des voyages organisés avec nous deux comme guides! Une idée restée en jachère.

Qui est responsable de ces enfants mal éduqués: famille ou école? Ma Germaine de mère nous éduquait. Le mal existait, la méchanceté était une réalité. Nous écoutions parler entre eux maman et papa: «Quelle méchanceté terrible, effrayant. Médisance, pire: calomnie, c'est mal ce qu'elle a fait, cette voisine. Ce voisin…» Ainsi nous était communiqué qu'il fallait se démarquer du mal. Le mal? Notion disparue de nos jours? «Soyons modernes, tout est relatif.» «Ne jugeons pas! Jamais!» Quel leurre! Comment grandir sans aucun code moral, sans déontologie minimum, sans éthique essentielle, sans critères ni balises?

Soudain, je sursaute, pluie forte. Fin du beau temps ? Angoisse ! Nuages se multipliant. Combat du blanc contre le bleu du ciel. Toujours ce : «Ça va pas durer tous ces beaux jours ! » Judéo-christianisme catastrophiste ?

Michèle Richard, chanteuse : « La séparation de mes parents fut un choc terrible. » Avec Jean Beaunoyer, elle jase volontiers de son mari en prison pour fraudes, qu'elle aime encore : « Un gars qui n'a pas eu d'enfance. Comme moi. » Enfant, elle chantait dans des cabarets quand les autres jouaient à la balle, à la tag, aux poupées. *Miserere* de ces petits singes dressés dont on tire des sous.

Prostitution

Débat actuel : Imiter la Suède qui punit les clients et protègent les prostituées ? Pleine page dans *Le Devoir*. Je suis suédois. Là-bas, baisse notable de la prostitution depuis cette loi. J'ai souvent souhaité publiquement que l'on poursuive ces névrosés. Sans eux, moins d'abus des jeunes corps féminins ou masculins. Toujours des démunis, des pauvres, vous aviez remarqué? Une intello connue, Gisèle Halimi, sort son *distinguo,* qui me fait répéter cette farce : Le portier d'un club pour intellectuels seulement questionne : «Vous faire entrer ici ? Êtes-vous vraiment un intellectuel ?» Le quidam : « Euh… distinguons d'abord le mot… » Le portier : « Entrez, entrez ! »

Le lobby juif

Lionel L., 58 ans, de Joliette, a visité la maison de Félix aux Chenaux de Vaudreuil (1959), celle d'Ernest Hemingway aussi à Key West. Vendredi, il cherche la maison d'Aile (qui l'a eue pour une chanson en 1973). Caméscope: «Zoom sur la parure en haut de votre porte...» me dit-il. Or, il n'y en a pas. Un loustic le guidait: «Jasmin? Maison aux persiennes orange.» Impasse Grignon. Pas ma rue!

Claude S., étonnant correspondant, me révèle que tous nos «produiseurs» de nourriture seraient forcés — par notre très puissant lobby juif — de «cachériser» tout ce qu'on bouffe ou presque! Lire, dit-il, le *Protégez-vous* d'août. Et que nous payons tous en conséquence «sans être de foi rabbinique». «Une taxe», dit-il. Il m'apprend que Jacques Attali, *Les Juifs, le Monde et l'Argent,* affirme que «le capitalisme est une invention des Juifs». Claude dit: «Ont-ils inventé aussi ce taxage (par 1,2% de la population) sur les aliments?»

Manon A. a apprécié mes propos à Nadeau sur les enfants de Borduas maganés, et les compagnes donc! Jeune, elle me jalouse d'avoir vécu les débuts fringants de la télé d'ici. Il y a eu aussi des noirceurs. J'en parlerai un jour. Tout est formaté commercialement désormais, elle a bien raison. Elle lit mon *Alice vous fait dire bonsoir*, mon meilleur polar, disait Martel. Il n'y a pas, rue Querbes, de 356 ni de 358. Ce sont les adresses fictives des deux maisons où se déroule le drame terrifiant d'Alice.

Gilles G. me révèle que le CRTC (surveillant des ondes) s'est opposé à la télé franco de l'Ontario, qui souhaitait que l'on oblige les câblo-distributeurs à intégrer ce Télé-Québec ontarien. Gilles G. m'apprend aussi qu'en Abitibi comme en Acadie, TFO peut être capté. Maudit COGECO des Laurentides! Maudit CRTC!

[Dimanche 4 août 2002]

Tout est beau

Ciel bouché. La blancheur intimidante, annonciatrice de pluies. Il a fait si beau ces derniers jours, monsieur Beckett ! Hier, un samedi parfait. Éliane, ma fille, s'amenait au chalet avec mon Marco gendre et le grand Laurent (il pousse à vue d'œil, mon cher cégépien d'Ahuntsic). Du vent. Marco sort une de mes planches à voile pour initier son gars. Tout de suite, Laurent saisit les astuces du véliplanchisme. On ira chercher au garage d'en bas le benjamin qui rentrait d'un camp de vacances chrétien de Mont-Laurier tout ragaillardi. Gabriel retrouve donc son copain William, dont la mère va rentrer de France bientôt. Hier, William : « J'ai su que vous écriviez des livres. » Je lui donne une *Petite Patrie*, format poche. Dédicace. « Merci, merci monsieur, je vais commencer à le lire ce soir. » Alors hier matin, au rivage : « Pis, as-tu aimé ta lecture ? » Il fait : « Oh oui, beaucoup, m'sieur ! » Riant, je dis : « Sur une échelle de

1 à 10, tu me mets combien, William?» Sa réponse polie, il jongle un instant: «Euh... neuf et demi!» Le gentil garçon et... j'ai honte de moi.

Sortie des cannes à pêche, en fin d'après-midi, pour Gabriel et ce William... Un achigan et des crapets, aussi de la miniperchaude. Clic, clic! Photos par Laurent. Aile offrait des trempettes et s'en allait ensuite voir au souper. Ce groupe des six jasera *ad lib* sur la galerie en dégustant fraîches laitues — le *dressing* expert d'Aile, miam! — et hamburgers bien cuits sur le grill (*vade retro* vache folle). Vin rouge et coke diète. Enfin de ce bon gâteau (sans glaçage sucré) dont Aile a le secret.

Avant le départ, expo-minute de mes essais graphiques en cours. Marco et ma fille admiratifs. Ils sont très stimulants. Laurent et Gabriel aussi. Ma foi, je me trouve pas si mauvais que je croyais.

Je lis le Gilles Courtemanche à succès: *Un dimanche à la piscine à Kigali*, prêté par mon voisin Jean-Paul. Il est journaliste — longtemps efficace grand reporter à la SRC — et cela, pour mon vif plaisir, lui fait farcir son roman de documentation réaliste sur le Rwanda en sang. Courtemanche, dans Outremont comme aux Salons du livre, me bat froid, ne me voit pas sans que je sache trop pourquoi. Mépris du romancier populaire? Je dois dire qu'il n'est pas du genre (son droit) à se mêler aux camarades en écriture. Ce *Dimanche à la piscine*... est d'une cruauté terrible face aux fonctionnaires en tous genres qui s'offrent jardinier et cuisinière, indigènes bien tournées, le tout — vains bureaucrates satisfaits — aux frais de l'ONU, des bouts que j'aime beaucoup évidemment. G.C. écrit: La France: suffisance; le Canada: innocence; les USA: ignorance. Il réussit excellemment, via l'histoire d'amour de Bernard Valcourt (son héros québécois venu installer la télé sans y parvenir), à illustrer cruellement l'effrayant massacre des beaux Tutsies minoritaires par les Hutus racistes et nazifiés depuis la petite école.

N'empêche, cet ex-reporter de télé, payé par Ottawa, dans un programme de l'ONU (on songe à André Payette — ou à Pierre Castonguay — en Afrique), entiché du merveilleux physique d'une petite jeune serveuse indigène de son hôtel à piscine (le *Mille-Collines*), est bien faible. Il fait l'éloge de la beauté physique avant tout. Il fait du héros divorcé une sorte de voyeur et consommateur de chair fraîche plutôt pathétique. Pas très humain. Pas attachant du tout. Harlequinade: Au début de l'idylle, la pauvre jeune beauté noire songe à l'exil salvateur avec son Blanc instruit venu du confortable Canada.

J'ai sauté des passages d'un érotisme convenu pour lire avidement sur les tenants et aboutissants de ce très épouvantable génocide. «Ils n'avaient (les Hutus déchaînés) pas les moyens des fours à gaz, c'est tout», écrit Courtemanche. Ce sera donc à la main, à la machette, les empilements de cadavres mutilés, violés, le long des routes — à tous les carrefours — du Rwanda.

Du bon cinéma parfois

À T.Q. ce mercredi, étonnant documentaire sur une vieille dame d'un petit village italien qui tient à retrouver son frère et sa sœur, orphelins pauvres vendus par des curés à des adopteurs étatsuniens vers 1950, après la guerre. Elle questionne les autorités cléricales: omerta. Une mafia ensoutanée. Mais elle s'entête et, avec l'équipe du film, part pour les USA. Recherches. Péripéties. Omerta là aussi chez des curés oublieux culpabilisés. Retrouvailles enfin! Chocs émotifs terribles, on l'imagine. Trente-cinq ans ont passé.

Enfin, loué *La pianiste* avec Isabelle Huppert, film primé à Cannes. Mon correspondant G. Tod, avait raison: un film racoleur, sans logique, avec une fin ratée. Une sadomasochiste déboussolée, prof de piano, cherche à se mutiler de toutes les manières. On a envie, dès le début de ce navet, de crier: «Appelez le 911 de Paris, c'est urgent.» Critiques louangeuses pourtant et prix cannois. Jurés morbides complaisants. La mauvaise santé mentale fait des ravages chez cette jet-set ultramondaine, ici comme ailleurs.

Correction: c'est une autre — celle au *distinguo* —, pas Gisèle Halimi, dans une gazette, qui acceptait la prostitution au nom de la liberté des malheureuses démunies.

Vendredi soir, Tommy Lee Jones — *Man in black* — est le trente-cinquième invité de Lipton à ARTV. Son papa a un contrat en Lybie pour le pétrole, avant Kadhafi. Élève au secondaire, Jones refuse de s'exiler. On l'installe dans un pensionnat ultraprestigieux, porte ouverte ensuite pour une université chic de New York. Il y découvre par hasard le jeu… celui du théâtre, et s'y mettra. Il a du talent, des succès, mais on lui refuse de bons rôles parce qu'il n'a pas un gros nom. L'affiche de Broadway en a besoin. Pour le fric! Alors, il part pour Hollywood se faire un gros nom. «Chose faite, je ne reviendrai pas dans l'est», dit-il, sourire en coin. Texan oblige? Débit difficultueux. Un peu sosie de notre Lalonde, acteur et romancier, Jones répond intelligemment aux questions avec une sorte de terreur: sa difficulté à parler!

Lipton: «Du côté de votre mère, il y a du sang comanche, non?» Lui: «Non, pas du tout. Cherokee.» Lipton: «Bon, bien, c'est de l'Amérindien, non?» Lui: «Attention, Comanche et Cherokee, c'est aussi différent que Français et Chinois.»

Hier matin, rêvasseries au bord de l'eau. J'oublie mon petit carnet de notes à journal, qui me suit partout dans la maison. Je déserte mon devoir d'aquarelliste et songe à cet anarchiste des marais, Henri-David Thoreau, qui inspira Gandhi: «Le gouvernement qui gouverne le moins est le meilleur des gouvernements.» Vrai quand on songe aux bureaucraties énervantes pour tout libertaire, mais si faux quand on souhaite, comme moi, une justice sociale redistributive pour les malchanceux du sort, les démunis, ceux qui ont pas eu la chance de s'instruire, ceux qui sont nés avec un quotient intellectuel déficient... Alors, je consens volontiers à payer taxes et impôts et tant pis pour ce maudit lierre épais des fonctionnaires tatillons. Je mourrai socialiste. Et déçu.

Sylvio LeBlanc (mes chères «lettres ouvertes») dit juste. Pourquoi tant de doués en musique populaire refusent-ils de choisir les mots de nos meilleurs poètes? Ils devraient imiter Léo Ferré, qui a su dévoiler aux foules Baudelaire, Verlaine, Breton, Éluard, avec ses chansons. Charlebois a fait un beau Rimbaud. Et puis, plus rien, hélas! LeBlanc juge débile toutes ces paroles niaises sur des musiques réussies.

Samedi matin, dans *Le Devoir*, Courtemanche narre d'excellents souvenirs de fêtes modestes en Bretagne du sud, où il avait séjourné. Il souhaite qu'au Québec on s'y mette davantage. Ici, le 24 juin, il y a eu une de ces fêtes au village très modestes. Ravi d'y avoir croisé des jaseux qui racontaient de formidables souvenirs. C'était simple, humain, d'une convivialité familière, et chaleureux.

Aile suivait avec passion les jeunes cinéastes participants à *La course autour du monde* (Radio-Canada). En ont émergé de fort talentueux jeunes gens au cinéma québécois de maintenant. L'un d'eux, un certain Trogi, vient de signer un film cocasse — *Québec-Montréal* — qui semble faire florès. On a mis la hache — compressions budgétaires — dans cette formidable école du terrain. Un désastre, non?

Sartre préférait Honoré Balzac à Marcel Proust. Hon! Il dira sur le fameux Marcel: «Un esthète compassé.» Hon, hon! J'applaudis. N'ayant jamais pu continuer sa *Recherche*..., j'applaudis le vieux coq-l'œil de Saint-Germain-des-Prés. Mon préféré: Louis-Ferdinand Destouches, alias Céline.

Lysiane Gagnon rigolait samedi et c'est rare tant elle fait des boutons à fesser les indépendantistes. Je lis: «Il n'y a plus que les prêtres et les homos pour tant souhaiter le mariage.» N'y a-t-il pas des notaires partout pour rédiger des contrats d'union entre individus? Et des testaments? La loi Bégin garantit les droits des homos — le mot *gay* est interdit chez moi tant ce vocable (amériquétainerie) est sot — et c'est justice. Mais le ghetto homo militant réclame plus: le mariage en règle, le vrai, le normal, l'ordinaire, le total, le gros mariage à l'ancienne!

La Tchétchénie

C'est quoi au juste cette guerre cachée, tue, camouflée, niée, en Tchétchénie depuis 1999? C'est 1 000 indépendantistes actifs — foin des fédérations forcées — face à 70 000 soldats russes bien équipés! Il y a eu une première guerre anti-souverainiste (menée par Moscou) en 1994-1996. Le nouveau KGB, baptisé FSB, crache du fric pour infiltrer les nationalistes, déniche des délateurs de patriotes. Le sang coulait hier, il coulera demain. L'ONU se tait (se terre), comme pour le Rwanda où elle — tout comme les paras belges, allemands, français — savait fort bien ce qui se tramait. Comme pour Israël. La Russie, pays démocratique et souverain, n'est-ce pas? Washington-Pentagone-CIA, tous la tête dans le sable: «Laissons-les s'entretuer.» Bush a besoin de Poutine, oui ou non?

Alain Stanké fait ses adieux d'éditeur dans une page de *La Presse*. Il résume sa longue carrière et a bien raison de son *satisfecit*. Il énumère ses bons coups, ses auteurs. Je lis: «… le brillant Claude Jasmin». Hum! Ça peut être péjoratif, non? Brillant comme dans superficiel? J'aurais préféré «candide» ou «naïf».

Un autre qui barbouille? Oui. L'acteur André Montmorency. J'aime bien tous ces amateurs à violon «dingue». J'en sais les bonheurs. À Sainte-Agathe, une vaste expo: des centaines de noms. Plein d'inconnus du public. Pis? Démonstration que peinturlurer est un besoin souvent, une porte ouverte sur la liberté. «Une thérapie», disent plusieurs. Un monde hors du rationnel, comme la musique, une place accordée aux sentiments, aux émotions. Hier, je lisais dans mon Rimbaud qu'il abandonnait, adolescent, la poésie ancienne, celle des raisons raisonnables, des buts louables, des idées nobles (Banville et cie), cherchant des... sensations, des illuminations. Ainsi de la peinture, à des degrés fort variables cela va de soi.

Aux actualités hier soir: «Montréal devient une des capitales du tourisme... gai.» Ces célibataires (pour un très grand nombre) sont d'excellents consommateurs et leur fric répandu est bienvenu! Pour le fric des touristes — subventionnons tous nos restaurateurs, nos hôteliers: jobs, jobs —, il y a l'humour, le jazz, les Francofolies — souvent anglaisées —, le cinéma, la parade homo et quoi encore? Vite, si vous avez une idée, correspondre avec le ministère du Tourisme. À Toronto, comme ici, joyeux défilé antillais! Les Caraïbes dans nos rues! Est-ce qu'aux Antilles, Jamaïque, Trinidad et Tobago, Martinique ou Guadeloupe — on organise une fête nordique, voire arctique? Une fête des neiges, avec chiens-loups, traîneaux et iglous, avec tuques et foulards multicolores, grattes et pelles, une grosse souffleuse enrubannée? Eh maudit qu'ils pensent donc pas au tourisme dans ce Sud-là, hein? On nous montre des travestis en folie et on entend l'animateur tout guilleret: «C'est merveilleux, formidable, on dirait que la ville leur appartient!» Se taire. Un mot de travers et c'est l'index braqué sur vous: «Intolérance».

Aux nouvelles d'hier: Moins d'émigrants — sortez des terres occupées et ça ira un peu mieux — en Israël et les Palestiniens font davantage d'enfants que les Israéliens orthodoxes. Danger flagrant de minorisation. Peur! Campagne de l'État très inquiet là-bas pour faire s'accoupler — ô mariages, mariages! — les jeunes célibataires. Ces fertiles Arabes, pas moyen de les stériliser, non ? Vous y pensez, cher premier ministre d'Israël ? Vos chars blindés en Cisjordanie, distribuant des tas de capotes, non ? Il trouvera, c'est certain.

Ce matin, lecture sur le… mandala, sauce bouddhiste. Une planche et dessus du sable coloré distribué pour former une abstraction. Tu t'assois devant et tu médites, puis tu vas jeter ça à la rivière. Papa faisait-il cela avec ses tableaux au sable (dont j'ai quelques modèles) ? Lui, le jongleur perpétuel. C'était avant son essor fameux en céramique naïve. Papa ne jetait pas son mandala friable, non, il le vernissait pour qu'il soit durable. Parlant papa, ce matin, Stéphane Laporte (*La Presse*) raconte « l'été, le soir, le balcon, la canicule, l'enfant (lui) qui peut veiller tard ». Laporte devrait faire éditer tous ces beaux — parfois savoureux — morceaux sur son enfance proche de la rue Décarie — il y revient assez souvent — et titrer : *La Petite Patrie de Stéphane*. Un jour, il y aura un jour 100, 1 000 *Petites Patries* ? J'en serais le premier ravi. Mon éditeur — si prolifique auteur —, c'est son tour, est dans les devinettes du jour : « Auteur né le 2 septembre à Saint-Paul-de-la-Croix ». Ah ! Saint-Jean-de-Dieu viendra donc après ? Et puis, jeune ado, ce sera Montréal-Nord — *Race de monde* — à 14 dans un quatre pièces et demi !

Canular ? Roger Drolet, le preacher laïque (pas tant que ça) de CKAC et du cinéma *Château* a accepté de faire *Juste pour rire* l'été prochain. Si c'est vrai, je lui garantis un fort bon succès.

Correction : Marchaudon et non Marchildon, la modeste et dynamique libraire qui jette son tablier, rue Laurier.

Ce vieux pape qui dérange

Philippe Moreau est-il un monomaniaque des lettres ouvertes, lui aussi, comme moi avant l'exutoire merveilleux de tenir journal ? Il réplique solidement au Arseneau qui, récemment, plantait bien raide tous les jeunes pèlerins réunis à Toronto. Il le traite de rien moins que : « nouvel inquisiteur ». J'ai croisé sur la route médiatique un laïciste forcené de cette trempe présidant outremontais d'une ligue d'inquisiteurs athées à masque de droits de l'homme.

La brève prière — assez neutre au fond — aux assemblées de son hôtel de ville le rendait malade. Son acharnement à interdire ce moment de réflexion spiritualiste me fit le traiter à TVA — la langue dans la joue, hein — de Belzébuth ! Il en resta interdit un moment, craignant peut-être que je sorte de ma poche un goupillon pour l'arroser d'eau bénite. Quand j'ai défendu les crucifix chez le maire Gérald Tremblay, même émoi chez ces énervés. Même si la majorité des nôtres désormais ne sont plus pratiquants, toute notre histoire — notre culture, montréalaise en particulier, est tissée par les dévouements des croyants — religieux et laïques —, qui fondèrent Ville-Marie. Réalité incontournable. J'avais dit : « Faut-il vite aller déboulonner le grand crucifix de métal sur le mont Royal ? »

Oh ! le bon papier mercredi, signé par la jeune Rima Elkouri : « Il faut toujours se méfier des vieux », phrase prise au vieillard alerte Henri Salvador (85 ans). Elkouri, comme tous ses collègues, séduite par l'ancêtre venu de Paris, note : « … nous qui craignons tant le passage du temps. » Ce même jour, un vieux verrat est en prison !

Chaque jour, il vidait de ses sous et de ses cennes — avec deux comparses — la fameuse *Fontana di Trevi* à Rome. En voilà un grippe-sous, littéralement. Ça faisait, selon l'agence de presse, un revenu dans les 15 000 $ par mois non imposable! Rome ramassait des miettes — prudent Roberto Cercelletta — pour donner à ses pauvres. Pour gagner plus de 150 000$ par année, Roberto devra travailler dur quand il sortira de sa geôle. Souvenir: en 1980, au détour de rues et de venelles, Aile et moi tombons sur la fontaine surchargée immortalisée par Fellini dans *La Dolce Vita*. Notre déception. On imaginait une vaste plaza à la hauteur de sa renommée. Coincé, le lieu célèbre. À ses pieds, vue étonnante de personnages neptuniens, un baroque déchaîné, ouvrage fou, une vision excitante, et des eaux mugissantes…

Les éditos des journaux américains émettent des réserves quant au projet de Bush et de ses militaristes conseillers d'abattre Saddam Hussein. L'après-Saddam est un immense point d'interrogation. Des experts divers (démocrates souvent, mais aussi des républicains) énumèrent les difficultés à prévoir. Sagesse qui rassure un peu. À condition que W. B. les écoute! Il y a l'hypothèse d'un Saddam débarqué, voire assassiné, avec une guerre ruineuse de l'Irak («axe du mal») et la reconstruction, pas moins ruineuse. Le chaos total, prédisent certains. Ou bien, se sachant perdu, il se défend: bombes (biologiques) sorties de ses dépôts clandestins et, plus inquiétant encore, capacité de réactionner des armes chimiques (bactériologiques) — il en usa, allié des Américains dans la guerre à l'Iran, contre ses ennemis religieux.

Tremblez, mortels!

Ma fenêtre

Le drapeau bien flasque. Pas de vent, hélas. L'humidité règne. Hier, plein de cris sur les berges, des pédalos en grand nombre, et le canot du vieux dragueur qui, depuis 20 ans, sillonne le lac. Lui debout ou à genoux. Parfois, à son bord, une jeune pouliche ramassée on ne sait trop où. Rituel qui nous amuse comme nous amuse cette jolie dame digne, raide dans son pédalo bleu poudre, au chapeau de paille 1900, qui passe et repasse, une fois par jour, à heure fixe, son *Devoir* sur les genoux, acheté au bout du lac, à un coin de rue de la plage municipale. Souvenirs: À Ogunquit, durant 20 ans, chaque été, un zigue bizarre — sosie de Jack Lemon — s'amenait chaque midi, son filet sous le bras, son ballon sous l'autre. Il guettait, appelait des jeunes gens libres pour qu'une partie de ballon volant débute. Une vraie curiosité. Aile et moi toujours fascinés par son manège. Sa casquette sur l'œil, son maillot de bain bien ajusté, tout heureux quand, au bout de 20 minutes, il parvenait à former 2 équipes de jeunes joueurs. Étrange loisir, non?

Hier, je dis à Laurent — et c'était vrai — que je venais de voir une drôle de bestiole entre deux eaux. Trop longue grenouille, inconnue de moi. Il rit. Je lui dis: «Tu pourrais filmer ça. Titre: *Le Monstre du lac Rond.* Scénario de papi. On voit la plage municipale, mon Laurent. Un gars et sa blonde nagent. Soleil aveuglant. Rires. Ballons. Sauveteur qui roupille sous son parasol dans sa chaise haute. Vu? Soudain, une tête monstrueuse surgit de l'onde! Cris. Panique! Témoignages contradictoires. Plus tard, crépuscule et farces pour se rassurer. Un homme-grenouille aimant les attrapes? Une semaine passe. Autre séquence : plage du *Chantecler*, en face. Jeunes touristes chassant les rainettes à l'ouest de la plage. Encore une fois, stupeur, cris de panique : au large, cette tête effrayante, serpent, poisson inconnu. Monstre survivant aux chutes des moraines quand, ici, dévalaient les plus vieille pierres du monde connu, celles de ce bouclier laurentien. Le temps des glaciers qui fondaient. De la grande mer Champlain quand on ne voyait que le mont Royal et les hautes cimes des Laurentides. Des vieux en débattent, ce soir-là, autour d'un feu de camp. Une semaine passe encore. Des reporters sont venus. De partout. En vain. Un bon matin. Nos deux jeunes héros, à l'aube, avec des filets, vont aux ouaouarons, ceux du marais deltaïque, petit site protégé à la charge du lac. De nouveau, près du rivage, la bête apocalyptique ! Un des héros sort du canot, criant, se sauve dans le boisé. L'autre reste dans son canot. Le fuyard, essoufflé, raconte à ses parents. On part, en groupe, un avec sa carabine, vers le marais aux nénuphars. Plus rien. Le calme. Le canot renversé… »

« Pis ? Pis ? » me demande Laurent. Moi : « Ah, faudrait rédiger toute l'histoire. Tu vois ça, un conte pour tous. Juste pour nous amuser, illustrer la paix, la beauté de l'été ici et… soudain la bébite… qu'il faudrait confectionner, à l'épreuve de l'eau. » Laurent ne dit plus rien, il regarde ailleurs, il doit se souvenir de toutes mes histoires quand il était un petit garçon. Il est devenu plus grand que moi. Se dit-il : « Papi change pas, il cherche encore à inventer des fables » ?

N'empêche que je me demande encore ce qu'était cette créature sous notre saule aux longues branches dans l'eau, cette longue bestiole aux pattes palmées.

[Mercredi 7 août 2002]

Papineau

Beau ciel très chargé de cumulus, de cirrus ? N'y connais rien en nuages sauf que j'ai toujours aimé les barbouillages célestes en blancs et gris variés. Nous y voyons des formes molles symbolisant nos rêves fous : architectures inédites, cavalerie floue, animaux absurdes…

G. Tod a vécu sept ans en France mais préfère le Québec… avec la Bretagne et ses menhirs. Il raconte que des bibliothèques à Los Angeles ont vendu leurs classiques pour les remplacer par des tas de Harry Potter. Il m'encourage à dépasser le furibond cinéaste Falardeau et à publier un pamphlet sur les Patriotes et nos « vendus ». Par exemple, sur ce chef Papineau qui, en 1837, se sauvait aux USA. Minute ! Se sauvait ou se réfugiait ? Sa tête avait été mise à prix et lui tué, quel progrès pour la cause ? Le génial tribun — qui se pousse à l'insistance des siens — se disait sans doute qu'il y aurait du travail à... continuer? Indépendantiste farouche, comme tant d'autres, je ne croyais pas utile de prendre les armes et le maquis du temps des jeunes terroristes felquistes.

Je suis jaloux. Le 11 septembre prochain, on va lire la *Déclaration d'indépendance* (1775) à Manhattan. Si, en 1980 ou en 1995... Si... Entendre notre *Déclaration d'indépendance* à nous, Place d'Armes... ou Square Dorchester.

Mon courriéliste dit avoir apprécié mon dessin d'un guenillou sur mon site. J'ai en tête les Italiennes cueillant les feuilles de pissenlit au parc Jarry, deux gamins aux billes (*smokes*, marbres), un tramway bondé, le p'tit char en or, etc. Que l'esprit de Marc-Aurèle Fortin veille sur moi!

Un folichon strident?

Ce Dufort, amusant fumiste volontaire à la télé — *Infoman* — hier matin à la radio publique: «Je n'ai pas lu deux livres dans ma vie!» Combien sont-ils de ces générations à négliger la lecture? Je n'en suis pas du tout scandalisé. Surpris, certes. Un monde autre s'installe, veut veut pas, vieux bonhomme.

J'ai égaré, mystère, une grosse tablette à papier désacidifié. Achat hier de deux petites tablettes à aquarelliser. C'est cher. Jadis, mes meilleures pontes sur du papier banal, cheap. Même sur du papier-journal parfois. Je suis facilement intimidé face à du papier de luxe! Né pour un p'tit pain?

Aile tourmentée. Nous allons fêter Mimi Dubois, dans son coquet jardin à piscine, à Mont-Royal. «Quoi lui acheter? Aide-moi, Clo!» Ne sais que dire. Le vieux dilemme. L'épouse de l'ami Dubois (l'ex-grand sec d'Orléans) retraite du cégep Marie-Victorin et veut s'adonner à l'aquarelle. Chez le papetier du boulevard: «Vous n'auriez pas un ensemble de pinceaux à aquarelle?» La vendeuse: «Ah! non!» Vivre hors de la métropole a ses inconvénients.

Tonte radicale du terrain. Ouf! Essuyant ma sueur, écrasé dans un transat, j'admire ma bonne besogne. Aile: «Oui, je te comprends. Nous éprouvons cela, les femmes, après un bon ménage dans la maison.» Aile a terminé le *Mistouk* saguenayien de Bouchard et me raconte qu'il installe les héros des autres dans la saga de son héros: Noé, le Survenant, Maria Chapdelaine, Jack Monoloy, etc. Pourquoi pas? Aile: «À la fin, j'étais émue par ses pionniers valeureux qui ont traversé des temps de misère effroyable.»

C'est un stupide et vain navet que ce *Docteur Folamour* — culte de mes deux fesses! L'antimilitarisme et le pacifisme méritaient mieux. Aile stupéfaite. Moi itou. Peter Sellers y a deux rôles bien minces (étonnant, si doué). Un scénario alambiqué, obscur, confus. Bref: un film pourri.

J'ai renvoyé les 178 premières pages de mon journal montées à Trois-Pistoles. Dix piastres, viande à chien... Le bus du terminus d'en bas ronflait, prêt à emporter ma prose révisée là-bas. La réviseure (fort bonne) y a fait quelques coupures... Non, mais!... Sortie du livre à la mi-octobre. Curieux de relire mes éphémérides de décembre, de janvier, tant de neige... Au prochain festival de M. Losique, films de 75 pays, qu'on ne verra pas, personne, à part quelques zélés cinéphiles montréalais, à nos écrans voisins ni au club vidéo! Place aux produits *made in USA* seulement! Sur 400 films, un seul québécois!

Lucide, Daniel Pinard au sujet du défilé des homos: «Caricatures pour faire rire d'eux par les hétéros attroupés.» Les militants du ghetto devraient vite abolir cette parade de tantouses et autres folles exhibitionnistes. Il se tirent dans le pied.

Crainte d'un appel de TVA à propos du projet musulman (un centre culturel-temple) à Brossard. Aile: «Fais très attention. Si tu es contre, tu te feras encore cataloguer d'intolérant.» Elle a raison. Comment dire en deux ou trois minutes mon opposition? Ces émigrants devraient toujours faire voir un besoin farouche de s'intégrer aux Québécois. Ainsi, ils devraient montrer une vraie curiosité pour le pays adopté. Au lieu de cela, installer un gros machin musulman, rue de Rome, devient une sorte de provocation: «Voyez, nous ne sommes pas du tout comme vous, nous allons vous le démontrer avec emphase, le prouver, installer ici notre maison culturo-religieuse, etc.» C'est maladroit. Voyez-vous un fort groupe de Québécois, en Inde ou ailleurs, installer un centre culturo-religieux catholique? Exilé, je serais contre. Adoptant une neuve patrie, je voudrais que mon groupe d'exilés fasse voir une curiosité totale, fervente, sympathique, agissante, illustrant que cette nouvelle patrie nous importe, qu'on souhaite s'intégrer — sans la globale assimilation déracinante —, devenir des citoyens à part entière. Étudier la culture de ma nouvelle patrie, ses us et coutumes, sa religion nationale fondatrice, son histoire. Le souhait normal, sain, de l'intégration totale. Comment bien dire tout cela en trois minutes?

Mes chères gazettes

Des carrière Miron s'installent dans les banlieues proches, loin de notre rue Papineau ! Payant commerce : 33 $ le camion ! Pas de frais importants, que des champs vacants. Allez-y : « Dompez, les gars, dompez vos merdes ! » Des écolos s'inquiètent. L'affreux jus toxique — le lixivat — traverserait vite les toiles géotextiles ou la glaise. Nappes d'eau souterraines à jamais polluées alors. Le recyclage coûte cher, les sophistiquées machines à dépolluer aussi. Agitation utile, à Sainte-Sophie, près de Saint-Jérôme.

Ai vu le making of de *La Planète bleue* à *Découverte*. Cinq années de guets terribles, caméras aux poings, des heures pour une minute rare ! Faut du fric. De l'équipement coûteux. Des équipes entières. Plusieurs commandants Cousteau. En fin de compte, des images qui serviront. On les fera voir et revoir dans des décennies, non ? Investissement lucratif ? Aile et moi fascinés par toutes ces bêtes nageuses — et avaleuses des plus petits — dans les eaux du monde entier. Hélas, fréquente pub criarde. La grossièreté a un nom.

Ce même dimanche, revu *Le parrain n° 3*. Le tueur (Pacino) Michael Corleone (fils de Marlon Brando du n° 1!) devenu vieux voudrait se réhabiliter. Impossible comme on sait. La meute des assassins italiens — Dieu que les Ritals doivent être encombrés par cette réputation de leurs effrayants marginaux ! — l'entoure, lui recommande une suite de meurtres neufs. Puzo, cette fois, y mêle l'affaire sordide de la Loge P2 de la Banque vaticanesque, de la mort subite (questionnée encore) du pape Jean-Paul 1er ! Anticatholique ou bien informé? Il laisse entendre une collusion effarante entre la papauté (par le biais de l'immobilier gigantesque) et la mafia sous Paul VI, mort à 81 ans. C'est embrouillant. Voulu ? Oui. Comme avec *Omerta* de Dionne. Lu sa récente saga de motards criminels. Le public, captivé par le sang qui ruisselle, se dit-on, ne sera pas trop exigeant sur l'embrouillamini, sur les tenants et aboutissants du scénario pas clair. Mépris. Encore les fréquentes pubs abrutissantes — le CRTC ronfle — bafouant le public qui n'a pas de magnéto. Viendra-t-il le moment où, réunis, les créateurs de films s'opposeront à ce charcutage grotesque ? Fellini avait essayé et il n'y avait pas eu entente, hélas.

Saint-Germain, excellente questionneuse, regrettait avec Dufort qu'on ne trouve jamais de commentateurs libres aux actualités comme il y en a dans les imprimés. Ont bien raison. Dufort parle de Montgrain à TQS et de Claude Charron qui s'en va chez Bruneau à TVA comme *columnist*... peut-être.

Raymond Lévesque dans *Le Devoir* dit, avec bon sens, que la cigarette est bien moins mortelle que voitures et camions. Pourtant, pas de campagne avec images horribles... Voyez-vous cela ? Collage obligatoire de cadavres sur les bagnoles ? Sur les camions ? Aux postes d'essence ? Dégoûtantes vignettes colorées au sang partout : « Danger : l'essence tue ! » L'État-maquereau a trop besoin de taxes...

Pierrot Péladeau déclare que l'on est en route pour se faire gouverner par des puces ! C'est parti avec, très bientôt, des puces savantes accrochées à notre carte de ceci et de cela, permis de conduire, santé, etc. Le génial Teilhard de Chardin prophétisait, bien avant l'électronique sophistiquée : « Nous vivrons tous dans des cages de verre.» Hier matin, même page de journal, François Beaulé a pondu un excellent article sur conscience versus science, sur rationalité versus spiritualité. Je l'ai lu et relu. Avec contentement, aussi grande inquiétude. Un autre «lettreouvertiste»: Si Jésus avait eu deux ou trois femmes parmi ses apôtres? Il y aurait des tas de prêtres féminins alors? Car, dit-il, le grand sot argument vaticanesque est: «Jésus n'a choisi que des hommes comme zélateurs.»

Documentaire à la télé de RDI: la vie de Marilyn Monroe.

Platitudes et redites. Une industrie, cette pauvre disparue de M.M. Débuts modestes... l'orpheline et sa bizarre gourmandise de se faire photographier. Reflets d'un soi précaire? Images affirmatives: j'existe. Prudentes images muettes, compensatoires pour son complexe d'infériorité? Le mépris de Lawrence Olivier. L'abus de médicaments. Les suicides ratés. Les 13 avortements et... rien sur les Kennedy! Déception. Jeune homme, cette actrice de cinéma, si populaire déjà, me laissait de glace. Attitude de jeune intello? Je me sentais comme à part des autres, du monde ordinaire et, normalement grégaire, cela m'embêtait un peu. Quand le dramaturge Arthur Miller, que nous admirions tant, l'épousa, nous nous sommes dit, aspirants-artistes et écrivains, que le gars voulait une poupoune, une star pour briller niaisement. Notre déception alors. Voyant des flics à New York diriger la circulation, je me suis souvenu des nôtres à Montréal aux importants carrefours. Petite pointe de nostalgie. Un être vivant, gesticulant, au lieu des feux synchronisés. Une perte d'humanité?

Grand plaisir de revoir *The Rear Window* de Hitchcock (son meilleur). Ce vaste décor d'appartements où les commérages font florès me fascinait encore. J'y retrouvais la cour arrière de ma jeunesse quand les voisines jasaient sur toutes les galeries. Nous savions tout sur tout le monde. Cette chaleur me plaisait tant que j'ai voulu l'illustrer souvent dans mes livres autobiographiques. Un temps fini. Hélas ? Je ne sais plus.

De Guise dans *Le Devoir* du 6 août dit : « Assez, foin de ce 11 septembre 2001 ! » Qu'il faut plutôt commémorer « le 6 août 1945 », jour du plus grand massacre terroriste de tous les temps : la bombe aux 200 000 morts parmi la population civile d'Hiroshima. Et, nullement culpabilisé, trois jours plus tard, le 9 août, on remettait ça à Nagasaki.

Au pays de Dracula, chasse aux sorcières. Des gitanes. La Roumanie veut exterminer ce payant (et hors impôts) commerce de romanichels, une coutume répandue et estimée dans la populace. Mes sœurs midinettes allaient chez une mystérieuse Italienne du voisinage pour se faire tirer l'avenir ! Mes parents les grondaient : gaspillage d'argent. Et moi, fin finaud du cours classique payé par leurs pauvres gages d'ouvrières, je les ridiculisais. Honte à moi ! Dans un de mes 78 sketchs du feuilleton *La Petite Patrie*, j'avais illustré une telle sorcière : ma petite sœur disparue, le pendule de l'Italienne dans la cuisine, mon père enragé contre elle…

[Vendredi 9 août 2002]

Jeux de coulisses

Beau début d'août québécois! Ça ne fait pas, hélas, grossir mon album d'illustrations. Je consigne des idées, des projets, mais ne m'installe pas à ma table à barbouiller! Daniel vient de sortir du bois nordique — sa courte retraite estivale en solitaire chaque année — avec son beau canot blanc. «J'ai visité trois lacs», me dit-il. Je songe à Félix chantant: «J'ai deux rivières… trois montagnes à traverser». Toujours mes craintes de vieux popa. S'il fallait… Ce député dépité, perdu en forêt gatineauienne récemment, sa peur qu'on ne le retrouve jamais!

Hier, journée de relaxation après notre soirée très arrosée chez les Dubois. Mimi avec Aile, au téléphone: «On a vidé 7 bouteilles! Nous étions six, si bien dans «ce beau jardin» (Trenet), ce «jardin aimé» (Clémence). Six heures de jasettes, de plaisanteries et aussi de souvenirs

— des récents et des très vieux quand on déterre (douleurs graves souvent) nos enfances.

Mon «grand six pieds», André, s'interrogeait: il y a 20 ans, il signait la mini-série *Laurier* avec Carrier. Depuis, à la SRC, pas un seul de ses projets accepté. «Je fuis la paranoïa, mais...» Il est satisfait de son *Km/h* à TVA, nº 1 dans les sondages mais... Dubois me révèle une histoire que j'ai trouvée plutôt écœurante: «Un jour, au temps de nos *Vaut mieux en rire*, devant le chef des dramatiques du temps (Richard Martin), Ubaldo Fasano, mon coproducteur et moi, on développe un projet inédit. Des jeunes équipes de hockey, rivalités terribles, Québec-Montréal. Aussi, s'y mêlant, une histoire d'amour. Martin en joie: «Hockey et amour, parfait, idée géniale.» Nous écrivons les textes-synopsis (payés) puis... silence! Or, un peu plus tard, la SRC annonce une série... hockey et amour! Auteur: Réjean Tremblay; producteur: Claude Héroux, débauchant le même Martin de la SRC, se l'attachant comme producteur. Peux-tu imaginer notre stupéfaction, Claude?» Tremblay déclarera en entrevue que cette idée traînait dans un fond de tiroir à la SRC!

J'en reste baba.

Chaque auteur a-t-il de ces histoires? Je me retenais de revendiquer pour ne pas sembler surenchérir sur André. Moi itou: abandonné de la SRC de 1985 à 1995. Que de projets refusés. Lise Chayer, réalisatrice, avait accepté et voulait réaliser mon projet *La petite bourgeoisie* (Bordeaux) dans les années 60. Refus. J'offre *Coulisses*, sur le monde des artisans des coulisses d'un théâtre. Avec Daniel, je développe quatre textes (payés). Refus encore. Ensuite, ce sera *Douze Heures* — un Pinocchio futuriste comique conçu par Daniel, puis

Le Procès Rimbaud-Verlaine, puis *Gens de radio*, puis… je me souviens plus… Récemment, mon polar avec un retraité des médias. Non, je ne fais plus de projets télé, merci. Mon journal et mes illustrations. Ça me suffit.

Palestine : l'axe des fous ? Comme Sharon, à une autre échelle certes, Pierre-Elliott Trudeau et ses sbires, Lalonde et cie, voyaient, en octobre 1970, tous les Québécois en virtuels terroristes. L'armée partout, les mesures de guerre et les rafles chez des dissidents pacifiques. Bégaiements de l'histoire sans cesse.

Ce matin, d'une oreille enchantée, j'entendais à la radio publique les beaux rires en cascade chaleureux, communicatifs, de la chanteuse Nathalie Choquette. Je lisais Lebel, député du Bloc, qui, révolté, fustigeait les accords avec les Innus (ex-Montagnais) de la Côte-Nord, signés par Landry. « Continuons, excitons tous les autres autochtones et il nous restera, comme territoire national, les trottoirs de la rue Saint-Denis et les vieux remparts à Québec. » Ce Lebel n'avale pas du tout les 377 millions à verser, le 3 % de partage des profits des ressources à explorer. Enragé noir ! Et nous, les Jasmin, arrivés avant tant de monde au village Saint-Laurent, pourrions-nous ravoir nos terres devenus centres commerciaux et zones industrielles ? Moi itou, j'aime bien revendiquer. Avec de bons avocats retors, payés par les impôts de tous, y aurait pas une passe à faire, sûr ?

Denis Gaumond, lui, cogne fort sur les Angenot de McGill et autres universitaires scandalisés par l'attentat à l'Université hébraïque, comme si les autres attentats étaient moins graves. Gaumond me rejoint quand il signale les lâchetés — épouvantables quand on y songe — des universitaires, rappelant que dans l'Allemagne des années 30, les profs, les intellectuels, les journalistes, toute l'archigagne des instruits, ne se levèrent pas en bloc pour stopper le fascisme raciste de leur leader Adolf Hitler. J'y songe souvent à cette dure vérité. Il est bon qu'un Gaumond rappelle que de nobles universitaires travaillent avec acharnement à des plans morbides — il énumère une liste de projets épeurants, d'une fatalité inouïe.

Vie du chanteur et acteur Yves Montand, réalisation de Jean Labib. Une bande-son inaudible. Télé-Québec achète cela ? Une vie morcelée, fragmentée, avec des redondances et quelques silences et oublis curieux. Captivant tout de même de revoir Budapest puis Prague écrasées par les Russes en chars d'assaut. Avec ces horreurs débutait la lucidité des intellos en France, finissait le leurre de la paix via l'URSS, foutaise adoptée par les Picasso et autres niais, dont Montand.

Des amis à nous s'en vont trois semaines en Europe. Côte d'Azur et Corse. Maudits riches ! Ma jalousie ? Pas sûr. La frousse des inconvénients du tourisme actuel.

Hier, documentaire sur la jadis fameuse céramique beauceronne et j'entends des noms familiers d'artisans connus : Jean Cartier (mort hélas), Garnier (mort aussi ?), Maurice Savoie (vivant, lui). « Compagnons des mauvais jours... », chantait Montand... La céramique... comme un lancinant souvenir, un regret mal enterré : être devenu céramiste comme le destin semblait l'exiger, mais non, être devenu polygraphe plutôt, mystère qui m'importune de temps en temps. La vie — ses hasards, les circonstances — décide à notre place. Accepter cela en paix.

Arbres noyés

J'ai plongé, hier midi, dans le *Mistouk* («arbres noyés en amérindien») de Bouchard. Au début, plein de noms, sorte de vaste monographie de paroisse un peu fastidieuse, mais, peu à peu, on s'attache à ce Roméo (un Noé!) débrouillard. Sa saga va de 1890... jusqu'à nos jours (m'a dit Aile), plus précisément le déluge saguenayien désormais célèbre. Bouchard a signé un de mes vagues projets quand je souhaitais raconter les miens, saga jasminienne, avec le petit soldat du régiment de Repentigny, Aubin, exilé du Poitou en 1715, s'installant dans la forêt à l'ouest du minuscule village Saint-Laurent. Son amitié avec un jeune Méo songeant à s'exiler à Woonsockett, Rhode Island, où de sa parenté ramassait un peu de fric en usines pour revenir acheter de la terre publique. C'est bon.

Aile estime: «Mais c'est terrifiant», dit-elle — *Les Voleurs de beauté* de Pascal Bruckner (Grasset), aussi nouveau philosophe médiatisé. Hâte de la suivre dans ce roman, me sens à sa remorque et cela m'amuse. Avantage de pouvoir, plus tard, jaser sur les mêmes lectures. Exemple: «Bouchard met trop de vains détails, non? C'est un peu lassant.» Aile: «Continue, tu vas voir, sa série sur les quêteux, sa série sur les curés du Lac-Saint-Jean, c'est très amusant. Continue...» Je continue. Pour le reste, on verra demain.

[JEUDI 15 AOÛT 2002]

Peindre

DES PALMES vont me pousser un peu partout sur le corps. Que de séjours dans l'eau du lac ! Caniculaire, cette mi-août, vraiment suante. Humidex (cher facteur) régnait. Hier, tard, une rareté : de la pluie ! Ce matin, un peu de fraîcheur dans l'air. Halte. Monceaux vastes de nuages au ciel, mais ça pourrait continuer la saudite caniculade car le soleil se débat pour s'installer. À la cave-atelier, mes poils de chameau sur bâtonnets sèchent. Ma dernière série d'essais : hum, pas fort hélas. Douter de ses talents… sans cesse balancer entre un art illustratif commun et des audaces… pas assez fréquentes. Ce problème : Je veux montrer un laitier d'antan avec sa voiture à cheval, ou bien le vendeur de frites avec son sifflet-cheminée sur le toit de sa camionnette. Je m'efforce de faire réaliste ou bien je tente d'offrir une image stylisée de ces bonshommes ? Balance maudite entre deux manières de peindre. N'étant pas un habile technicien du dessin, je rate souvent l'image instructive, et si je me tourne vers disons… un impressionnisme fou, c'est parfois sans définition captivante. Arriverai-je à ce compromis des deux façons que je cherche fébrilement ? Le temps presse… Brrr !

L'amie Josée — comme devenue fille adoptive d'Aile — retournait à son boulot de scripte à la SRC ce matin. Quatre jours à écouter les badinages des deux filles. Aile a passé 39 ans de sa vie dans l'institution vénérable et y est fortement attachée. Forcément. Est très inquiète des orientations de son cher, très cher, *alma mater*. Je trouve cela touchant. Je n'ai pas cette dévotion. De 1956 à 1985, la télé n'a été qu'une de mes occupations (journalisme, scénariste, romancier, etc.).

Tremblez, mortels!

Départ à trois pour le lac Tremblant. Une heure sur la route. Un quai. Un bateau vitré. Excursion agréable. Fraîcheur sur l'onde. Le pilote décrit dans son micro les riches pavillons, raconte ensuite les débuts du site — aussi le temps des Abénakis — devenu fort populaire depuis ce pionnier visionnaire, l'Étatsunien Ryan, au début du XXe siècle. Un gamin, Gabriel, me captive, qui traîne dans mes parages : « J'irai à la vraie école maintenant ! » Questionnaire usuel pour l'entendre formuler des réponses d'une candeur formidable. Mon grand bonheur. Aile et Josée s'amusent des reparties naïves de cet ange Gabriel bien bavard. L'intervieweur malin en oublie de regarder les horizons décrits. À Saint-Jovite — où Josée passa tant d'étés — , lunch aux hot dogs et aux frites trop vinaigrées… régal occasionnel chez nous trois.

Happy hour les pieds dans l'eau en fin d'après-midi. Nicole S., du voisinage, et sa camarade Danielle M. — pédalo bleu — accostaient chez nous. De nouveau potins et échos variés sur la SRC, où les deux jeunes femmes blondes bossent toujours. Bière, limonade et cerises de France. Malgré le grand saule, besoin de se tremper sans cesse. Je pense aux ouvriers dans les usines en ville, aux malades, aux vieillards… Souper à trois sur la galerie — en été, on y prend tous nos repas. À 22 h, Aile: « Mon Dieu, les nouvelles. » La poupée Barbie — Véronique Mayrand — surgit chez Bureau au si beau bureau, mignardeuse blondinette de cinéma aux babines bouffies, aux yeux pétillants. Prévisions météo.

J'ai vite rejeté trois livres. Mauvais choix à la bibliothèque locale. Thierry Séchan a consacré un lexique à son frérot célèbre, le chanteur Renaud. Platitudes. Un vain dictionnaire où l'hagiographie de cet alcoolique repenti se répand. Prose flagorneuse et ennuyeuse. Intimités calculées. Autre ineptie, une vie de César (c'est le titre d'un triptyque) m'a vite déplu. Horreur de ces biographies romancées. Comme si l'auteur avait noté les propos mêmes anodins du grand vainqueur des Gaules. Puis j'ouvre un tome sur les Résistants par Max Gallo. Là aussi, plein de ces dialogues bidon. Gallo, qui fit du maquis durant la guerre, installe, aux côtés des chefs connus, des héros romantiques. Imposture ? Pas vraiment. Un roman-roman raccroché à des fait réels. Incapable de lire ce mélange de fiction et d'histoire.

De cette incapacité mon ennui fréquent en lisant le Bouchard (*Mistouk*) et le Germain (*Le château*), ou encore *Un dimanche à la piscine à Kigali* de Courtemanche. Je préférerais un vrai livre d'histoire. Mauvais pour le palmarès-livres. Harlequin sévit partout. Tant pis pour moi. On me répète que le procédé fonctionne bien et que le mélange a un gros lectorat. Si un jour, je réalise ce bouquin qui me taraude sur la Jasminerie de 1715 à aujourd'hui, il faudra bien que j'invente puisque je ne sais rien de mes ancêtres lointains. Je ne ferai probablement jamais ce livre historique.

Tuerie cinématographique encore!

Location du film *Sans issue*. Le fils d'un médecin de village au Maine, étudiant en architecture, s'est amouraché d'une jolie femme, son aînée, séparée et qui a deux enfants. L'ex-mari rôde, menace. C'est un caractériel dangereux. Il va tuer son rival honni. Le film raconte alors le désespoir des parents. Sissi Spacek joue excellemment la mère inconsolable. Le père, pas moins effondré, décide d'un plan de mort. Todd Field a réalisé un fort bon portrait d'une famille dévastée par la mort du seul continuateur de la lignée, assassiné par un batteur de femmes — fils d'un important proprio de conserverie — qui allait s'en tirer avec un petit cinq ans de prison et encore. Histoire bien connue, n'est-ce pas? Terrible histoire.

J'ai donc sauté des passages (les bluettes inventées) du Bouchard et du Germain mais j'ai aimé leurs chapitres vraiment historiques. J'y ai glané avec joie les éphémérides et aussi des faits importants semés ici et là. Par exemple, ce Ian Fleming (James Bond) au Château

Frontenac, la visite de Hitchcock, de Churchill et de Roosevelt, etc.

Comme Gérard Bouchard, Georges-Hébert Germain fait entrer dans sa saga des personnages de fiction archi-connus. Étrange amalgame, non? Est-ce permis? Rita Toulouse, le Guillaume Plouffe, au Frontenac! Le Survenant ou la Maria Chapdelaine à Mistouk? Et pas de permission à demander à Madame Guèvremont ou à Roger Lemelin? Ils sont morts, mais leurs ayant droit? Je n'oserais jamais faire de ces emprunts.

Radio-*propaganda*! RDI — «Tu penses qu'on s'en aperçoit pas?» — est une machine de propagande fédéraliste fort active. Ce réseau doit faire saliver de joie les adversaires du pays québécois. Sans cesse, RDI nous impose des petites nouvelles des neuf autres provinces. Il peut bien y avoir un incident de taille, pas loin, en Nouvelle-Angleterre, silence total! Mandat fédérat oblige. On nous arrose d'éphémérides d'une insignifiance rare se déroulant à Saskatoon, à Calgary ou à Edmundston. «Tu penses qu'on s'en aperçoit pas, les sires stipendiés de RDI, filiale de Radio-Canada?» Certes, ces vils mercenaires, chefs de pupitre biaisés, doivent gagner leur vie... en couvrant la maudite confédération — qui n'en est pas une. Sheila Flag et Stéphane Aubépine, intéressés, se frottent les mains de satisfaction se disant: «Peu à peu le public innocent de RDI finira par se captiver pour ces pays lointains de l'Ouest. L'État du Maine, le Vermont, le New-Hampshire, l'État de New York — à nos portes — c'est inexistant, inintéressant, c'est PAS le Canada!» RDI: un scandale. RDI: une imposture! RDI: une fumisterie. RDI: manipulation soviétique par de fieffés propagandistes. Lavage de cerveaux québécois... quoi !

Récréation?

Voici un moment de pur divertissement. Il sera permis de rire de moi, ça fait du bien à l'ego. J'ai lu d'une frippe — mince brochure qui se lit vite — les *Bonbons assortis* de Michel Tremblay. Dramaturge avant tout, il se croit obligé d'émailler ses récits — souvenirs d'enfance — de dialoguite. Pas toujours bien consistants ces échanges de répliques parfois laborieuses. Mais l'auteur étant surdoué en la matière, expérimenté, on trouvera une bonne douzaine de *lines*, pour parler USA. C'est peu. Plus grave, on sent le Tremblay devenu adulte, veillant papa et maman. Pas plausible, cette maman qui bafoue les enseignements religieux de son temps, nargue les enseignants catholiques de son petit garçon candide (les Chinois à acheter). Se montre d'un farouche anticléricalisme. À moins que — après tout, on ne sait jamais — maman Tremblay — adorée de ce benjamin qui veut une poupée comme cadeau de Noël — ait été une femme absolument hors du commun. Ayons des doutes ! Farci de tant de dialogues, mon *Enfant de Villeray* se gonflerait de ses 400 pages à 800!

J'aurais pu me taire, n'est-ce pas ? Éviter surtout la comparaison, mais on sait ma franchise, mon bonheur de ne pas faire comme les prudents petits camarades !

Bonbons assortis n'est pas un petit livre ennuyeux, loin de là, mais on n'y trouvera pas la vérité vraie, celle d'un enfant qui se souvient très franchement, qui raconte crûment — mis dans la peau du gamin qu'il fut.

Ce merveilleux, ce fantastique brillant papa qui, très intelligemment, pédadogue rare, fait comprendre au fiston que le *Teddy bear* sera un complice important relève de l'auteur-adulte qui fait parler un père imaginaire.

Dimanche matin, on sort les vélos. Tôt. Du vent dans les branches des mélèzes, si beaux, sur le petit train du Nord. Je chantonne. Déjà, tout un carnaval vélocipédalant, petits vieux, enfants la langue sortie, dames accortes, athlètes rigoureux, grosses patapoufs suantes, minces alertes — troupe de vaillants pédaleurs dont je serais le vieux fou chantant.

Au retour, tenter de traverser la diagonale du fou des gazettes — tous ces journaux en retard. Le député Lebel en querelle avec son Bloc pour avoir chicané raidement les accords Landry avec les Montagnais. Un ancien marxiste-léniniste, dit-il. Lebel parle de Gilles Duceppe, le moins charismatique des chefs. Cette façon d'exhiber l'adolescence communiste d'un leader me paraît d'un minable... Sharon-Arafat: prise 10, prise de mort annoncée.

Samedi dans *La Presse*, Marek Halter en entrevue. J'observe ce collègue depuis longtemps. Il intrigue. Souvent, je l'ai vu, rigolard, flegmatique, clown aussi. Un bouffon utile? Ce juif de Pologne fit Beaux-Arts d'abord puis, exilé à Paris, étudia le mime avec le célèbre Marcel Marceau. Mystère: il est invité en artiste résident à la célèbre université Harvard! Soudain, il publie *La mémoire d'Abraham*. Succès immédiat, total. Une suite vient: *Les Fils d'Abraham*. Un tome 2, quoi. Faut-il toujours exploiter un bon filon?

Désormais bien coté en littérature mémorialiste, Marek Halter foncera. Plein de culot, il ira confesser et

Arafat et Sharon. Des articles savoureux en sortiront. Ainsi, il tente de jouer le *go between*, le négociateur hors normes. À la fin de l'entrevue: «Imaginez Arafat — je le lui ai suggéré — en saint Paul parlant aux Hébreux. — Je ne veux pas votre mort ni votre destruction. Je vous aime!» Cela, dit Halter, lui gagnerait les nombreux (?) pacifistes d'Israël. Il ajoute: «J'ai conseillé à Sharon de parler de la même façon. Un mensonge rendu public engage à jamais», conclue-t-il. Ouais! Ouen!

L'eau monte à Prague et ailleurs aussi. Je cherche des lumières dans les «lettres ouvertes». Il y en a souvent. *Vox populi*… Aussi, des militants déguisés qui rédactionnent — sans aucun esprit libre — à partir des bureaux de leur parti politique. Pouah!

Vu, samedi soir, *L'attentat*, un bon film d'Yves Boisset, sorte de jumeau d'un film de Costa-Gavras, genre Z, ou *L'Aveu*. Histoire inventée même si on songe beaucoup à l'enlèvement à Paris du leader gauchiste marocain Ben Barqua. Ce fut aussi un film. C'est Morricone qui a fait la musique de *L'attentat*. On reconnaît son lirage à l'harmonica, *trade mark* des étonnants films westerns de Leone. Étrange de voir l'ORTF (Radio-Canada de France jadis) collaborer à une sordide affaire politique, cela avec le monde diplomatique du quai d'Orsay et la direction de la police française. Plausible? Hélas. Toutes ces ramifications bien reliées avec Washington et la CIA. Le mythomane cinéaste Oliver Stone, en Europe, jouirait de tant de grands complots… réels ceux-ci.

Lu: Avoir une fille du type tomboy n'inquiète pas les pères, mais avoir un gars efféminé, délicat, cela, oh oui! les inquiète beaucoup!

Lu : Sortie du placard d'athlètes lesbiennes. En tennis, c'est plus facile car c'est un sport individuel. De solitude. Dans les sports d'équipe, il en va tout autrement. Il y a toutes les autres autour.

Depardieu en fier Jean Valjean de Victor Hugo. On a regardé la première de cette série (à 40 millions de frais). L'acteur fameux, Malcovitch, brillant en policier acharné, Jabert. *Les Misérables*, quel mélodrame ! Sniff, sniff, Fantine (Charlotte Gainsbourg) en jeune putain malade pour payer la pension de sa fillette Cosette chez les vilains Thénardier… Sniff, sniff… Que de grosses ficelles ! *Deus ex machina* ! Sauce édifiante ! Œuvre moralisatrice souvent. Pour qu'un ouvrage soit éternel, ne pas craindre d'y brasser à gros bouillons les sentiments humains les plus éculés, les plus primaires. Hugo a osé. Il s'attirait ainsi des « Hugo hélas ! » à la André Gide, mais… Mais les histoires du gaillard à la plume abondante durent. Je ne pourrais pas, jamais. « Ah ! tu peux pas, hein ? Bien, reste dans ta houache avec tes petits tirages, grand zazais ! » Et vlan à moi-même !

Assez des criailleries publicitaires. Une enquête révèle que TVA va parfois jusqu'à 16 minutes l'heure en réclame bruyante. À la SR, pour *La Vie, la vie* ce sera 14. Le permis du 12 minutes à l'heure est bafoué. Pollution visuelle crasse sur toutes les chaînes. Et on apprend que l'autopublicité n'est pas comptée selon les critères de ce satané mollasson de CRTC. Non mais…

Chemin Bates : le trou. L'horreur. Derrière notre pied-à-terre, un Monsieur Paquin installe les fondations du futur bloc de condos. C'est parti. Lettre enregistrée et obligation d'aller faire la queue à la poste rue Van Horne. Contenu: « Soyez prévenus, va y avoir dynamitage ! »

Samedi, visite du clan Boucher : « le général » Pierre et son fils « le colonel » Claude, le prof Jacques, les épouses… et un énorme labrador noir qui nage comme un infirme ! On a bien ri, bien mangé. Il faisait si beau. J'aime voir Aile interrogeant ses deux frérots avec tendresse.

Il y a, dans la saga du Lac-Saint-Jean de Bouchard (*Mistouk*), des moments comiques parmi tant d'épreuves accablantes. Formidables passages. Des veilleux drolatiques. Des curés inouïs. Des Amérindiens de Pointe-Bleue, émouvants. Un tas de scènes pittoresques. Son Alexis-le-trotteur est brossé avec fougue. Bouchard est aussi un homme de sciences sociales et cela lui a fait installer de vastes pans ethnologiques savoureux et utiles pour la mémoire de ses gens. Son héros, le beau, le parfait Roméo Tremblay, nous amène aux États-Unis fréquemment et nous fait voir l'exilé volontaire de jadis avec beaucoup de réalisme.

J'ai songé souvent en le lisant à la saga des Molson, lue récemment : Deux mondes. Mêmes époques. Le richard brasseur prospère et les défricheurs, là-haut, dans la marde !

Nouvelles tentatives aux pinceaux : l'embaumeur M. Cloutier, le directeur de funérailles M. Turcotte, le bossu Quasimodo, gardien de la patinoire publique, le buandier chinois… Pas fort. Reprendre ces thèmes, sans cesse…

Un projet me hante : Une jeune fille et son papa qui est quitté par l'épouse volage… Il l'expédie en mission de repérage sur la Côte-Nord. Voir s'il pourrait pas y refaire sa vie de vétérinaire. Un besoin d'air pur, d'éloignement surtout. La beauté blonde s'amourache d'un rastaquouère séduisant, noir de poil, agitateur amérindien qui quitte le taxi pour se réinstaller à Havre Saint-Pierre.

Bref, ce serait une adaptation pour la télé de mon roman publié en 2000. On me dit si souvent qu'on souhaite — Téléfilm et cie — projeter un peu de lumière sur les régions. Mon projet aurait donc de bonnes chances d'être accepté. Quand montre-t-on ce vaste pays d'en haut ? Jamais. Cet été-là, nous avions tant aimé, Aile et moi, ce long littoral qui va de Tadoussac à Pointe-Parent — une réserve — tout au bout de la 138.

Aile a terminé *Les Voleurs de beauté* de Pascal Bruckner. Des riches oisifs kidnappent de belles jeunes filles, les enferment dans leur manoir. Aile : « C'est fou, c'est terrible, c'est tordu ! T'aimerais pas trop… » Elle me connaît.

Le Bruckner, m'explique Aile, installe son roman à partir d'une idée. C'est un philosophe (nouveau !). Moi, jamais je n'ai rédigé un roman *via* une idée. Je trouvais un personnage, une situation, et je me jetais à l'eau. Je me racontais une histoire. Sans plan aucun. Je traquais la vie seulement. J'ai conscience qu'il y avait toujours la mort. Existe-il un autre sujet important au fond ?

Et puis tout est silence, mort annoncée de mon jeune héros. *La corde au cou*, mort de la jeune maîtresse infidèle. *Délivrez-nous du mal*, assassinat de l'homosexuel trompeur. *Éthel et le terroriste*, mort par bombe du FLQ. *Pleure pas Germaine*, mort de Rolande charcutée par une avorteuse…

La mort. Raison de notre bonheur, être vivant, rester en vie, quand, autour, meurent tant d'autres. Davantage avec les ans. Ma peine.

J'échappe un peu de mon café quand l'amie Josée me lit ceci : « Est décédé F.-X. Renaud, 20 ans, dû à une complication résultant du départ de son âme sœur. Il laisse dans le deuil son amour éternel, Mlle C. Morel, ses deux enfants à venir, Gabriel et Mara… aussi une foule innombrable de connaissances. Obsessionnel et grand utopique, il laissera en mémoire une personnalité grandiose et romanesque ainsi que sa citation préférée : "Pour un guerrier, il n'existe pas d'amour impossible !" »

Lu sur David Lynch : « Je ne lis pas les journaux et ne regarde jamais la télé. » Eh bin ! « Assis, je rêve attendant d'attraper des idées. C'est comme aller à la pêche : des jours à rien prendre, l'hameçon est toujours là, un jour ça mord. » Non mais…

On imagine un acteur ordinaire et Beaunoyer nous raconte que Marcel Lebœuf a une agence de bus, une terre à n'en plus finir où il réinstalle le chêne, une chronique dans *La Tribune*, fait de la radio, a un théâtre d'été à Kingsey Falls, donne des conférences dans les Bois-Francs sur la gestion d'entreprise. Enfin, Lebœuf est allé, à pied, 500 km, un mois, faire le célèbre pèlerinage à Compostelle, en Espagne. Il joue dans *Virginie*, travaille à un one-man show, sera à l'Olympia pour reprendre *Ladies night*, et, dit-il, a d'autres projets en marche ! Me voilà rassuré, il y a plus compulsif et projeteur que moi.

Ce matin, bonheur ! Bérubé (*La Presse*) parle du p'tit magasin de mon enfance, rue De Castelnau, *Chez Donat*. Là où j'allais pour des chapeaux de papa à faire bloquer, pour le cirage de chaussures plus tard. On peut aller voir, métro Jean-Talon. La toute petite boutique est toujours là, coin Berri. André a pris la relève de papa Caldanori. Demandez à André de voir les vieux moules en bois de pin du temps que les hommes portaient des chapeaux variés. Il les a gardés.

Lu : *Un Jésus aux femmes*! Un archevêque venu d'Argentine, Romulo Braschi, 60 ans, a ordonné à la prêtrise 7 femmes. Braschi, archevêque emprisonné et torturé en Argentine des colonels, accuse l'Église de Rome d'être de connivence avec les bourreaux du temps. Il a donc pris ses distances avec le Vatican et fondé sa secte (13 000 membres) à Berlin. Le Saint-Siège ne reconnaît pas la patente de son évêque. Faut-il le préciser ?

Je sors d'une lecture très étonnante. Histoire vraie. Un petit garçon chétif, à lunettes, découvre l'ordinateur (un vieux Commodore) sur les genoux de son pépé à Helsinski en Finlande. Le petit Linus Torvalds a cinq ans ! Fort en maths, il sera prof à l'université. En électronique bien entendu. Là, il va inventer (améliorant un système hollandais, Unix) son Microsoft bien à lui. Va-t-il devenir comme Bill Gates multimilliardaire ? Non. Tenez-vous bien : il donne son invention. Il l'installe sur Internet et invite tous les internautes du monde entier à y ajouter des trucs, à améliorer son invention. Une seule loi : que ce soit toujours gratuit. Un club naît. Ils seront d'abord des milliers. Ils sont 25 millions désormais. Le système se nomme Linux. Emblème : un pingouin aux pattes et au bec orangé.

Fabuleuse histoire, non ? J'ai passé les chapitres techniques. Il en reste, avec ce *Il était une fois Linux* (éditeur OEM), un récit incroyable. Torvalds s'exilera en Californie (Silicone Valley) où on l'invitait à organiser des applications technologiques à partir de ses découvertes. Il est devenu très riche et très célèbre dans ce domaine. Grosse maison, char luxueux, le fameux rival de Gates le monopolisateur, Crésus honni (et maintenant formellement accusé), narre son parcours peu commun à David Diamond, journaliste californien spécialisé.

Linus Torvalds, génie reconnu, affirme péremptoirement que « les idéalistes sont assommants, angoissants » et qu'il n'a aucun respect pour eux. Imaginez mon étonnement ! Encore ? Qu'il n'y a que trois étapes dans la vie : la survie (niveau primaire de l'existence), l'organisation du social (niveau secondaire), puis le divertissement. Tout mais absolument tout conduirait à cela : le divertissement. Même la guerre ? « Oui. CNN, c'est quoi ? C'est la guerre comme divertissement », dit-il. Parlez-moi d'une âme joyeuse ! Je me suis sondé — on a confiance aux génies —, ce Torvalds n'a ni morale, ni éthique, ni bobo de conscience. Mon contraire ? Il proclame qu'il faut, et cela sans se poser des questions, faire confiance au progrès. Que même la manipulation des gènes, le clonage, toute découverte, toute innovation, doivent être encouragés, pas seulement tolérés ! Pour cet ex-gamin barnicleux, matheux, assis sur les genoux du grand-père… ce Linus Torvalds : « Seul le progrès technique est la bonne solution. » À tout. En avant et silence les dissidents.

L'intelligence artificielle pourrait-elle dépasser celle des humains ? S'en fout, le Linus de Linux, qui répond : « Aucune importance, on fera avec. » J'ai réfléchi et je suis encore en état de choc, sonné. S'il avait raison… Un livre séditieux en diable !

Mon Marlou-Marleau se repointe. Joie. Mon dessin d'un regrattier de ruelle l'a stimulé et il s'est souvenu d'un merle graphiste, lui. En 1974, il mijotait dans l'option arts plastiques. Iconoclaste, il ose rapprocher sœur Madeleine Gagnon du… démon, disant qu'elle a parlé à Belzébuth le jour où elle me fit venir dans son antre de charité. Hon!

[Vendredi 16 août 2002]

Le rouleau à vapeur

Temps de grisaille comme hier. Humidité lourde avec, youpi, du vent dans les branches des érables. Content au fond. Irai à mes aquarelles tantôt. Projets: une pelle à stime et le rouleau à vapeur, monstre pour l'enfant tout de même émerveillé. Ai fait appel à Lanctôt pour le sonder voyant la tiédeur chez Sogides pour mon projet d'un album illustré de *La Petite Patrie*. Sa réponse: «Non, j'ai pas les moyens. Va voir Marcel Broquet...» Ouen. Il y a aussi Art Global, rue Laurier. Souhaite que les Graveline et Soucy (Sogides — Ville-Marie — Typo) embarquent vraiment dans le oui à l'album.

Ce rouleau à vapeur me vient d'un vif souvenir. Il figurait, imposant, gigantesque, dans une illustration d'un tome de *L'Encyclopédie de la jeunesse*, seuls livres chez moi quand j'avais 10 ans. Je contemplais longuement cette image fascinante. Je me rappelle encore de cette Françoise Faucher (pour *Biblios-jeunesse*) encore émue et qui examinait les illustrations laborieuses d'un livre de contes de Grimm. Je songe à mes illustrations joyeuses, légères, si claires, dépouillées, pour l'album projeté, bien éloignées de ces gravures fouillées, pleines de mystères, d'ombres maléfiques. Devrais-je, comme jadis, tout reprendre, faire des dessins mystérieux, avec pleins de détails ? L'enfant (l'adulte aussi) rêve-t-il davantage en voyant de ces illustrations complexes, sombres, aux signaux touffus ? Mon Dieu… quoi faire ? Le paresseux dit : « Autre temps autre manière d'illustrer. »

On parle du Ghislain Lebel, frais démissionnaire du Bloc, comme d'un « imprévisible » aux actualités. J'ai bien senti le péjoratif du terme. Pourtant, j'aime tant rester imprévisible, qualificatif qu'Aile me colle souvent. Ah ! surprendre, me pointer (en paroles ou en actes) là où on ne m'attendait pas : ma joie. Les bénis-oui-oui des pouvoirs occultes, discrets et calculateurs, diront : « Un canon lousse. » Qu'ils aillent au diable ! Craindre tant les préjugés, les classeurs, les étiqueteurs. Faire mentir les catalogueurs à mon sujet. Les dérouter. Ne jamais me laisser enfermer.

Hier Daniel, mon fils unique, en brève visite. Il avait laissé ses deux garçons dans les cascades d'eau de Saint-Sauveur et est allé, seul, en vélo, rôder dans les chemins vicinaux de Val-David et de Val-Morin. Il est en pleine forme, fait plaisir à voir, bronzé, beau comme un dieu (le papa parle). Il est monté à ma chambre à écrire pour examiner l'ordi du paternel. Il a rectifié des polices de caractères. Il m'aide, mon initiateur électronique (malgré moi au début).

Parti reprendre ses deux baigneurs. Aile me dit: «Ton gars me fait penser parfois à ton père Édouard: indépendant d'esprit, un peu sauvage, un peu secret, farouche individualiste.» Je me suis souvenu de papa disant: «Germaine, la paix. J'irai pas travailler à l'extérieur. Oublie ça. Je n'ai personne au-dessus de ma tête, je suis libre, mon propre patron dans mon restaurant.» Au-dessus de sa tête, il y avait pourtant ma mère boss... Comme papa, je n'ai jamais voulu avoir de patron juché sur mes épaules. Trente années scénographe de variétés, j'étais le boss de mes pontes. Daniel, ex-prof et journaliste, créateur de jeux de société, est donc — comme son grand-père et son père — son propre patron. Il travaille à *Tabou-2* et a un projet nouveau en marche: *Top secret*, un jeu de société inédit où les joueurs fonceront dans...aveux et confidences. «Mais là, avec ces chaleurs, je travaille au ralenti», nous a-t-il avoué en rigolant.

La surdité

Merci, ô magnéto! Nous avons visionné hier soir le Tremblay renversant d'*En pièces détachées*, fameuse réalisation de feu Paul Blouin, 1970. Cette pièce n'est pas construite aussi solidement que tant d'autres de Tremblay. Pourtant, on y trouve de formidables, inoubliables, morceaux de bravoure. Tremblay a une oreille géniale pour avoir su si efficacement transcrire ce langage effrayant, celui des misérables d'un quartier populaire (avant que le Plateau se gentrifie).

Hélas, il est devenu un demi-sourd. Quelle cruelle ironie du sort! Je sais ce que c'est. Nous vivons comme en marge parfois. Chaque fois qu'il y a groupe, nous devenons des isolés involontaires au milieu des autres quand ça jacasse en gang. Une souffrance, croyez-moi. Nous perdons la majorité des propos échangés. Nous captons des bribes. C'est plate, très plate. Handicapés, nous nous taisons. Le cours des échanges nous est souvent borborygmes. Douleur alors! On fait semblant de comprendre. Orgueil! On refuse de toujours faire répéter et alors on fait celui ou celle qui a tout saisi. Soudain, je fais «non» et je découvre qu'on attendait un «oui».

J'ai vu souvent des interlocuteurs hésiter à poursuivre avec moi un propos... Ils se détournent et ça fait mal. Maudite vanité aussi! Aile, sans cesse: «Claude, en groupe, tu dois vite dire aux gens que tu entends mal, qu'ils doivent te parler fort...» Je refuse.

J'ai songé à *Rear Window*, son chaud décor, en découvrant ce voisinage de méchantes commères dans un fond de cour d'*En pièces détachées*. À la fin, j'ai songé — ambulance qui va amener à l'asile Marcel le fou — à la conclusion similaire dans *Un tramway nommé Désir* de Williams qui influençait tous les auteurs comme Dubé fut influencé par le Miller de *Mort d'un commis voyageur.* La forte littérature étatsunienne est si proche de nous, Américains du Nord. Ma mère, snob bizarre, répétait que c'était — les gens du Plateau des années 40 et 50 — du monde très commun. Notre fond de cour à nous, rue Saint-Denis, dans Villeray: on avait à gauche, Monsieur Laroche, un savant prof, à droite le notaire Décarie, la famille du Dr Lemire — un médecin, pensez donc! À un étage, le journaliste Provost (de *Radiomonde*). Eille, chose! On rit pu! La Germaine s'enflait la caboche. Au téléphone, je l'entendais dire: «Viens nous rendre visite, chère. Nous habitons le boulevard

Saint-Denis. » Papa, habitant, fils de fermier, ricanait de l'épouse née à Pointe-Saint-Charles.

Tremblay n'a pas illustré les professionnels du Plateau. Il devait y en avoir. Il a illustré du pauvre monde et, avec sa pièce, il a voulu raconter très courageusement la misère profonde, désespérante, la détresse accablante de son entourage. Ces colonisés de partout. Ces bafoués de l'existence. Tremblay a été extrêmement utile pour faire voir la gangrène morale effroyable qui rongeait les nôtres en majorité. Il est allé bien plus loin que Gélinas et Dubé. Le choc terrifiant de sa dramaturgie des débuts et son talent immense l'ont propulsé sur des tas de scènes étrangères puisque la vie minée se vit aussi à New York comme à Londres, à Sydney comme à Berlin.

En pièces détachées, qu'on reverra encore c'est certain, était défendue par d'hallucinantes actrices : Hélène Loiselle en *mater dolorosa* au joual poignant, marmottages difficultueux, mots chétifs qu'elle s'arrachait d'une bouche tordue. Quelle comédienne ! Luce Guilbeault, Thérèse, inoubliable grossière waitress déchue… et tant d'autres. Cette fresque grotesque aux couleurs violemment saturées — comme d'un Georges Rouault égaré sur nos rives — assomme net. Le burlesque de cette famille québécoise avachie se haussait souvent au niveau de la tragédie classique avec un fatum comme fatal, inévitable.

Chez le maraîcher, achat ce matin de fraises, comme pour obliger Aile à faire de la confiture. Elle me tend un bol et un couteau : « Faut équeuter maintenant, vas-y ! » J'ai croisé, rue Valiquette (la Catherine du village), Jean-Marie Léger, un ancien du Grasset. Il me semble un peu mal en point, comme vieilli précocement, rapetissé, zézayant quelque peu: «Tu viendras à la fête chez la présidente (Association des écrivains laurentiens)?» Je cotise déjà à la SARTEC, à l'UDA, à l'UNEQ, alors ce groupement laurentien, quelle utilité? Les Laurentides ne forment pas vraiment une région. Elles sont la banlieue de la métropole québécoise. Son vaste terrain de jeux et loisirs. Un parc d'amusement?

Aile s'est remise à Marcel Proust. Je lui dis: «Bon courage!»

Avec *Les Patriotes* de Max Gallo, je lis: «Ami, entends-tu / Le vol noir des corbeaux… Ohé, les tueurs / À la balle et au couteau / Tuez vite… Sifflez, compagnons / Dans la nuit, la liberté / Nous écoute…» Au *Saint-Denis* comme au *Château*, à 20 ans, nous allions voir tous ces films illustrant les Résistants d'une France sous la botte hitlérienne. Ces histoires de saboteurs partisans clandestins me soulevaient, m'excitaient. Ce chant me bouleversait.

Pour en finir avec ce Linus Torvalds, le généreux Finlandais — Finlande où il n'y a pas que le célèbre portable Nokia — donateur de son système (Linux), devenu multi-millionnaire californien comme malgré lui, papa de trois fillettes, avance que (attachons nos tuques) la race humaine lui importe moins que l'évolution.

Verbatim! Ce technicien de haut calibre se veut carrément un non-penseur. J'ai sursauté en lisant son dernier propos alors que je venais de publier *Pour l'argent et la gloire.* «Soyons francs, tout le monde rêve d'être célèbre et riche. Jeune, je voulais devenir Einstein, en mieux.» Il dit que ce sont de fieffés hypocrites ceux qui parlent du poids de la gloire. Mensonge et louche condescendance, affirme Linus Torvalds qui, à la fin de son interview-livre, s'est acheté un immense manoir et une BMW du type maxima. Le gamin binoclard d'Helsinski, fort en maths, ballotté entre mère et père séparés et les grands-parents, semble un bienheureux exilé. Grand bien lui fasse.

J'ai songé au fou *Docteur Folamour*, un matheux fasciste... Combien sont-ils, ces scientifiques qui ne s'encombrent d'aucune moralité? Einstein n'est-il pas mort de regrets au sujet du secret atomique, qu'il révélait dans une lettre au président Truman et qui allait assassiner des centaines de milliers de civils japonais en 1945? Einstein avait de la conscience. Au collège, on nous répétait: «Science sans conscience...» Je reste du côté humain des choses. Un vieux schnock?

Bunker

Sans la radio de Radio-Canada, aurions-nous de ces longues et éclairantes entrevues du matin, où Anne-Marie Dussault s'améliore sans cesse, je tiens à le dire? Ce matin, la fille d'Andrée Lachapelle, Catherine Gadouas, une musicienne de nos scènes, raconte les horreurs d'être choisi membre d'un jury dans un gros procès (les Hells du sinistre Mom). Le cirque insupportable des avocats l'a dégoûtée du système judiciaire. «Odieux et ruineux», dit-elle. Elle parle franchement et c'est un plaisir fécond de l'entendre.

Ainsi, même importance, à la même émission de Dussault, Pauline Marois, ex-relationniste de Parizeau, qui a vu *Bunker* de Luc Dionne, lui aussi ex-relationniste de politiciens. Marois en est sortie insultée, dégoûtée, scandalisée. Elle en éprouve «un vrai haut-le-cœur», dit-elle. «Toute la classe politique est jetée dans un même sac.» Un sac d'ordures. Ce *Bunker*, elle l'a «reçu comme une gifle», dit Marois. On a lu les textes chez Téléfilm, chez le producteur, chez l'acheteur-diffuseur. Un tas d'imbéciles? Un paquet d'innocents? Marois exagère-t-elle? On verra bien.

Dionne, de cavalière manière, ferait voir que toute personne songeant à l'action politique n'est qu'une arriviste, une sale ambitieuse égocentrique. Cela peut miner la si fragile démocratie, «le moins pire des systèmes», disait Churchill. Les cyniques, les malchanceux du sort vont souscrire volontiers — les brillants gérants de taverne — à cette noirceur totalisante. Quelle radio offrira des émissions importantes si le Parlement (c'est pas l'envie qui manque à Ottawa) vendait la SRC? Je critique l'ex-auguste société à satiété, il n'en reste pas moins qu'elle sert utilement et souvent. *À la Maison-Blanche*, télésérie américaine, on fait voir des noirceurs crasses mais aussi des gens généreux, exemplaires.

Ma fille, Éliane, viendra, en vraies vacances, ici, lundi. Hâte de ce rapprochement inattendu. Je dois changer. Je la vois comme ma petite fille et elle aura bientôt 50 ans! Un père s'aveugle, n'ouvre pas les yeux sur la réalité incontournable. Si elle vieillit, je vieillis encore davantage. Cela m'arrange? Oui.

Hier, fête de l'Assomption de Marie, mère monoparentale d'un Jésus-Messie. Souvenir. Août 1945. Hitler — on a tant prié pour la paix au Québec — va se suicider. En face du chalet familial, se dresse une haute croix de chemin avec les outils de fer sur la potence sacrée, la petite échelle, la niche à statuette pieuse. La vieille Proulx organise une neuvaine chaque été, même heure, même parterre (le sien). Maman nous fait traverser la rue et c'est la récitation d'un chapelet et des prières mariales adéquates. Sept fois… jusqu'au 15 août. À la fin, nous chantons « J'irai la voir un jour, un jour dans sa patrie-i-e… » La piété partout en ce temps-là même en ce lieu d'épivardage, Pointe-Calumet, où l'on passait nos journées en maillot de bain sur les plages, sur les radeaux et les quais du grand lac des Deux-Montagnes. À chasser les grenouilles dans les bois d'en haut. À glisser dans la sablière Pomerleau — assomptions naturalistes près de la gare du CiPiAr — son clair lac naturel devenu l'Aquascade.

J'aurais voulu prévenir — par charité pour le créateur de la chanson *Quand les hommes vivront d'amour*. Lanctôt m'avait parlé de mettre en livre les lettres ouvertes du chansonnier Raymond Lévesque. Impulsif déboussolé à ses heures, le chanteur glissait parfois dans un réactionnarisme déliquescent. Louis Cornellier lui sonnait les cloches durement samedi dernier dans sa chronique des essais : « De la démagogie, une rhétorique de droite, antisyndicalisme primaire, misanthropie vociférante ! »

Ce matin, Rima Elkouri (*La Presse*) relate un fait divers la concernant. Les journalistes vivent parmi nous, pas vrai ? Évocation d'un percepteur de tickets au métro. Le guichetier, à l'évidence, est un zélé sourd, aveugle et muet. Un malade. Conclusion : téléphone de plainte de Rima et la direction de la STM dira : « Rédigez-nous un rapport complet et circonstancié dudit billet refusé et on vous enverra l'argent dudit billet. »

Lu dans le *Nouvel Observateur* que le grand matheux, Laurent Schwartz, admirait le système universitaire des États-Unis, il admettait la sélection et craignait la gratuité, détestant cependant l'impérialisme de ce pays. Vidal-Naquet, auteur de la note posthume — et aussi de *La Torture dans la République* (l'Algérie maganée de 1986) — souligne que Schwartz n'aimait pas que les calculs savantissimes que, féru de la Grèce antique, il rédigea, jeune, une brillante grammaire de grec ancien. Je me dis: «Pourquoi, ici, jamais ne sont publiés de tels articles lumineux? J'aurais dû fuir, à 20 ans, en France. Je le voulais tant. Je serais autrement mieux stimulé.»

D'Anne Crignon, un bon papier sur Alain Fournier (*Le Grand Meaulnes*). *Le capitalisme qui a perdu la tête* par J. E. Stiglitz, prix Nobel, ex-conseiller de Clinton. Enfin, un dossier fascinant sur les mensonges de la *Bible*, admirable tissu de légendes. Il n'y a pas eu de mont Sinaï, ni de murs de Jéricho, ni de déluge à Noé, ni de roi Salomon, ni de reine de Saba… Des archéologues n'en finissent plus de donner l'heure juste. Il en reste quoi? «Des empires fabuleux n'ont jamais pu constituer un tel considérable livre de spiritualité et de mythologie, ce qui est unique.» Aussi destruction du paganisme délirant et invention d'un seul dieu, Yaveh. Aussi: «Rien de scandaleux face aux recherches modernes car la *Bible* ne doit pas être prise comme un livre d'histoire mais peut contenir de l'histoire. C'est bien davantage.» «C'est un livre de beauté et il est génial» (Renan).

Dans nos murs, la pauvreté. Parfois, on me fait le trop grand honneur de me dire que mes modestes écrits stimulent… mais moi aussi, comme tout le monde, j'ai besoin d'être stimulé. Je déniche de vieux livres, mais il est bon aussi de lire de l'actuel et en profondeur. L'actualité me semble souvent légère, légère, légère. Pourquoi donc cela?

Regard à ma fenêtre. Le ciel s'illumine. L'horizon au-dessus des collines s'éclaircit. Il y a eu de petites averses. Le vent lève davantage. Aller à l'atelier, découper du carton blanc, mouiller les cubes de pâte de couleur, fermer les yeux, me souvenir… Enfin, ne plus avoir peur !

[Dimanche 18 août 2003]

Le talent québécois

J'aime tant tenir ce journal que je me réjouis quand le temps est mauvais. Comme ce matin. Faibles lueurs dans un firmament de gris bleuté. En m'installant au clavier, je sais qu'il y aura, tout de suite, dans les 500 fouineurs sympathiques selon mon webmaestro, Marco.

Mes romans les moins populaires m'amenaient 5 000 liseurs en comptant les bibliothécophiles. Mon adieu à la littérature de fiction publié l'automne dernier dans *Pour l'argent et la gloire* m'a plongé dans un monde différent. Plus besoin de plan, de composition, de recherche de style, d'action à élaborer, de personnages à structurer. Noter seulement — avec des fions, on reste un littérateur — le temps qui passe. Vive le journal jusqu'à la fin ? Ma fin. Je ne sais plus trop… car je me vois mal en diariste *ad vitam aeternam*. La peur d'être rivé à un boulot, une tâche, un devoir.

J'appréhende les démons de la rédaction imaginaire. Ils rôdent sur mes épaules chaque jour. Des tas d'idées m'assaillent. Aile me dit: «Je te vois encore noter, c'est pas pour ton journal. Tout ce que je te dis n'est pas pour ton journal.» Puis, la langue dans la joue, elle ajoute: «Va falloir que tu en révises tout un coup, hein?» La démone!

Excellente fable folichonne du Stéphane Laporte ce matin. À partir des pommes cirées, toxiques peut-être. J'aime le talent. Il en a. Il me stimule. Je suis allé trop loin, récemment, en disant que je manquais de stimuli... Je découvre sans cesse du talent québécois stimulant. Un peu partout. Je trempais dans un moment de noirceur. Spleen?

Le Vennat (de *La Presse*), pour une troisième fois d'affilée, se soulage face à son jeune papa perdu sur les plages de Dieppe le 19 août 1942. Fiasco, débarquement prématuré? Sang gaspillé en vain? Erreur prévisible et masochiste pour contenter l'Armée rouge de Staline aux abois? Une boucherie. Cinquante ans plus tard, on tente d'organiser des cérémonies consolatrices pour panser la plaie. J'avais 11 ans, je me souviens de la rage des nationalistes grondeurs: «On se sert de nous, misérable chair à canon, pour tester les forces alliées. Une saloperie des Britanniques.» L'encre coulera encore longtemps là-dessus?

Hans Selye a écrit sur le bon et le mauvais stress! Qu'en est-il? Le stress — nommé jadis «nerfs à vif, énervement» — réduit nos défenses immunitaires, oxyde nos radicaux libres. «Faites de l'exercice et avalez vos vitamines X!» Aux comptoirs des pharmacies, les stressés! Simple comme bonjour.

Manon A., de Saint-Étienne-de-Lauzon, a déjà quitté ma petite ville, qu'elle a trouvée « magnifique ». «*Veni, vidi, vici?*» Discrète, elle n'a pas donné de coup de fil. Me courriellise qu'elle a pédalé sur le lac Rond avec son Ti-Mine, vu mon drapeau sur la berge, la maison, les persiennes..., a tourbillonné à l'*Excelsior*, bouffé au *Petit chaudron*, y jasant avec la jolie veuve, Madame Aveline, la proprio qui connaît bien M. Jasmin. Moi en agent de tourisme laurentien ?

Aile a mis la main sur l'unique copie de *Je rentre à la maison*, film de Manuelo Oliviera avec l'admirable Michel Piccoli devenu sosie de feu Gérard Pelletier. Hélas, il est bon mais pogné dans un récit maigre, dans un rôle chétif. La minceur du propos — un acteur en fin de carrière, épuisé, abandonne un téléfilm — nous a laissés sur notre faim en face du comédien pourtant chevronné. Sarfati, complaisante, y collait quatre étoiles. À qui se fier ?

Les lèvres des Laurentides

Ensuite ? Fallait nous voir, excités, dans la nuit sur la galerie. Aile à ses jumelles, moi à mon téléscope bon marché. Patate ! Pas de météorite en chute libre ! Cri d'Aile soudain : « Je le vois ! » Non, c'étaient un avion vers Mirabel et ses clignotants. Déception.

Je lis : *Les lèvres des Laurentides*. On parle de Saint-Jérôme ! Je m'étouffe dans mon café. Où sont le cou, le poitrail, la bedaine et le... trou du cul des Laurentides ? Mont-Tremblant ou Mont-Laurier ?

L'auteure de *Julie Papineau*, un franc succès de librairie, Micheline Lachance (ma petite camarade du temps de *Québec-Presse*), baptisait son chien Papineau. Aucun respect du mari de son héroïne ? Avec Godin (ex-reporter devenu biographe bien coté), hippisme tardif, tentative de jouer « les citadins exilés en campagnards-cultivateurs ». Des tomates. « Un fiasco », dit-elle. J'ai songé au peintre Mousseau (Saint-Hilaire) et à ses déboires en patates, au dramaturge Rémillard et à ses fromages ratés (Saint-Eustache), aux citrouilles maganées de Victor-Lévy Beaulieu (Sainte-Émélie-de-l'Énergie). La mode passa. On ne s'improvise pas cultivateur. Ces retours à la terre modernes — bien après le prêche des romanciers du début du siècle tel Ringuet — relevaient d'un utopisme sympathique.

Tantôt, céréales avec fraises ailiennes, café sur café... Soudain, violent vroum au-dessus d'une oreille. Je sursaute. Un joli colibri m'a frôlé. Hélicoptère myope ? Plantureuses, la dizaine de corbeilles à fleurs d'Aile sont leurs jardins. Plus curieux encore ? Aile et moi cette nuit : rêves de... tromperie ? Ensemble et chacun pour soi. Moi avec une Louise Turcot rajeunie, qui me harcèle langoureusement. Aile, de son bord du lit, flattée mais prudente, éloigne poliment un Pierre Nadeau la draguant allégrement. « Dans mon rêve, tu étais décédé et j'en étais inconsolable », me dit-elle. Moment de silence. Je ne me vois pas mort et à la veille d'être cocu posthumément. Orgueil.

La fille de Monique Leyrac, Sophie Gyronnay, publie en rééditions des longs reportages d'Albert Londres, un chroniqueur très apprécié du public et très méprisé par les collègues journalistes de son temps. La littérature est un ingrédient honni en matière de reportages journalistiques chez les puristes du métier. Gyronnay applaudit à fond la nouvelle édition de ses enquêtes lointaines (Chine, etc.). Souvenir: un jour de 1969, Jacques Guay — alors directeur de l'hebdo *Québec-Presse* — m'expédie en écrivain-journaliste pour un gros congrès politique. J'étais content car il voulait du reportage impressionniste. L'espace manquant, il ne publia que de courtes lignes sur mon séjour en aréna surchauffé. Gyronnay sur Albert Londres dira: «D'accord, pas très documenté parfois mais jamais, jamais, ennuyeux.» «Et c'est ce qui compte», conclut-elle. Bravo, bravo! On ne fait jamais appel dans nos journaux — on le fait en Europe (Gunther Grass par exemple) et aux USA (Norman Mailer par exemple) aux écrivains québécois pour de tels papiers, et c'est une grave erreur. *Look who's talking*?

Je vis avec un ange? Vendredi soir, rue du Chantecler, moi à ma bavette aux échalotes, Aile à ses pâtes aux crevettes et pétoncles, aux *Délices de Provence*, les titres pour mon journal revolent. Ce *À cœur ouvert*, m'ont averti des amis, ça ferait un peu tremblayesque (avec son *Cœur découvert* à lui). Bon. On change ça. Aile, généreuse, studieuse comme toujours, en devient un torrent de mots (de titres). Je veux aussi consulter les suggestions de mes liseurs. Notre méfiance des titres susceptibles d'être ridiculisés par la critique.

Sabots de bois aux pieds

Saumon revenu, anguille remontée aux lieux de leurs origines? Le pape à Cracovie. Il se racontait hier, volontiers, humain à fond, en jeune travailleur d'usine, sabots de bois aux pieds. Lu que des gens tentent actuellement de trouver un boulot dans la contrée de leur enfance. Besoin impérieux ? Force terrible. D'autres, que je connais, ont mis une croix à jamais sur ce que Saint-Exupéry nommait : « le vrai et seul pays ». Il a dit : « On est de son enfance comme d'un pays. » J'avais mis ça en exergue à *La Petite Patrie*. Certains, familles démunies, déménageaient sans cesse et n'ont pas de lieu d'origine vraiment précis. D'autres vécurent une enfance si noire qu'ils ont biffé la racine de vie maudite. Comprendre alors.

Hier aux nouvelles, découverte d'une Michaële Jean défrisée devenant banale, un air guidoune vaguement ! Dresde en Saxe noyée d'eau : « Florence du Nord devenue Venise », dit l'actualité. Prague ramasse ses boues. En Asie aussi, pluies torrentielles. Ici ? Sécheresse totale dans l'Ouest, ballots de foin des Maritimes et du Québec à pleins trains de marchandises. La météo en sujet capital partout. Menaces d'ouragan dans le Sud. Aile remonte de ses courses au centre-village : « Clo, c'est d'une humidité insupportable en bas ! » Le lac, petite plaine, amène du bon vent d'ouest en haut.

Lire de très vieux écrits

J'ai retrouvé une *Bible* reliée en cuir noir souple, toute petite, et l'ai mise entre Rimbaud et Verlaine à mon chevet. Désir de lire parfois de très vieux écrits, les premiers, à propos des humains et du destin. Avant les penseurs grecs, avant ceux de Rome, avant Augustin et autres pères antiques, il y a eu ce livre. Le livre. Aux nouvelles, hier, une Aile bouleversée : « C'est affreux ! Une maîtresse d'école, jeune, et un concierge d'école, jeune, en Angleterre. Deux enfants assassinés par eux !

Incroyable affaire, non ?» Mon trouble à moi aussi. Lire la *Bible* ? Les premiers sangs innocents versés, racontés.

Aux actualités : Napoléon absent de son tombeau ? Visite en 1980 des Invalides. Le chic tombeau de porphyre du « caïd des banquiers » (selon Guillemin) recouvrant d'autres cercueils. Maréchaux en niches de marbre ! Drapeaux pendant aux murs de la noble crypte. Des vitrines aux flamboyants éclairages de *window display*. Étonnement d'Aile et de moi. Un panthéon pour l'homme de l'impérialisme français. Et il serait à Westminster ?

Ce Parisien toqué, Messyan, qui se fit rabrouer partout avec son complot du 11 septembre (« Aucun avion de kamikaze tombé sur le Pentagone », etc.) veut aller en cour contre *Paris-Match* qui le diffamerait !

Fabienne Larouche, scripteure et productrice de télé, moque « les corbeaux » — son qualificatif des jurés et des organisateurs du Gala des prix Gémeaux. Son ex-compagnon, Réjean Tremblay, lui aussi boude le Gala et grogne. Il souhaite que seuls les indices d'auditoire soient le gage des vertus pour les lauréats télé. Oh là là ! Primes aux démagogues ? aux exploiteurs des goûts les plus vulgaires dans le public ?

Il n'y a pas vraiment jugement des vrais pairs. Les gens doués sont trop pris, suractifs, et n'ont pas le temps d'aller s'enfermer pour visionner les innombrables produits des camarades. Qui accepte ce joug pesant ? Le plus souvent des ratés, des semi-ignares, des gens de métier sous-doués — amers, jaloux, ulcérés et mesquins forcément — qui sont en perpétuel chômage par manque de talent transcendant justement. Résultat : déception de tous, des oublis graves, des rejets mystérieux, des récompenses imméritées. Abolissons ces niaises distributions de prix subventionnées. Le talent vrai n'a pas à être comparé. Jamais. Chaque bonne production est un prototype, unique donc, et ne doit jamais être évaluée par rapport à d'autres créations. Il en va de même pour les jurys de prix littéraires, pour ceux des bourses et des subventions aux écrivains. Une vieille farce.

Esturgeons menacés par cette vaste rivière Rupert au sud de la baie James — dont on veut (Hydro-État) harnacher les vifs courants. Souvenir: J'aperçois des poissons longs comme des requins qui sautent hors de l'eau au large de Pointe-Calumet! Ébloui, je suis. La mer en eau douce. J'en parle à Paul Arcand aux micros de CJMS. Je m'attire quolibets et moqueries. Je me tais. Ai-je eu la berlue? Trop de soleil dans les yeux, sur la tête? Plus tard, je lirai: «Il y a d'énormes esturgeons — deux mètres et parfois plus — en eau douce autour de Montréal.» Je n'avais pas rêvé dans ma chaloupe à moteur et ne fus point la proie d'un mirage.

Trio fatal autour du Bush: Donald Rumsfeld, Condolezza Rice, Dick Cheney. Des va-t-en-guerre (en Irak) dociles, militants! Colin Powell se méfie de cette croisade, lui. Des opposants du dictateur Hussein — capable de gazer des Kurdes — hantent Washington, grouillent, calculent. Soixante-neuf pour cent des Américains sont pour la force selon un sondage. Europe et pays arabes sont contre. À suivre... Le trio des faucons se prépare, dit-on, pour janvier 2003. CNN salive! «La guerre, un divertissement», dit Linus Torvalds.

Mon Dieu! Ai-je exposé mes deux enfants aux dangers de l'électromagnétisme (tours de fer d'Hydro-État) en ne déménageant pas vite du Vieux Bordeaux dans les années 60 ? De nouveaux chercheurs disent : « Cancer ! » Si j'aras su j'aras pas venu dans cette impasse Zotique-Racicot… et cela durant plus de 15 ans !

C'était d'un bleu saturé étonnant samedi : un ciel pur avec d'énormes sculptures mobiles d'une blancheur immaculée. Beauté. Et du fort vent !

L'âme de Monsieur Fisher

Carpe diem, à chaque jour suffit sa peine (son bonheur aussi). Lu : *Idiot de ramer quand le courant t'emporte*. Sagesse d'Orient ! Je viens de parcourir (on passe de larges pans tant c'est gnangnan) un petit livre — son plus récent — de Marc Fisher, alias Marc-André Poissant. Ce jeune cinquantenaire a tenu à nous narrer par le détail, et c'est long, un cheminement spiritualiste à sauce orientale durant la fin de son adolescence. Sept ans d'expériences quasi mystiques. Visions, concentrations de la tête aux pieds, les jambes au plafond et, à la fin, rencontre d'une voyante qui lui baragouine en français approximatif un passé prestigieux dans des vies antérieures. J'ai pouffé de rire souvent. L'auteur du *Millionnaire*, un ouvrage qui a connu un succès fort (traduit souvent), passant de Poissant à Fisher, affirme que c'est son testament, son livre important. C'est édité chez Un monde différent, éditeur. Tu parles ! On se demande s'il veut blaguer ou s'il veut joindre une vieille vague nommée Nouvel Âge. Titre : *L'Ascension de l'âme*. À quand *L'Assomption de Fisher* ? Pour faire un monde, faut de tout… Le gaillard est sympathique, je l'ai croisé en Salon du livre. Il me semble sain d'esprit et tout… Avec cet ascenseur égotiste, je doute maintenant.

Téléphone : « Venez, école de théâtre, lundi à 17 h. On va fêter Buissonneau et sa *Roulotte*. » J'irai pour Paul. Téléphone : « C'est pour Madame Bombardier, pour le studio du 3 septembre, je veux vous préconfesser sur vos amours de jeunesse. Vous voulez bien ? » Je voulais. On a ri. Au téléphone, le cousin de maman, Paul Lefebvre. Son opinion est faite en tout. Il va voter Martin à Ottawa et Dumont à Québec. « Suffit du PQ », me grogne-t-il. Il est très inquiet. Il regrette que « Bourgault n'ait jamais pu réunir, réussir jadis… » Sur un ton grave, mon Tit-Paul — du bout de l'île — m'annonce, en vrai Nostradamus : « Mon Claude, une crise économique effrayante, comme en 1929, va fondre sur nous tous. Regarde bien ce que je te dis là. C'est pour très bientôt. » Bon, bon. Je watche !

Lu : « Tout homme regrette le passé et craint l'avenir. » Pas moi. Ni l'un ni l'autre. Suis-je anormal ?

Colonisation : Ginette Reno déclare qu'elle est plus à l'aise en anglais que… dans sa langue ! La peur de faire de erreurs. Terrifiant aveu, non ? Claire et candide illustration de notre aliénation. Tristesse d'entendre cela, grande tristesse.

Hâte de jaser avec ma fille dès mardi midi. Aile : « Vrai, avec les enfants autour, c'est pas facile. Là, on va pouvoir converser tranquilles. » Sur les enfants, sur l'éducation moderne ? Je nous connais.

[JEUDI 22 AOÛT 2002]

Éliane, ma fille

OUF! Par où débuter? Éliane, ma fille, arrivée ici lundi, vient de nous quitter. J'admire son courage. Sous la pluie, tantôt, elle a tenu à aller se baigner longuement une dernière fois et à faire ses exercices accrochée à la nouille de plastique. Elle nous a détaillé un tas de maux physiques qui l'accablent et nous a paru pourtant dans une forme splendide. Hier, je lui ai dit: «Éliane, ça serait pas la ménopause tout ça?» Elle a répondu: «Oui, peut-être, ça se peut.» Elle jouit d'un appétit formidable, a un moral solide, est capable d'énergie rare. Alors? Quoi qu'il en soit, son séjour m'a fait du bien. L'absence des trois garçons favorisait nos confidences. On a souvent jasé en tête-en-tête. Souvenirs communs, constats divers sur nos petites actualités, vagues projets d'avenir. C'était fameux. Un seul inconvénient: la fumée de nos cigarettes. Elle ne supporte pas. Le soir, Éliane se tenait donc éloignée des deux cheminées, près de la moustiquaire. On en riait.

Mercredi midi, visite avec Éliane — elle-même amatrice d'aquarelles — en faisant pas mal — à Sainte-Agathe, pour visiter une modeste exposition de l'aquarelliste, brillant technicien, lui, Jean-Paul Ladouceur. Sa fille, Johanne, était dans la petite galerie. Échange de souvenirs. J'ai oublié de lui dire avoir consacré un chapitre à son père peintre dans mon *Je vous dis merci*. Elle me veut en préfacier — au moins, lui ayant dit que je n'avais pas le temps d'écrire une biographie qu'elle planifie — pour un tel livre qu'elle veut consacrer à la mémoire de Jean-Paul. Je ne me voyais pas, paresseux, potasser des tas de documents ladouceuriens.

Le lac, à Sainte-Agathe, est plus impressionnant que notre petit lac Rond. On a embelli des rues, on y trouve la panoplie des restos et boutiques à la mode un peu partout désormais. C'était joyeux sous le beau soleil. Chaque soir, promenade de santé dans nos alentours avec ma fille qui y tenait, qui me fit prendre la résolution de marcher davantage.

Vu à la télé, avant-hier soir, *Vertigo* d'Alfred Hitchcock. « Son chef-d'œuvre », disait la chronique. Oh là là ! D'une lenteur, d'un manque d'ellipses, un quasi navet basé sur un polar de Boileau-Narcejac. Il en sort une abracadabrante histoire. Seule la fin surprenante de l'intrigue reste valable… et encore ! Pourquoi surenchérir, surcoter ces vieux films d'antan ? Snobisme puant.

Aile, comme Éliane, rigolaient ferme aux tournants, virages brusques, si peu plausibles de ce *Vertigo*. Et moi donc !

Avec ma fille, bref pèlerinage à mon ex-écurie de 1952 — 14 mois avant sa naissance — rue du Chantecler. Je lui parle du concierge de l'hôtel qui tentait de m'aider un peu. Il ne reste que le solage. « Tu parles beaucoup de ce Sainte-Adèle, cela t'a marqué hein ? » me dit Éliane. Et comment ! Au fond mon premier appartement, à 20 ans. Ma première vraie coupure avec la famille et la rue Saint-Denis ; mon premier échec aussi. Ça marque en effet. Le lendemain, y a-t-il un hasard ?, au dépanneur du coin, la fille du concierge Aubuchon m'apostrophe : « Ah vous ! Ma mère détestait que j'aille rôder dans votre atelier. Elle avait peur… de vous, de l'artiste, du bohémien ! » On a rigolé.

Nous avions appris — source du « beau milieu », expression de Raymond Cloutier — avant tout le monde, le suicide de la fille de feu Luc Durand, Émilie Durand. Vingt-deux ans, merde ! Aile : « Non, non, pas dans le journal. La famille n'est peut-être pas prévenue encore. » J'obéis. Samedi matin, c'est dans les journaux, avec le rituel : « Dons à Suicide-Action. » Tombée du clocher de l'église de Baie-Saint-Paul. *Miserere* !

Coup de fil de mon éditeur trois-pistolets, le VLB : « Salut, Claude ! On garde un de tes titres. Ce sera : *À cœur de jour*. Final. Pour la couverture, cesse tes tourments, oublie l'illustration littérale du titre et fais-moi plutôt un de tes autoportraits donquichottiens dont tu as le secret. »

Bonne idée. Je vais m'y mettre et la lance du chevalier sans peur et sans reproche à la joyeuse figure sera une longue plume bien acérée ! Délivré.

Rêve extravagant avant-hier : Matin. Je suis avec d'autres (c'est vague : mes enfants, des amis, le passé, aujourd'hui ?) dans une cave bétonnée, la mienne jadis à Bordeaux il me semble. Mulots, chauves-souris, rats, bêtes bizarres (écureuils ?)… le lieu est craint. Nous cherchons comment nous débarrasser de ces bébites de nuit si encombrantes. Trous nombreux dans le solage (reste de l'ex-écurie). Aussi des blocs de glace… Soudain, descendant le long d'un mur de cette cave, une assiette de cuivre gravée. Je vois la corde de soutien qui défile ! Peur de tous. Fantôme ? *Poltergeist* ? Frissons de tous. Prudence. Petits cris. Recul des froussards. Brave, je m'approche et je lis un nom inconnu — Marcel ou Maurice… Briard ou Brodard… peint au bas de l'assiette martelée, qui offre un portrait brossé vivement. Face hilare. Tête d'homme avec képi militaire. Soudain, juste à côté, fil mobile encore et un masque de carton épais descend et s'arrête à la hauteur de l'assiette métallique. Même visage ! Stupeur de nous tous. Le nom peint au bas de ce masque : même fion grotesque. Ensuite, nouvelle surprise. Cris encore : un troisième objet sort du mur et se glisse le long du mur de ciment. Une petite huile sur toile, sans encadrement, le nom pas même séché encore à l'huile grasse : colonel M… Y… B… Y… Je ne peux pas lire clairement.

Bouleversé par cet accrochage insolite, je veux calmer mes compagnons — mes enfants, mes petits-fils… et dis : « C'était ça. C'était lui. Un esprit en difficulté. C'est fini, regardez. » En effet, les trous sont frais cimentés et la glace a disparu. Les trois portraits remontent au plafond, disparaissent. Je récite un *pater*, je ne sais plus les mots, alors je récite un *ave*… En sortant, je dis à Marco : « Je regrette. J'aurais pas dû… Ces vieilles invocations, non, j'aurais pu improviser mieux, faire une prière aux morts plus personnelle.» Marco me dit: «Oui, c'est vrai! En effet!» Réveil.

Sang de mon sang? Mardi et mercredi, ma fille heureuse, en vacances totales, baignades et, hier, visite au rivage d'une amie d'Éliane, Danielle P., venue du Rang 12. «Regardez ce que je vous apporte, m'sieur Jasmin. Vous aviez parlé des Croquettes mangées au collège Grasset à chaque récréation, votre régal, disiez-vous. J'en ai déniché une de vos chères croquettes!» Elle me la lance. Vite, j'y goûte. Je l'avale tout rond. Miam! Rien de changé. On a ri. Il nous reste ainsi des goûts anciens qui ne s'oublient pas. Ce petit gâteau Stuart, les Croquettes, pauvre consolation dans la prison obligée des bons pères.

Marchands de soupe

Location du dernier film de Godard: *Éloge de l'amour*. Après quelques imbuvables, nous avions mis une croix sur ce chercheur aux navrantes trouvailles. Dimanche, on se disait: «Un dernier essai. Il a changé, évolué, peut-être.» Non, c'est plus assommant que jamais. La recommandeuse de vidéos de *La Presse*, la Sarfati, craignant, mondaine, de passer pour une demeurée, y allait d'un trois étoiles et demie! Timide timorée intimidée. Un récit obscur, une machin sans queue ni tête. D'une prétention d'imbécile, d'un ennui total.

Le peintre automatiste Pierre Gauvreau (aussi auteur du *Temps d'une paix* et du *Volcan tranquille*) à la radio avec Dussault: «Les marchands de soupe ont envahi la télé.»

Lundi, fête rue Saint-Denis, à l'école de théâtre, pour le cinquantième anniversaire de fondation de

La Roulotte des parcs. Paul Buissonneau très applaudi. Il est en pleine forme. Il pète vraiment le feu tout en allant vers ses 80 ans! Rencontres merveilleuses des anciens camarades: Clémence, Sabourin. Impossible de les nommer tous. Évocations. Souvenirs, souvenirs. Nostalgie inévitable. Et cette école, ex-terrifiant antre de jadis. Nos parents, des voisins: «Continuez, petits vauriens, à casser des vitres et on va vous faire enfermer à l'école de réforme!» Nous savions que c'était à quatre coins de rue de la rue Bélanger, cette horrible prison des enfants où on fouettait, torturait! Notre frayeur alors, on restait tranquilles deux ou trois jours.

Après la joyeuse fête, souper à *La Moulerie* avec P.-J. Cuillèrier. J'aime ce camarade d'Aile. Il n'est jamais ennuyeux. Sa faconde est inépuisable. Il est brillant, il me stimule. J'arrête, je me souviens qu'il m'a dit nous tenir à l'œil via ce journal, qu'il lit fidèlement. Bon, disons qu'il n'est pas si fin que ça.

Julien Green

Le beau cadeau envoyé par Manon A. Vieilleries précieuses. Elle m'a posté deux volumes du journal de Julien Green et un de Mauriac, sans doute dénichés à ses puces de la rive sud de Québec. J'ai commencé le 1940-1941 de Green. Il s'est sauvé aux USA, chez lui. Il en souffre. C'est un amoureux fou de Paris, de la France. Chaque entrée offre de profondes réflexions sur le destin, la vie tourmentée, l'angoisse métaphysique. Il plane au-dessus des réalités contingentes, ce que moi je ne fais pas bien entendu. Je suis donc privé constamment d'informations sur sa vie réelle, son existence de chair et d'os. C'est un romancier d'antan — que j'ai tant aimé — du temps que j'appréciais tant les âmes torturées, sauce Mauriac. Plus tard, Dos Passos, Hemingway, Steinbeck, Caldwell me soignaient à jamais de ce besoin un peu… disons, judéo-chrétien. Trop.

J'ai lu en vitesse le bouquin écrit à la va-vite de Claude Jodoin: *Mes aveux*, chez Quebecor. Jodoin fut le Michel Auger de son temps au même *Journal de Montréal*, qui se lia avec Claude Dubois et ses frères en banditisme. Un jour, le remords le titillant, il passe indicateur de police. Cette lecture éclaire beaucoup les affaires actuelles avec Maurice Boucher et ses bandits à moto. Dame justice en prend pour son grade. Le Jodoin finira en une prison atroce: chaque jour risque d'être son dernier. Une balance le sait fort bien. Il affirme que sans eux, les délateurs («haïs par tous», souligne-t-il), il n'y aurait jamais de procès des chefs de mafias puisque ceux qui règnent sur les commerces interlopes savent se couvrir.

Pour me changer de la crasse morbide des tueries en série du clan Dubois, j'ai lu *Les Détectives de la santé* par Jacques Drucker (Nil éditeur). Une crasse différente. On y découvre les horreurs microscopiques (virus, bactéries) qui répandent les infections, les épidémies. Du vieux sida à cette effrayante contagion actuelle par les moustiques du Nil occidental. Instructif en diable mais… on devient nerveux. On craint la nourriture même inspectée et on a envie d'aller vivre dans une bulle. Drucker affirme: «Nos systèmes immunitaires se battent sans cesse et gagnent le plus souvent.» N'empêche… savoir que des milliards de bactéries résistent tant bien que mal dans notre organisme, donne froid dans le... ventre. C'est là surtout, dans nos intestins, que se situe l'arène de lutte perpétuelle !

Je commence deux romans, un de Stanley Péan — *Zombi blues* —, plein de zombis rôdeurs sous Duvalier en Haïti et un du très érudit macaroni, Umberto Eco — *Baudolino*. J'aime bien essayer un livre. Eco m'énerve déjà, je déteste l'érudition (qui n'a rien à voir avec la culture) et encore davantage ceux qui l'étalent à pleines pages.

RDI — quand on y fait une pause en fédérastie appliquée avec leurs actualités *coast to coast* — présente de bons documentaires. L'autre soir, un colonel, Braun de son nom. Il devient un gourou. Dans l'aile des charismatiques. Commune organisée. Il sermonne. Il impose les mains, il parle en langues. On voit une de ses fidèles s'étendre au sol en tremblant, prise de fou rire ! Braun dira : « C'est l'onction de joie. C'est fréquent. » Tu parles ! Enfants stupéfaits. L'un dira : « Au fond, ils se sont fabriqué une nouvelle famille, ayant perdu la vraie. » Oh ! oh ! oh ! Les voies du Seigneur (oh Lord !) sont variées, hein ? Bon docu.

Bref songe. Sortons d'une fête clinquante. Plein de mondains. Fausses rencontres. Façade et vains propos. Trop de vin bu. Nous nous retrouvons, Aile et moi, sous le Stade olympique. Logement exigu de béton armé. Affreux réduit. On étouffe. Aile désolée, muette, embarrassée, moi honteux, découragé. Ça parle dehors de complot, de crise, de menace nucléaire à venir. Nous vivons comme des hommes des cavernes. Privés de tout. Bizarre cauchemar, non ? Ça vient d'où ? Comme j'aimerais comprendre le symbolisme des songes... Y en a-t-il un ?

Dubé à la télé d'antan: «La meilleure pièce de Tremblay? *À toi pour toujours, ta Marie-Lou.*» Pas loin d'être de son avis. Lui, sa meilleure? «*Un simple soldat*, dit-il, ma plus forte, je crois bien.»

Dans le Godard tout de même, un petit passage où je retrouve un des propos que je tiens: «Ne jamais dire les Américains quand on veut parler des citoyens des USA.» Un personnage tient le même langage que moi. Ma surprise. À la fin de cette séquence: «Quoi, alors quoi, les citoyens de votre pays n'ont pas de nom? Américains, c'est aussi vrai pour les Canadiens et les Mexicains. Vous n'avez donc pas de nom? C'est inouï, ça.» Plaisir furtif.

Un comique vante Toronto et démolit sa ville natale. On s'empresse d'imprimer ça sur cinq colonnes! Ce jeune diplômé trouve un job payant à Toronto — ça arrive partout en Allemagne comme en Angleterre — et le voilà vantant Toronto la salvatrice. Si un gars de Toronto se déniche un bon job à Montréal, ira-t-il brailler à Toronto qu'il n'y a que Montréal pour les chercheurs d'emplois? Non mais... Il est venu faire son tour, il adore tant Montréal, il aimerait tant y revenir, il a revu de ses amis diplômés comme lui et... chômeurs. Or, les sondages le disent tous: Il se crée au Québec plus d'emplois qu'ailleurs au Canada depuis quelque temps. Un menteur. Non, un petit malin qui sait qu'on va imprimer son lamento chez Gesca-Power and Company. Ma fille nous a raconté la belle vie d'un couple d'ex-amis, deux urgentologues du Québec, instruits ici à nos frais, qui s'enrichissent rapidement en Pennsylvanie, à Pittsburgh. Grand bien leur fasse, non? Certes, au Québec, ils auraient de moins bonnes gages. Mais là-bas, s'ils tombent malades, ils vont en baver et en cracher un coup. Un risque. Liberté pour tous ! Ce couple a choisi et ne viendra pas baver sur le Québec. L'exil chez les Amerloques ou en Australie, un choix. Point final. Je sais que je ne pourrais pas vivre, pas une seule année, aux USA. Pas même six mois, pas deux, pas un seul. Mon choix. Il n'y a que la France… et encore. J'aime trop mon pays, je reste. Et puis il est bien tard…

Coup de regard à ma fenêtre. Classique, à l'heure de la soupe, Sainte-Adèle s'illumine, même les jours de pluie. Sortir ?

Dans le *Ici,* Robert Lévesque déboulonne Ionesco et aussi Cioran. Que dirait-il d'Adamov viré à droite toute ? Nos deux héros littéraires fleuretaient abondamment avec les fascistes au début de la guerre. Découverte au mode passé trouble par Laignel-Lavastine qui publie *L'Oubli du fascisme* (PUF éditeur). Je comprends mieux l'énervement de Cioran quand il lisait le mot *nationalisme*. Pour tous ces défroqués du fascisme, le mot était tabou, incarnait le mal. Ils oublièrent le nationalisme moderne, celui de la décolonisation, actuel, qui n'avait rien à voir avec leurs péchés de jeunesse quand ils admirèrent en nigauds confus le nationalisme des Mussolini et des Hitler — comme celui, ici, de nos Chemises brunes du chef Adrien Arcand et certains curés, évêques englobés, du genre, tiens, du papa de Jacques Lanctôt, dont il parla volontiers avec Dussault l'autre matin. Bref, un autre bon article de Lévesque. Et un livre que je veux trouver.

Voilà le soleil : «*Here comes the sun…*» chantaient les Beatles. Je sors le dévisager sur la galerie, et vite.

[Mardi 27 août 2002]

Pas de boussole!

Je n'en pouvais plus. Tant de jours sans journaliser. Ce matin, même lumière mais avec un grand vent froid du nord. Je sors un des trois vieux volumes de journal, cadeaux de Manon A. Je n'en reviens pas. Tant chez Mauriac que chez Julien Green, c'est le questionnement spirituel continu. Impressionnant certes. Du vrai journal? Non. Mauriac ne date même pas ses entrées! Il en résulte un tas de réflexions graves, avec des trouvailles riches, des moments métaphysiques bien trouvés. Mais on ne sait rien de concret sur leur existence terre à terre. Ils flottent dans une quête acharnée — un peu répétitive parfois — pour le salut de l'âme. Je ne m'en moque pas du tout. Les deux bons écrivains semblent vivre en dehors des réalités, des «contingences» pour prendre le mot de Sartre. Ils font réfléchir croyants et incroyants. Comme en leitmotiv, la mort et le chemin ardu pour la sanctification.

Je pourrais transcrire des lots de passages édifiants, mieux: essentiels, mais mon journal ne doit pas servir à citer longuement les autres. Ces lectures me fortifiaient… et m'agaçaient ici et là. Cette hauteur de vue n'a plus rien à voir avec un journal, il me semble. Pourquoi ne pas publier des essais alors ?

Coup de fil d'un certain Stéphane Tremblay: on me veut comme chroniqueur à une nouvelle émission de télé, *Tous les matins*. J'y serais une fois par semaine. Comme ancien ? Comme sage sénateur ? Comme un papi ? Pas trop clair. Bon cachet et j'ai dit oui. Jeudi après-midi, screen test à Radio-Canada. Hâte.

Tantôt, message du Marleau ironique si amusant. Il m'a fait grand plaisir en me disant qu'il avait acheté une cassette de mon *Pleure pas Germaine*, version belge, 5,95 $. Qu'il sache que j'irais boire volontiers un café fort avec lui s'il vient dans mes parages laurentiens comme il le souhaite. Au *Van Houtte* de Val-David, avec nos vélos ? Il est un adepte de la « petite reine ». Marleau s'amuse de sa trouvaille: moi en aquarelleur, contraction avec « querelleur ». J'ai ri.

Actualités du jour: la télé TVA veut avaler la radio CKAC et affiliées. Pas une nouvelle. C'est la mode, convergence un peu monopolisante et un peu beaucoup en vue du contrôle des annonceurs. Les clients pourraient payer cher pour devoir s'enrégimenter avec un vaste réseau journaux-télés-radios, avec un seul et même proprio, qui dira: « Jean-Coutu, Wall-Mart, Saint-Hubert BBQ, branchez-vous, vous venez dans notre immense parc à pubs sinon… »

Le ministre Simard, un docteur en lettres, doit améliorer le système public, mais il enverra ses enfants au privé. Ça gronde en médias. Contradiction? J'aide — en subventionnant — ce système: Mont Saint-Louis, Regina Asumpta... etc. Là où étudient mes petits-fils. Décision — que je n'avais pas à discuter — de mes enfants. Sauf pour Simon Jasmin, qui fut accepté en douance à Sophie-Barat. Que rétorquera le ministre?

Vu une biographie du canal D avec un Guy Fournier d'une candeur déconcertante qui se peint involontairement parfois en sale con. Nous apprenons, médusés, que sa mère était une sorte de déséquilibrée et, plus grave, qu'il se vengeait, vieux libidineux empêché, d'une toute jeune actrice qu'il convoitait, en lui fabriquant un rôle de très méchante guidoune! Aveu renversant. Franchise exagérée? Fournier, fécond créateur, n'a donc pas de boussole? Tient-il de cette mère si peu pédagogique? Une longue séquence de télé montre Fournier au bain fruité avec sa compagne de l'époque (Deschatelets) et ça vire au burlesque d'un grotesque rare. Non, pas de boussole!

Vu la deuxième partie — avant-dernière — de *Thomas Mann et les siens*. Ce triptyque fort bien filmé raconte, non pas le grand écrivain allemand exilé sous le nazisme et ses œuvres, mais sa vie privée. Rien pour nous familiariser avec ses talents d'auteur. Un voyeurisme atroce. Épouse aveugle et muette, homosexualité larvée et non assumée du grand homme nobélisé en 1929, romancier enfermé, froid, frustré — il aime les jeunes garçons comme dans son *Mort à Venise* —, distant, hautain. Écrivain dur et trouble à la fois, bien joué par l'acteur fameux qui incarnait le héros de *La liste de Shindler* de Spielberg. Un grand frère communisant, auteur lui aussi, accroché à une jeune danseuse taxi-girl. Klaus, son fils incestueux et inverti drogué, Erica, sa fille, lesbienne pas moins à la dérive. L'avant-guerre aux mœurs à la *Cabaret*, le film-culte. Un petit caporal fasciste, l'Autrichien Adolf Hitler, va y mettre bon ordre, n'est-ce pas? 1933: le pouvoir aux nazis et l'exil des Mann.

Cette bizarre entreprise — «Voyez, vastes publics du monde entier, Mann, le fameux Prix Nobel, fut indifférent à la noyade familiale» — donne le frisson. On y a mis, avec talent, des tas de documents d'époque et l'ensemble en devient un fascinant documentaire. On reste rivé à son fauteuil. On a pourtant honte d'être transformé en voyeur dans les trous des serrures de ces riches. On ne voit jamais, pas une seconde, le peuple allemand. Le populo. Les gens ordinaires. La misère horrible dans cette Allemagne ruinée (après 1918) pour la majorité. Les caméras restent braquées sur ces bourgeois. Manoirs, jardins, bagnoles de luxe, etc.

Au lit, je dis à Aile: «Dans *Les jardins des Finzi-Conti*, je fus bouleversé. Pourquoi suis-je resté froid face à ces malheurs de riches?» Aile: «Les Mann s'échappent en Suisse puis aux USA. Les juifs italiens, les Finzi-Conti, s'en allèrent, eux, aux camps de la mort.»

Ma joie ce matin: voir deux hommes de couleur en *grey flannel suit* à la une! Impensable jadis. L'un vient de l'Inde, l'autre est d'Afrique du Sud. Ils président le Sommet de la Terre à Johannesburg. Thabo Mbeki et Niti Ndisan, c'est la revanche des esclaves, des colonisés. Ils représentent plus d'un milliard d'humains. De deux continents bafoués si longtemps. Joie, oui!

Camille Laurin

Guy Bouthillier, président de la Société Saint-Jean-Baptiste, me contacte pour mon appui : donner le nom de Camille Laurin à la future Grande Bibliothèque de Montréal. Je le lui donne volontiers et l'aide à dénicher d'autre appuis d'écrivains car l'Union des écrivains serait contre, voudrait un nom d'écrivain : Anne Hébert (inconnue hélas du grand public), Gabrielle Roy (l'exilée du Manitoba détestant la cause indépendantiste), Gaston Miron, le poète-animateur d'un seul recueil. Sans sa courageuse *Charte de la langue française*, sans Laurin, nous serions moins écrivains en fin de compte. Son coup de barre audacieux — René Lévesque hésitait, craignait —, historique, nous rendait la fierté d'être Québécois français. Mais… une lettre ouverte de ce matin recommandait de dire : La Grande Bibliothèque tout simplement et je crois que c'est avec raison.

« Je ne regarde jamais la télé ! » Encore ça ? De ce Richard Chartier (*La Presse*), qui déclarait « nul » un comédien de la trempe de Robert de Niro ! Qu'il est donc coco. La télé offre des heures (rares certes) inoubliables. Il s'agit de lire les télé-horaires. Trop fatigant, pauvre nono ?

Mon fils Daniel, prof démissionnaire, avait donc raison ? Je l'avais jugé bien impatient dans le temps. Ce matin encore (Marie Allard de *La Presse*), un témoignage fortement accablant de profs vite écœurés de l'enseignement comme il le fut. « Grosse vache ! »… Fillettes enceintes effrontées, jeunes dealers de dope, Marie-Ève, 25 ans, a vite quitté l'école Père-Marquette.

On ne sait plus trop quoi faire. On parle d'une prime pour garder ces profs éprouvés. Misère humaine!

Quand je lis tant de drames dans des familles en décomposition aux jeunes enfants innocents écrabouillés, c'est «Interdiction de se reproduire» si on n'a pas un certain «quotient intellectuel». Hon! J'ai honte, mais... tant de filles et de garçons ignares, perdus, incapables en tout, qui pondent des rejetons — «C'é not' seule richesse» — pour les élever comme des chiens et des cochons... Oui, stérilisation. Interdiction d'enfanter! Mon fascisme ordinaire. Quand il m'apparaît, je tente de lui clouer la gueule, mais... Julien Green, inquiet de trop en dire parfois dans son journal: «Tenter, malgré ma réticence, de dire la vérité, la mienne, sans cesse.» C'est ça qu'il faut faire, mon Julien.

Vu à la chaîne Historia, début de la série sur nos ascendants. Hier, un Marsolet. Un truchement, c'est-à-dire un voyageur en forêt, apprenant la langue huronne, organisant le troc pour les prudents marchands restés au village naissant. Il y eut la morue pour tous — avant même Cartier. Il y aura désormais les fourrures. Échanges pour du fer et du cuivre (haches, chaudrons, couteaux, etc.), du verre (pauvres bijoux recherchés, miroirs), de la lingerie (aux couleurs si vives). Ces coureurs des bois fornicateurs libres avec les Sauvagesses seront condamnés par les Jésuites, qui s'en viennent avec une autre sorte de troc et vont fustiger ces jeunes intégrés trop libertins!

Bon récit avec utiles commentaires (historiens et alliés), sauf ces damnées reconstitutions. Du bidon d'amateur! Des séances d'école. Et un peu de tétage (lèche-culisme) sur les tous bons et tous braves Amérindiens. Même lèche-culisme dans les pubs télévisées du vingt-cinquième anniversaire de la loi 101 avec gros quota gonflé — artificiel — d'ethniques. Nous sommes 83 % de la population, 8 sur 10 quoi. Or, on montre, bien téteux, 50-50 en ethnies colorées dans ces images. Mensonge vain. Fausser les faits par une complaisance futile.

Les fils de Guy Fournier parlaient du cliquetis perpétuel du père à sa machine à écrire. Ma fille Éliane, Daniel aussi, me parlaient de ce cliquetis clavigraphique de leur jeunesse, même tard le soir.

Ça cause uniforme pour tous… dans les écoles et les cégeps. Souvenir : au Grasset, éléments latins et port obligatoire d'un pantalon gris et d'un blazer bleu. Maman court chez Greenberg. Je compare pour ma veste, je vois bien de belles étoffes pour plusieurs, et de ces pantalons d'une flanelle de qualité bien supérieure. Pas de ce linge qui se froisse si vite ! Ma honte niaise. Et l'écusson à la devise du collège qu'il faut payer, broderie dorée. Non, pas pour moi. Trop cher. « L'uniforme ne réglerait rien », dit un lettre-ouvertiste de ce matin : « Pas d'uniforme, plutôt un code vestimentaire. Pas trop de fantaisies libertaires *chic and swell*, c'est tout. » Il a raison.

Amusant de lire hier matin : Normand Brathwaite (venu de la petite Patrie, rue Bellechasse) se souvient de son « dédain très hargneux à l'école de théâtre pour le monde commercial ». Il en rit maintenant, lui qui prête son nom et son allure à tant de publicités. La jeunesse et la pureté. À méditer !

Le charcutage

Faut que je me grouille: organiser une protestation unanime, publicisée, de tous les créateurs du monde (cinéma, télé, etc.) — commencer par Québec — en vue d'un slogan rassembleur: «*TERMINÉ LE CHARCUTAGE!*» Rallier les gros noms. Communiquer (ô Internet!) avec ceux des autres pays de la terre. Pourquoi un tel mouvement ne viendrait-il pas du Québec? Y aller avec patience, même si le résultat devait attendre 5 ans, 10 ans s'il le faut. Assez c'est assez. Les réclames (dont les autopublicités hein), tant qu'on voudra, on serait pas contre, mais au début et à la fin de l'œuvre. Oui, un jour, fini le charcutage.

Thomas Mann, voix hors-champ: «On ne devrait pas faire d'enfants, les gens comme moi.» Je sais ce qu'il voulait dire. Hier, un Fournier ose avouer, parlant de son père absent: «Mon père, sa passion c'était de rédiger, pas nous, ses enfants.» Constat effrayant? Moi, qui ne me suis jamais consacré totalement aux démons de la création, moi, qui ai obtenu tant de joies, tant de bonheurs, tant de plaisirs (petits, moyens et grands) à voir vivre, grandir, s'épanouir, vivre mes deux enfants, je sais le prix à payer. Jamais d'œuvre impérissable. Jamais de prix. Jamais de Nobel. J'en suis fier, heureux, content.

Green parle dans son journal de cette vaine poursuite du chef d'œuvre contre la vie elle-même, se pose de graves questions. Fournier, moment rare, dit qu'au chevet de Judith Jasmin il l'a entendue lui confier qu'elle ne regrettait surtout pas le temps perdu. Cela l'a tant marqué et il se surprend à consacrer une heure de promenade en boisé (temps perdu) chaque matin. Le Diable devenu vieux…

Dimanche soir, Aile revoit son émission avec Donald Lautrec, dit : « Eh ! que j'étais bonne là-dedans ! » En effet, c'était swignant en yable ! Frisson quand on voit son nom au générique. Le temps passe vite ! Aile s'en alla vers les dramatiques et ne le regretta jamais.

Que de jeunes chanteuses et chanteurs, vedettes d'une saison ou deux, ensevelis dans des limbes bizarres ! On en a jasé en revoyant ce vieux variétés-jeunesse. Que de romanciers disparus… Durer, durer, le bel idéal.

Je repense souvent à la magistrale interprétation d'Hélène Loiselle dans *En pièces détachées*. Elle concentrait toutes les mères miséreuses, les écrasées du destin, les démunies de la Terre, mères désarmées face à la vie qui bat fermement. Inoubliable Loiselle !

À *Découvertes* dimanche, étranges machins virtuels du temps des bêtes anciennes et des hommes des cavernes. Aile et moi très étonnés. L'infographie et ses trucs montrés comme des lapins magiques sortis de chapeaux technologiques ahurissants.

La romancière brillante Monique Proulx revenue de Chine à nos frais rédige son rapport dans *La Presse*. Soudain, elle parle de la langue anglaise (américaine au fond), que les jeunes apprennent là-bas à toute vitesse, et dit : « On devrait faire comme eux, il y aurait moins de paranoïaques par ici. » Pas *verbatim*. Une saloperie ! Comment comparer la Chine — plus d'un milliard d'habitants —, son immense histoire, sa culture écrasante, et nous, nous, chétif 2 % de parlant français, héroïques résistants peinturés par la jeune Proulx en malades paranos ? Un tout petit 2 % sur ce vaste continent à vouloir être, menacés par tout ce tout-puissant bloc anglophone à nos portes — 285 millions de *speaking English*.

Coups de pied au derrière de Madame Proulx — schizophrène, elle ? — qui se perdent. Une Monique-couche-toi-là ? Vrai : parfois les voyages payés par Ottawa ne forment pas du tout la jeunesse ! Le reste de son article était bien fait, souvent étonnant de constatations originales.

L'écrivain péruvien Llosa-Aristo, il désigne comme complices les pauvres gens qui voient s'installer une dictature chez eux ! C'est vite aller en… jugement sommaire. Il publie, sur ce sujet, *La Fête du bouc*, narrant la montée de la dictature en République Dominicaine jadis. Culpabilisons les pauvres manipulés !

Green m'influence ? Envie de remercier en me levant chaque matin… mais qui ? Mon refus de voir Dieu comme un papa, un *pater*, un humanoïde. Le percevoir comme une « lumière ». Je remercie donc… la Providence. Ah ! les mots ! J'ai bien vu que ce sont Jésus et les évangiles qui fascinent Green dans son journal. Dieu ? C'est trop abstrait pour ce sensuel puritain qui n'assume pas bien ses attractions pour la beauté masculine et ne reçoit jamais les femmes dans son antre ! Converti aux catholicisme, il reste un protestant dans l'âme. La *Bible* sans cesse à son chevet. Il estime beaucoup le célèbre « Que le premier sans péché lance la première pierre… » du Galiléen Jésus. Il se disculpe ? Il joue au chat et à la souris avec le péché de la chair et c'est fascinant de le voir… écrire.

[Vendredi 30 août 2002]

Une audition

MARCO ET MA FILLE partent lundi pour «La mer, la mer toujours recommencée» (Paul Valéry). Il s'en vont vers: «L'éternité, c'est la mer en allée au soleil» (Rimbaud).

Pas demain samedi? *Tempus fugit* effrayant! Ciel archi, très archi lumineux aujourd'hui. En somme, un mois d'août parfait. Ce matin, screen test. Tantôt, lu le message du chef Stéphane T. de cette neuve série du matin à Radio-Canada, titrée: *Tous les matins*. Stimulant courrier: «Toute l'équipe emballée. Vous recevrez votre contrat sous peu pour jusqu'au mois de mai.» Ça fait plaisir.

Donc, premier contact au studio 45 de la SRC avec le couple animateur: Paul Houde et Dominique Bertrand (la belle et... la bête sarcastique que l'on connaît). Pas de maquillage, rien. Je plonge ad lib. Je raconte «grand-père rajeunissant» (de 1985 à 1995) au contact des petits-enfants. Fort sympas, deux types, le gardien du parking Papineau et le surveillant du bureau d'accueil, les deux: «Ça va marcher, cette audition. Ayez confiance. Vous avez tant d'expérience.» Chaud au cœur!

Ensuite, j'ai filé vers Ville-Marie-Typo, rue La Gauchetière (pas loin du bâtiment Chiffon-J vitré), l'éditeur de mon projet de *La Petite Patrie illustrée*. Dans le hall: tas de portraits d'auteurs morts. Funèbre galerie! Godin, Ferron, Miron, Pierre Perrault, etc. Suis pas encore affiché? J'ai protesté: «Moi, un pilier de la maison, aucun portrait?» Injustice, etc. Colère feinte. On a ri.

Jean-Yves Soucy, camarade auteur, l'adjoint du patron Graveline, m'entraîne vite dans un sale cagibi car... il fume lui aussi. Se cacher comme des lépreux. Grrr... Soucy me dit de ne pas m'en faire avec mes formats variés d'aquarelles, que tout se scanne. Fin septembre: rendez-vous avec mon gros paquet de torchons illuminés! Je dis: «Toi et ton équipe, ton graphiste surtout, déciderez d'un choix, je serais mauvais juge.» Il veut bien jouer le juré de mes pontes de barbouilleur frénétique de ces temps de jadis. J'interroge Soucy sur son manuscrit en cours: «Parle-m'en pas, je comptais sur des vacances et je n'ai pu prendre que quatre jours deux fois.» Je dis: «As-tu hâte d'être vieux et libre comme moi?» Il a encore ri et m'a offert un des livres de Sogides sur... les cimetières en Montérégie! Il sent ma mort? Il va frapper un nœud, je pète de vivacité.

Des moules et puis des frites, messire Brel? Hier, Aile revenue de chez sa coiffeuse espagnole et de courses diverses me suggère la bouffe à notre familière *Moulerie*, rue Bernard. Moules à la sauce india, épicée. Risque? Non: le sommeil est venu facilement après avoir écouté, ravis, l'acteur Rochefort interrogé par Rapp aux *Feux de la rampe* à ARTV. Le bonhomme est bavard et captivant. On sait que bientôt il y aura même genre d'émissions avec les talents d'ici. C'est correct. Évidemment, il y a des personnalités moins attrayantes, moins riches, moins habiles à baratiner sur leur carrière.

Voisine de table, une fillette de trois ans, rigolote, enjouée, se laisse séduire… par moi. À la fin, elle me chante une chanson, me fait des pirouettes et des grimaces, ricane, mime. Adorable petit bout de chou bien dans sa peau. Voilà sa maman qui me dit: «Comme j'ai aimé votre *Petite Patrie* à la télé. C'était si serein, si doux. J'avais 10 ans.» Le serveur s'en mêle: «Moi, j'ai enregistré toutes les émissions qui passaient en rafale tous les jours, il y a quelques étés. J'ai les rubans.» Un autre garçon de table nous parle intelligemment de télé et de cinéma. Il est fou de David Lynch. Grrr… Aile en jase avec lui. Décidément, les waiters d'aujourd'hui ne ressemblent pas du tout à ceux de ma jeunesse. Souvent, on y croise des types cultivés, intéressants en diable. C'est formidable. Andrée Lachapelle et les siens passent devant, ils reviennent du *Bilboquet*, le célèbre glacier pas loin. J'ai dit adieu à sa belle grasse crème. Maudit mauvais cholesto!

Entendre «Ici Michel Morin pour Radio-Canada», me donne l'urticaire. Voix de faux fausset, ignorant la loi naturelle des accents toniques, appuyant donc lourdement sur la première syllabe des mots, comme pour l'anglais (et l'allemand, me dit-on). Il n'y a eu personne donc pour le faire se corriger? Ce déplacement des accents toniques (premier cours de diction jadis) est fréquent chez des jeunes. Influence américaine? À part exceptions, on doit appuyer sur la deuxième syllabe des mots en français, cela fait la douceur (reconnue par un Julien Green entre autres) de notre langue.

Bunker

Reçu *L'actualité*. Deux articles étonnants. Le premier: l'ex-révolté, ami du Che, Régis Debray, a mis dans son rapport officiel sur les nouvelles orientations des écoles en France qu'il faut de toute urgence un retour au religieux. «L'enseignement-enrégimentation» de jadis au Québec. Non. Il affirme que pour une «meilleure civilisation», les écoliers français devraient apprendre Dieu, Yaveh et Mahomet aussi. Debray explique: «Le monothéisme, c'est notre patrimoine culturel commun.» Des jeunes, dit-il, visitent la splendide cathédrale de Chartres et ne comprennent absolument rien aux sculptures et aux vitraux du site. Héritage non assumé, bafoué par un anticléricalisme né de 1789.

Le deuxième article, pas moins étonnant, avance que la prière comme la réflexion et la méditation servent fort utilement à la guérison des malades. Je l'ai toujours cru. Des études partout en Occident — même à Harvard — le reconnaissent. Les petits Baril à droits de l'homme (et tonneaux creux) vont chialer, hein?

Michel Vastel, même numéro de *L'actualité*, dénonce le *Bunker* télévisé de Luc Dionne. Écho à une Pauline Marois scandalisée elle aussi de voir que l'auteur salit tout les politiciens de façon manichéiste. Tout noir. Mais je me méfie un peu de Vastel. Ce dernier admettait un jour fréquenter les hommes politiques, manger avec eux, trinquer volontiers et souvent. Les De Virieux et Pierre

Pascau, un temps, osèrent fustiger ces journalistes qui fréquentent copain-copain les cafés des parlements.

Tout le temps que je fus critique d'art, jamais je ne suis allé boire ou manger avec les artistes du monde des Beaux-Arts. Jamais. Pas un verre, pas même un hamburger! Il y a eu des tentatives de fréquentation. Je m'y opposais aussitôt. Je repoussais ces invites incestueuses. Je représentais le public, mes lecteurs. Point. Je refusais toute complicité, toute intimité. Je refusais farouchement ce dangereux copinage. À se faire ami-ami avec eux, j'aurais pu perdre mon impartialité. Je ne dis pas «objectivité», puisque cela n'existe pas. Les Vastel, les bons chums des politiciens, ces humains, se font influencer et durablement. Ces attachés des bars parlementaires ne sont pas à mes yeux des témoins crédibles.

Ce Luc Dionne, un temps — avant ses récits sur la mafia (*Omerta*) puis les motards criminels — fut un simple relationniste (publiciste) d'un député québécois. On dit de lui: «Déception, il se venge. C'est un ambitieux amer qui est rancunier.» Dionne se défendait hier: «C'est de la caricature, du divertissement. Faut un peu d'humour, madame Marois, monsieur Vastel.» Radio-Canada tremble: s'il fallait que le public en bloc se dresse contre cette... caricature?

Je dis: s'il fallait que la caricature — tous des pourris, des manipulés, des fats ou des innocents cons — soit plausible, pire, véritable et vérifiable?

Un commentateur populaire, ex-député libéral, virant capot Bloc. On vient d'apprendre que ce Lapierre (CKAC, TQS) organise de fins soupers au homard avec ceux qu'il doit critiquer, commenter en ondes diverses. Écœurant procédé. Il n'a plus de crédibilité. Ses patrons

(CKAC et TQS) sont-ils contents de lui ? Voilà une misérable manière de faire son métier. Ces Lapierre-là font grossir l'idée de tous les Dionne : « Politiciens et journalistes ? Tous copains comme cochons. Avec pour la galerie des candides — la table desservie, cognac bu — des airs de se critiquer. » Bref, un journalisme de pacotille. La Fédération des journalistes devrait hausser considérablement le ton. Un Lapierre est la honte du métier.

Si j'écrivais : « Le critique Robert Lévesque fait peur quand je le vois boitillant rue Bernard. Il est répugnant avec sa face de gorille pileux, son rond dos de Quasimodo, sa démarche oblique de M. Jeckill, ses jambes courtes et croches, ses rictus de satrape, sa voix caverneuse d'obsédé... », on me dirait : « Wo ! pas d'attaque *ad hominen* s'il-vous-plaît. » Eh bien, lisez sa chronique hebdomadaire — bien écrite, il a du talent — dans le *Ici*. Ryan, en shorts, rue Bernard, y est assommé net, l'ex-chanteuse Chantal Renaud y est éventrée, son compagnon, le premier ministre Bernard Landry, est décrit comme un « petit gros boy-scout » poussif ridicule.

Dans quel désarroi le vandaliseur congédié du *Devoir* plonge-t-il ? Il a une écriture si forte, pourquoi ne pas l'utiliser à meilleur escient ? Mystère !

Café-terrasse Hutchison et Bernard — table du coin sud-ouest —, il trône toujours. Je l'ai vu encore hier. Il lit. Il note. C'est un Sartre posé en observateur, offert à tous les regards. Qui ça ? Gilles Courtemanche, qui semble y tenir bureau ouvert seul avec lui-même. Et je ne dirai rien de son visage légèrement crispé daignant jeter des regards flous sur la piscine des anonymes piétons tout autour.

J'oubliais: c'est Philippe Azoulay — aussi président d'un festival du film au Maroc? — qui est le réalisateur des *Feux de la rampe.* Aile a raison: on doit nommer les réalisateurs. Je le fais tant que je peux. L'invité est installé trop loin du public en salle. Erreur. Chez Lipton, à New York, il y a un jeu chaleureux entre la salle et la scène. Regrettable scénographie à Paris. Ici, on fera mieux, j'espère.

Aile a achevé de lire une biographie de Jacqueline Bouvier-Kennedy. C'est bon? «Non, me dit-elle, c'est de l'hagiographie. Perds pas ton temps.» Elle y a glané ceci: le mot *paparazzi* viendrait d'un photographe fouineur excessif, italien, un certain M. Paparozzo. Lisant son gros bouquin, Aile me disait son étonnement face aux multiples drames dans la famille de l'armateur grec, deuxième époux de Jackie. J'avais lu une biographie d'Onassis et, en effet, c'est vraiment un drame antique à la sauce grecque. Inimaginable en nos temps modernes, cette terrible guigne. J'avais même songé à en faire un scénario d'un tragique tonus avec chœurs, silhouettes d'épouvante.

Important. Qui saurait comment contacter une ou deux personnes-clés? Chez Bureau au beau bureau — après le Hétu de *La Presse* — on a fait écho cette semaine à ce galériste (il est coproprio) new-yorkais collectionneur d'art (il a 50 Villeneuve, le barbier), Claude Simard. Ce jeune millionnaire de 45 ans né à Larouche au Saguenay a pu acheter des antiquités variées en Inde. L'évêque du lieu (Cochin) voulait démolir son antique église (XVIe) dans l'État du Kerala. Un fou en soutane? Simard est en train (un cargo s'approcherait du Saguenay) d'installer de ce patrimoine — des monuments divers

— dans son petit village. Le maire de Larouche, Réjean Lévesque, est tout fier du fait (un innocent?).

Au ministère du Tourisme — que j'ai contacté —, on m'a répondu tout ignorer. Les fieffés paresseux! Je m'inquiétais: si, une fois l'étrange foire installée, l'Inde ordonne au gouvernement du Québec de retourner tout ça et vite? Qui va payer, nous tous, les contribuables?

Sorte de Dysneyland à la sauce indienne? Je n'en reviens pas. Le 10 mai, mystérieusement, André Pratte (à *La Presse*) avait refusé de publier ma lettre d'étonnement. Radio-Canada, et son Bureau, envoyé en tête-à-tête avec Claude Simard, n'a pas posé la question préalable: «Est-ce vraiment permis? autorisé?»

Est-ce que M. l'ambassadeur de l'Inde — à Ottawa — est au courant de ce sinistre vandalisme? Est-ce que le consul de l'Inde — à Montréal — est au courant? Est-ce qu'il y a d'autres trésors du XVIe à déménager librement en ce pays? Leur patrimoine est-il à vendre? Que dirait-on à Ottawa ou à Québec si un richard de Bombay achetait, démolissait, une de nos vieilles églises de village — du XVIIe siècle — pour la transporter et l'exposer à jamais en Inde? N'y aurait-il pas tollé et un grave scandale?

Un lecteur ici, journaliste ou non — moins stupide que tous ces Bureau —, sait-il comment contacter l'ambassadeur ou le consul? Qu'il le fasse, je l'en prie. Il y aurait là une fameuse nouvelle si la réaction était négative, non?

Ne pas oublier de dire la force terrifiante de ce *Appelez-moi Stéphane* de Meunier et Saïa à ARTV. Tous les comédiens étaient fameux de vérité pesante. Quelle illustration affligeante de nos petites gens désirant se hausser un peu, apprendre, et qui se retrouvent les mains vides, exploités par un rastaquouère, acteur de dixième ordre. Je m'ennuie des téléthéâtres de cette sorte. Une rareté à la télé désormais.

Perte de temps

Ah, mes chers faits divers révélateurs ! Si instructifs. Meunier et Saïa en feraient un fameux drame. Mme Louise Landry, ayant un mari dominicain, San Domingo, installe un hôtel (le *Windsor*) en République. Deux millions ! Pas des peanuts, hein ? La maladie frappe l'époux. La frappe aussi. Hospitalisation là-bas. Elle n'aurait pas payé (150 000 $) les frais médicaux. Riche pas riche, ruinée pas ruinée… ce sera la prison ! Une misère sordide. La panique. L'argent à verser aux gardiens. La pourriture connue. La belle-famille la retiendrait en otage, dit la gazette. Ah ? Divorcée ? Elle finit par se sauver. Avion et retour ici. Avocats se débattant.

Morale ? Je ne sais pas. Ne pas épouser le bel étranger trop vite ? Ne pas bâtir un hôtel n'importe où ? Aile et moi avons pu voir la misère noire, extrême, à Porto Plata et ce quartier de riches bonshommes, enclave, clôtures et jolies grilles ! Pauvre République Dominicaine qui se fait raconter sa longue dictature par Llosa ces temps-ci, lire *La Fête du bouc*… les intouchables sur les coteaux de Porto Plata dont se moquait le conducteur de notre bus, il y a deux ans, vivent-ils sur un futur volcan ?

J'ai trop vite blâmé Llosa pour son : « Pas de dictature sans la complicité du populo ». Je ne sais plus. Dans ce *Thomas Mann et les siens*, sa fille gueule soudain, voyant papa Thomas prêt à revenir en Allemagne pour y recevoir, en 1950, prix, médailles, rubans, honneurs. « Faut pas y retourner. Tout ce peuple, ton cher peuple, les gens de toute ta chère Bavière, de ton cher Munich, appuyaient le nazisme, le louaient, papa, le permettaient. T'ont fait t'exiler 15 ans, papa. Refuse de rentrer ! »

Complicité d'un peuple ? En effet, si, en Allemagne, à Berlin, en 1933 et avant, tous les intellectuels, les professeurs, les journalistes, etc. s'étaient dressés, étaient descendus dans les rues pour dire *non* à ce Hitler et à ce parti fasciste ? Responsabilité collective. Sujet de ma méditation chaque fois que je lis un livre, que je vois un film sur les horreurs du pouvoir nazi.

Vu récemment Dick Bogart en pédé non assumé dans *Mort à Venise* (de Mann); ainsi avoir pu revoir un film étonnant, le grand plaisir. Thomas Mann, montré dans sa biographie, à Venise, sur la plage, zieutant un jeune éphèbe : amalgame qui s'imposait puisque le triptyque télévisé insinuait, et plutôt clairement, que Mann était ce personnage de pédé inventé pas si inconsciemment que ça. On voyait Mann brûler ses pages de journal intime… Je me disais, Aile aussi, pourquoi diable tenir un journal secret, parallèlement à l'autre ? Écrits qu'on voudra, honteux, faire disparaître plus tard ? Julien Green lui aussi révèle dans son journal (donc expurgé) qu'il incendie des tas de pages de son journal très intime. Mystère à nos yeux.

Aile observe le fastueux et prétentieux décor du *Téléjournal* de la SRC, dit sobrement : « Un fouillis. » C'est cela.

Aile ayant vu un film loué insignifiant dit sobrement, montant se coucher : « Perte de temps. » C'est cela, exactement. J'aime ses sentences brèves.

Les deux tiers des appuis à John Charest (sondage récent), donc 66%, sont des anglophones. Aïe ! Deux tiers de son vote québécois ! J'en serais assommé. Lui ? Pas un mot de pipé là-dessus. Même sondage, l'ADQ du jeune Dumont a le vent dans les voiles. Là-dessus, n'étant pas candidat politique, je peux me permettre de parler franc : Nation nigaude, va ! Les mots du poète Baudelaire, qui, lui aussi, ne se présentait à nulle élection.

Revu *Le Limier* avec Olivier et Michael Caine. Bon suspens. Tordu à souhait. Un polar qui fit florès longtemps, partout, ici aussi, chez Duceppe et brillamment. Un vieux raciste snob et infantile dans son salon et un coiffeur italien ambitieux, amant de sa jeune femme, complotent un faux vol. L'intrigue reste invraisemblable (déguisements) mais c'est si bien arrangé qu'on veut embarquer… comme des enfants montent dans la grande roue.

Terminant le journal de Mauriac (une année), je relis comme chez Green : Dieu, Dieu, Dieu… (surtout Jésus chez Green). Peu à apprendre sur sa vie réelle et ses contingences (chez Mauriac). Beaucoup à réfléchir. Car Dieu, l'amour du prochain, le sens à donner à sa vie sont des thèmes qui importent. Je regrette seulement de ne pas avoir pu regarder vivre, humainement, oserais-je dire, ces auteurs que j'ai tant aimés jeune.

Le film de Mme Manon Briand avec son titre à la mode (prétentieuse), *La turbulence des fluides,* s'est attiré beaucoup de bémols chez les critiques. Scénario confus. Des chroniqueurs en profitent pour fesser sur les instances clandestines des subventionneurs (Téléfilm) où l'on fait réécrire 10 fois le scénario. Résultat : confusion ! Trop de cuisiniers dans ces cuisines bizarres.

Certains trouvent ainsi des excuses à la cinéaste pour la confusion des genres dans *Turbulences*. Là comme ailleurs, ces experts anonymes sont souvent de faux pairs, des lecteurs plus ou moins ratés. Les bons, les vrais, n'ont pas de temps à perdre à tenter d'intimider de jeunes (ou moins jeunes) scénaristes. Misère!

Aile voit mieux que moi? Sur la piste cyclable, elle me parle de jolis canards, en aval de Val-Morin, au delà des cascades formidables, sur la Nord. Je les vois pas! J'enrage chaque fois au café du coin, à Val-David.

Ayant vu une partie du film sur le dérangé mental dit Moïse Thériault, j'ai songé à *Aurore l'enfant martyre* des sous-sols d'église. Même sordide et facile mélo. Et les victimes ne sont pas des enfants… quoique… Besoin de se taire parfois, par pitié. Ces filles si connes, si niaises… À quand un documentaire sur ces pauvresses? D'où sortaient-elles? Qui les a si mal élevées? Complicité tacite encore?

Reste qu'avec ce *Moïse*, l'Ontario semble s'être empressé de faire un film sur ce maudit Québécois dépravé, pourri, qui alla salir la belle campagne ontarienne. Empressement de montrer de quelle sorte de bois fou se chauffent parfois ces « misérables séparatistes », les Québécois. Voyez de quoi ils sont capables! Ces « maîtres du chantage », disait l'Elliott Trudeau. Minute, minute! Je m'emballe, là, le patriote. Du calme. Reste que le français du doublage de tout ce monde donnait une impression de fausseté inégalée depuis longtemps.

La jolie Michaëlle Jean plus parisienne d'accent que jamais encore cette semaine. En 2002, même Marie-Chantal, avenue Kléber ou parc Manseau, ne s'exprime plus comme ça! Jeune, a-t-elle fréquenté Villa Maria, ou ce chic couvent-ghetto Marie-France, de biais avec l'Oratoire ?

Étonnant tout de même : même laps de temps. On voyait dans *Vertigo* la mort, le clocher, les religieux en cagoules et, en même temps, pas télévisée, la mort aussi, non-fiction totale, la pauvre jeune Émilie Durand, suicide, la mort, le clocher (à Baie Saint-Paul), religieuses en cagoules dans Charlevoix ce jour-là de vertige. *Vertigo* en faux et en vrai et en 48 heures. On m'a dit qu'il a fallu aller rassurer (consoler aussi) ces religieuses qui avaient déverrouillé leur église pour la jeune comédienne désespérée. *Miserere*!

Vu un bon suspense. Aile a loué *Crime et pouvoir* de Carl Franklin, d'après un roman de Joseph Filder. Histoire terrifiante. Anti-militarisme qui vire de bord. Une histoire joliment tournée. Un récit filmique bien fait, à l'intrigue tarabiscotée, mais du divertissement de bon aloi. Et le comédien Freeman reste toujours le Noir le plus sympathique aux USA! Non ?

J'oubliais, c'est le frère de Thomas Mann, Heinrich, auteur lui aussi, qui rédigea *L'Ange bleu*, jouée par la célèbre Marlene Dietrich. Ce grand frère était communiste avant Hitler et finira sa vie (comme le dramaturge Berthold Brecht) dans Berlin Est, salué par ses amis rouges.

Aile toute contente a déniché à Saint-Sauveur, ce midi, un grill neuf, exactement comme l'ancien Sterling. Je vais bouffer de mes chers calmars grillés avec pâtes, yam, yam. Je descends avaler cela. J'ai mis le vieux au trottoir — il faut jeter les vieux, non ? — avec une pancarte : « À prendre ».

Du même auteur (suite le la page 4)

Alice vous fait dire bonsoir, roman, Leméac, 1986.

Safari au centre-ville, roman, Leméac, 1987.

Une saison en studio, récit, Guérin littérature, 1987.

Pour tout vous dire, journal, Guérin littérature, 1988.

Pour ne rien vous cacher, journal, Leméac, 1989.

Le gamin, roman, l'Hexagone, 1990.

Comme un fou, récit, l'Hexagone, 1992.

La vie suspendue, roman, Leméac, 1994.

Partir à l'aventure, loin, très loin, Éditions Québécor, 1995.

Un été trop court, Éditions Québécor, 1995.

La nuit, tous les singes sont gris, Éditions Québécor, 1996.

Pâques à Miami, roman, Lanctôt Éditeur, 1996.

L'homme de Germaine, roman, Lanctôt Éditeur, 1997.

Albina et Angela, poèmes, Lanctôt Éditeur, 1998.

Duplessis, essai, Lanctôt Éditeur, 1999.

Papa papinachois, roman, Lanctôt Éditeur, 1999.

Enfant de Villeray, récit, Lanctôt Éditeur, 2000.

Je vous dis merci, Éditions Alain Stanké, 2001.

Pour l'argent et la gloire, essai, Éditions Trois-Pistoles, 2002.

À cœur de jour, journal, Éditions Trois-Pistoles, 2002.

Cette liste ne comprend pas certains essais, textes dramatiques, livres de commande et nombre de « collectifs » auxquels Claude Jasmin a participé.

Cet ouvrage, composé en New Caledonia 13 / 16,
a été achevé d'imprimer à Boucherville, sur les presses
de Marc Veilleux imprimeur,
en mars deux mille trois.